第六十一回　赵云截江夺阿斗　孙权遗书退老瞒

却说庞统、法正二人，劝玄德就席间杀刘璋，西川唾手可得。玄德曰：『吾初入蜀中，恩信未立，此事决不可行。』二人再三说之，玄德只是不从。次日，复与刘璋宴于城中，彼此细叙衷曲，情好甚密。酒至半酣，庞统与法正商议曰：『事已至此，由不得主公了。』便教魏延登堂舞剑，乘势杀刘璋。延遂拔剑进曰：『筵间无以为乐，愿舞剑为戏。』庞统便唤众武士入，列于堂下，只待魏延下手。刘璋手下诸将，见魏延舞剑筵前，又见阶下武士手按刀靶，直视堂上，从事张任亦掣剑舞曰：『舞剑必须有对，某愿与魏将军同舞。』二人对舞于筵前。魏延目视刘封，封亦拔剑助舞。于是刘璝、泠苞、邓贤各掣剑出曰：『我等当群舞，以助一笑。』玄德大惊，急掣左右所佩之剑，立于席上曰：『吾兄弟相逢痛饮，并无疑忌。又非「鸿门会」上，何用舞剑？不弃剑者立斩！』刘璋亦叱曰：『兄弟相聚，何必带刀？』命侍卫者尽去佩剑。众皆纷然下堂。玄德唤诸将士上堂，以酒赐之，曰：『吾弟兄同宗骨血，共议大事，并无二心。汝等勿疑。』诸将皆拜谢。刘璋执玄德之手而泣曰：『吾兄之恩，誓不敢忘！』二人欢饮至晚而散。玄德归寨，责庞统曰：『公等奈何欲陷备于不义耶？今后断勿为此。』统嗟叹而退。

却说刘璋归寨，刘璝等曰：『主公见今日席上光景乎？不如早回，免生后患。』刘璋曰：『吾兄刘玄德，非比他人。』众将曰：『虽玄德无此心，他手下人皆欲吞并西川，以图富贵。』璋曰：『汝等无间吾兄弟

之情。』遂不听，日与玄德欢叙。忽报张鲁整顿兵马，将犯葭萌关。刘璋便请玄德往拒之。玄德慨然领诺，即日引本部兵望葭萌关去了。众将劝刘璋令大将紧守各处关隘，以防玄德兵变。璋初时不从，后因众人苦劝，乃令白水都督杨怀、高沛二人，守把涪水关。刘璋自回成都。玄德到葭萌关，严禁军士，广施恩惠，以收民心。

早有细作报入东吴。吴侯孙权会文武商议。顾雍进曰：『刘备分兵远涉山险而去，未易往还。何不差一军先截川口，断其归路，后尽起东吴之兵，一鼓而下荆襄？此不可失之机会也。』权曰：『此计大妙！』正商议间，忽屏风后一人大喝而出曰：『进此计者可斩之！——欲害吾女之命耶！』众惊视之，乃吴国太也。国太怒曰：『吾一生惟有一女，嫁与刘备。今若动兵，吾女性命如何！』因叱孙权曰：『汝掌父兄之业，坐领八十一州，尚自不足，乃顾小利而不念骨肉！』孙权喏喏连声，答曰：『老母之训，岂敢有违！』遂叱退众官。国太恨恨而入。孙权立于轩下，自思：『此机会一失，荆襄何日可得？』正沉吟间，只见张昭入问曰：『主公有何忧疑？』孙权曰：『正思适间之事。』张昭曰：『此极易也：今差心腹将一人，只带五百军，潜入荆州，下一封密书与郡主，只说国太病危，欲见亲女，取郡主星夜回东吴。玄德平生只有一子，就教带来。那时玄德定把荆州来换阿斗。如其不然，一任动兵，更有何碍？』权曰：『此计大妙！吾有一人，姓周，名善，最有胆量。自幼穿房入户，多随吾兄。今可差他去。』昭曰：『切勿漏泄。只此便令起行。』

于是密遣周善，将五百人，扮为商人，分作五船；更诈修国书，以备盘诘；船内暗藏兵器。周善领命，

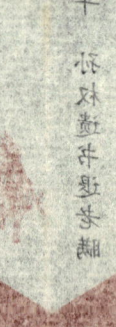

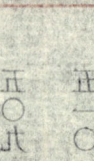

取荆州水路而来。船泊江边，善自入荆州，令门吏报孙夫人。夫人命周善入。善呈上密书。夫人见说国太病危，洒泪动问。周善拜诉曰：『国太好生病重，旦夕只是思念夫人。倘去得迟，恐不能相见。就教夫人带阿斗去见一面。』夫人曰：『皇叔引兵远出，我今欲回，须使人知会军师，方可以行。』周善曰：『若军师回言道：「须报知皇叔，候了回命，方可下船」，如之奈何？』夫人曰：『若不辞而去，恐有阻当。』周善曰：『大江之中，已准备下船只。只今便请夫人上车出城。』孙夫人听知母病危急，如何不慌？便将七岁孩子阿斗，载在车中；随行带三十余人，各跨刀剑，上马离荆州城，便来江边上船。府中人欲报时，孙夫人已到沙头镇，下在船中了。

周善方欲开船，只听得岸上有人大叫：『且休开船，容与夫人饯行！』视之，乃赵云也。原来赵云巡哨方回，听得这个消息，吃了一惊，只带四五骑，旋风般沿江赶来。周善手执长戈，大喝曰：『汝何人，敢当主母！』叱令军士一齐开船，各将军器出来，摆列在船上。风顺水急，船皆随流而去。赵云沿江赶叫：『任从夫人去。只有一句话拜禀。』周善不睬，只催船速进。赵云沿江赶到十余里，忽见江滩斜缆一只渔船在那里。赵云弃马执枪，跳上渔船。只两人驾船前来，望着夫人所坐大船追赶。周善教军士放箭。赵云以枪拨之，箭皆纷纷落水。离大船悬隔丈余，吴兵用枪乱刺。赵云弃枪在小船上，掣所佩青釭剑在手，分开枪搠，望吴船踊身一跳，早登大船。吴兵尽皆惊倒。赵云入舱中，见夫人抱阿斗于怀中，喝赵云曰：『何故无礼！』云插剑声喏曰：『主母欲何往？何故不令军师知会？』夫人曰：『我母亲病在危笃，无暇报知。』

云曰：『主母探病，何故带小主人去？』夫人曰：『阿斗是吾子，留在荆州，无人看觑。』云曰：『主母差矣。主人一生，只有这点骨血，小将在当阳长坂坡百万军中救出，今日夫人却欲抱将去，是何道理？』夫人怒曰：『量汝只是帐下一武夫，安敢管我家事！』云曰：『夫人要去便去，只留下小主人。』夫人喝曰：『汝半路辄入船中，必有反意！』云曰：『若不留下小主人，纵然万死，亦不敢放夫人去。』夫人喝侍婢向前揪捽，被赵云推倒，就怀中夺了阿斗，抱出船头上。欲要傍岸，又无帮手；欲要行凶，又恐碍于道理：进退不得。夫人喝侍婢夺阿斗，赵云一手抱定阿斗，一手仗剑，人不敢近。周善在后梢挟住舵，只顾放船下水。风顺水急，望中流而去。赵云孤掌难鸣，只护得阿斗，安能移舟傍岸？

正在危急，忽见下流头港内一字儿使出十余只船来，船上磨旗擂鼓。赵云自思：『今番中了东吴之计！』只见当头船上一员大将，手执长矛，高声大叫：『嫂嫂留下侄儿去！』原来张飞巡哨，听得这个消息，急来油江夹口，正撞着吴船，急忙截住。当下张飞提剑跳上吴船。周善见张飞上船，提刀来迎，被张飞手起一剑砍倒，提头掷于孙夫人前。夫人大惊曰：『叔叔何故无礼？』张飞曰：『嫂嫂不以俺哥哥为重，私自

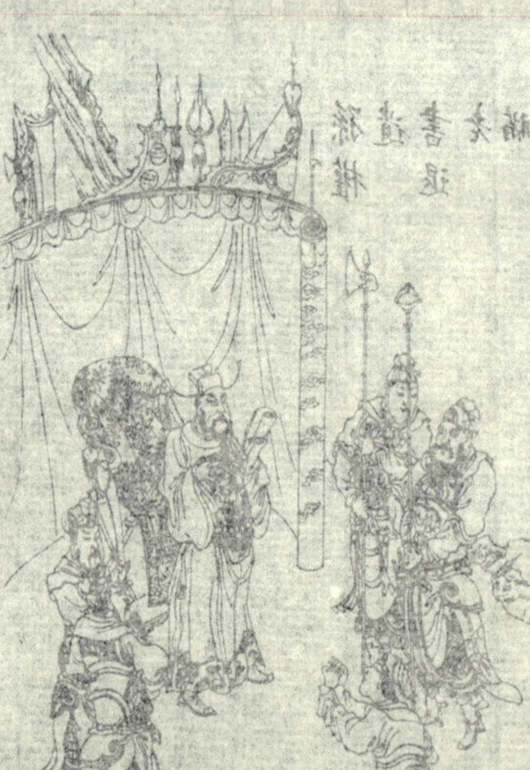

归家，这便无礼！』夫人曰：『吾母病重，甚是危急，若等你哥哥回报，须误了我事。若你不放我回去，我情愿投江而死！』

张飞与赵云商议：『若逼死夫人，非为臣下之道。只护着阿斗过船去罢。』乃谓夫人曰：『俺哥哥大汉皇叔，也不辱没嫂嫂。今日相别，若思哥哥恩义，早早回来。』说罢，抱了阿斗，自与赵云回船，放孙夫人五只船去了。后人有诗赞子龙曰：

昔年救主在当阳，今日飞身向大江。船上吴兵皆胆裂，子龙英勇世无双！

又有诗赞翼德曰：

长坂桥边怒气腾，一声虎啸退曹兵。今朝江上扶危主，青史应传万载名。

二人欢喜回船。行不数里，孔明引大队船只接来。见阿斗已夺回，大喜。三人并马而归。孔明自申文书往葭萌关，报知玄德。

却说孙夫人回吴，具说张飞、赵云杀了周善，截江夺了阿斗。孙权大怒曰：『今吾妹已归，与彼不亲，杀周善之仇，如何不报！』唤集文武，商议起军攻取荆州。正商议调兵，忽报曹操起军四十万来报赤壁之仇。孙权大惊，且按下荆州，商议拒敌曹操。人报长史张纮辞疾回家，今已病故，有哀书上呈。权拆视之，书中劝孙权迁居秣陵，言秣陵山川有帝王之气，可速迁于此，以为万世之业。孙权览书大哭，谓众官曰：『张子纲劝吾迁居秣陵，吾如何不从！』即命迁治建业，筑石头城。吕蒙进曰：『曹操兵来，可于濡须水口筑坞以拒之。』诸将皆曰：『上岸击贼，跣足入船，何用筑城？』蒙曰：『兵有利钝，战无必胜。如猝然遇敌，步骑相促，人尚不暇及水，何能入船乎？』权曰：『「人无远虑，必有近忧」。子明之见甚远。』便差军数万筑濡须坞。晓夜并工，刻期告竣。

却说曹操在许都，威福日甚。长史董昭进曰：『自古以来，人臣未有如丞相之功者，虽周公、吕望，莫可及也：栉风沐雨，三十余年，扫荡群凶，与百姓除害，使汉室复存。岂可与诸臣宰同列乎？合受魏公之位，加「九锡」以彰功德。』——你道那九锡？

一，车马：大辂、戎辂各一。大辂，金车也。戎辂，兵车也。玄牡二驷，黄马八匹。

二，衣服：衮冕之服，赤舄副焉。衮冕，王者之服。赤舄，朱履也。

三，乐悬：乐悬，王者之乐也。

四，朱户：居以朱户，红门也。

五，纳陛：纳陛以登。陛，阶也。

六，虎贲：虎贲三百人，守门之军也。

七，鈇钺：鈇、钺各一。鈇，即斧也。钺，斧属。

八，弓矢：彤弓一，彤矢百。彤，赤色也。旅弓十，旅矢千。，旅黑色也。

九，秬鬯(chàng)圭瓒：秬鬯一卣，圭瓒副焉。秬，黑黍也。鬯，香酒，灌地以求神于阴。卣，中樽也。圭瓒，

宗庙祭器，以祀先王也。

侍中荀彧曰：『不可。丞相本兴义兵，匡扶汉室，当秉忠贞之志，守谦退之节。君子爱人以德，不宜如此。』曹操闻言，勃然变色。董昭曰：『岂可以一人而阻众望？』遂上表请尊操为魏公，加九锡。荀彧叹曰：『吾不想今日见此事！』操闻，深恨之，以为不助己也。建安十七年冬十月，曹操兴兵下江南，就命荀彧同行。彧已知操有杀己之心，托病止于寿春。忽曹操使人送饮食一盒至。盒上有操亲笔封记。开盒视之，并无一物。彧会其意，遂服毒而亡。年五十岁。后人有诗叹曰：

文若才华天下闻，可怜失足在权门。后人休把留侯比，临没无颜见汉君。

其子荀恽，发哀书报曹操。操甚懊悔，命厚葬之，谥曰敬侯。

且说曹操大军至濡须，先差曹洪领三万铁甲马军，哨至江边。回报云：『遥望沿江一带，旗幡无数，不知兵聚何处。』操放心不下，自领兵前进，就濡须口排开军阵。操领百余人上山坡，遥望战船，各分队伍，依次摆列。旗分五色，兵器鲜明。当中大船上青罗伞下，坐着孙权。左右文武，侍立两边。操以鞭指曰：『生子当如孙仲谋！若刘景升父子，豚犬耳！』忽一声响动，南船一齐飞奔过来。濡须坞内又一军出，冲动曹兵。曹操军马退后便走，止喝不住。忽有千百骑赶到山边，为首马上一人，碧眼紫髯。众人认得正是孙权。权自引一队马军来击曹操。操大惊，急回马时，东吴大将韩当、周泰，两骑马直冲将上来。操背后许褚纵马舞刀，敌住二将，曹操得脱归寨。许褚与二将战三十合方回。操回寨，重赏许褚，责骂众将：『临敌先退，挫吾锐气！后若如此，尽皆斩首！』是夜二更时分，忽寨外喊声大震。操急上马，见四下里火起，却被吴兵劫入大寨。杀至天明，曹兵退五十余里下寨。操心中郁闷，闲看兵书。程昱曰：『丞相既知兵法，岂不知「兵贵神速」乎？丞相起兵，迁延日久，故孙权得以准备，夹濡须水口为坞，难于攻击。不若且退兵还许都，别作良图。』操不应。

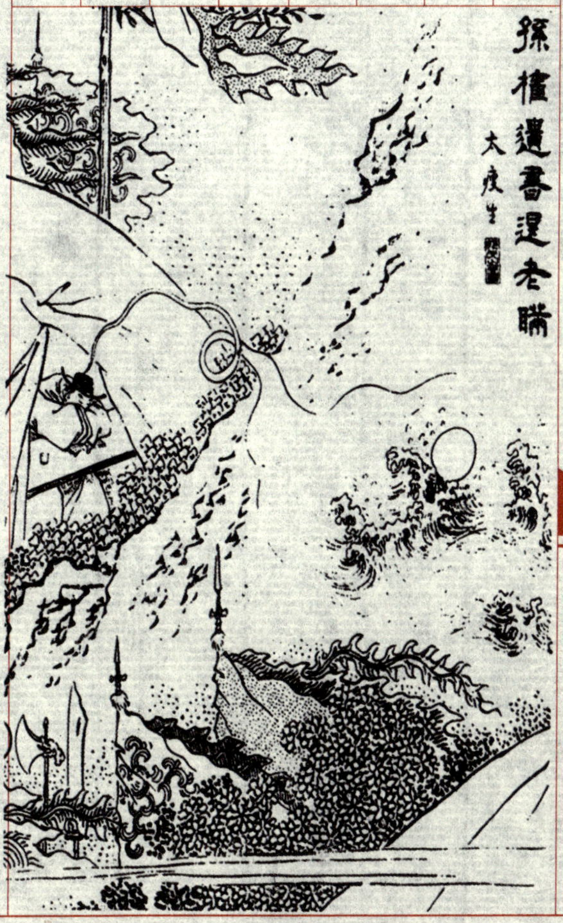

程昱出。操伏几而卧，忽闻潮声汹涌，如万马争奔之状。操急视之，见大江中推出一轮红日，光华射目；仰望天上，又有两轮太阳对照。忽见江心那轮红日，直飞起来，坠于寨前山中，其声如雷。猛然惊觉，原来在帐中做了一梦。帐前军报道午时。曹操教备马，引五十余骑，径奔出寨，至梦中所见落日山边。正看之间，忽见一簇人马，当先一人，金盔金甲。操视之，乃孙权也。权见操至，也不慌忙，在山上勒住马，以鞭指操曰：『丞相坐镇中原，富贵已极，何故贪心不足，又来侵我江南？』操答曰：『汝为臣下，不尊王室。吾奉天子诏，特来讨汝！』孙权笑曰：『此言岂不羞乎？天下岂不知你挟天子令诸侯？吾非不尊汉朝，正欲讨汝以正国家耳。』操大怒，叱诸将上山捉孙权。忽一声鼓响，山背后两彪军出：右边韩当、周泰，

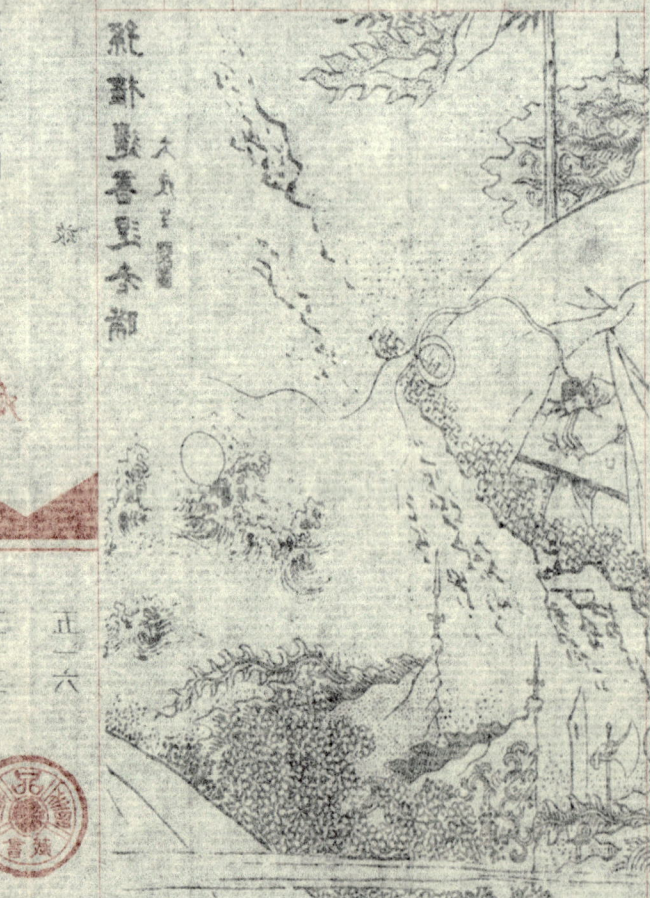

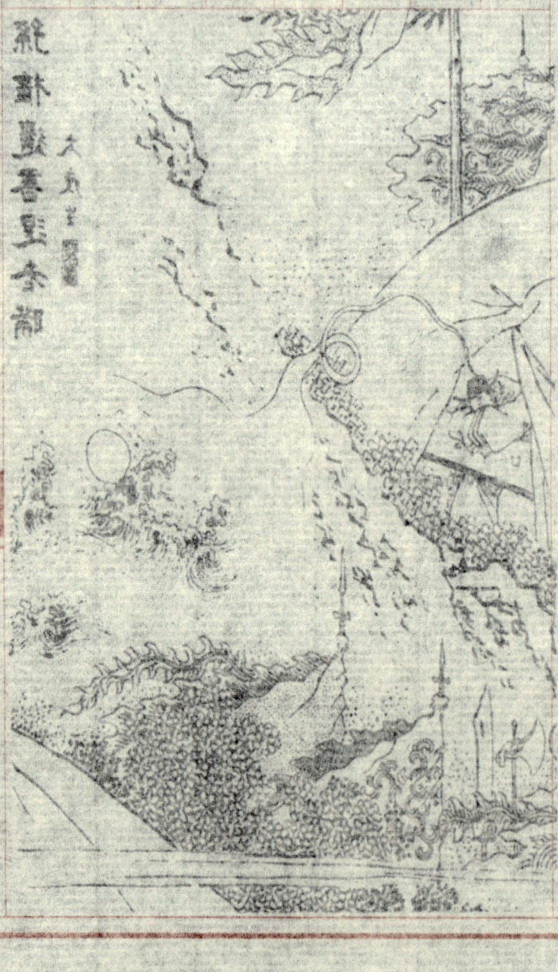

左边陈武、潘璋。四员将带三千弓弩手乱射，矢如雨发。操急引众将回走。背后四将赶来甚急。赶到半路，许褚引众虎卫军敌住，救回曹操。吴兵齐奏凯歌，回濡须去了。操还营自思：『孙权非等闲人物。红日之应，久后必为帝王。』于是心中有退兵之意。又恐东吴耻笑，进退未决。两边又相拒了月余，战了数场，互相胜负。直至来年正月，春雨连绵，水港皆满，军士多在泥水之中，困苦异常。操心甚忧。当日正在寨中与众谋士商议。或劝操收兵，或云目今春暖，正好相持，不可退归。操犹豫未定。忽报东吴有使赍书到。操启视之。书略曰：

孤与丞相，彼此皆汉朝臣宰。丞相不思报国安民，乃妄动干戈，残虐生灵，岂仁人之所为哉？即日春水方生，公当速去。如其不然，复有赤壁之祸矣。公宜自思焉。

书背后又批两行云：『足下不死，孤不得安。』

曹操看毕，大笑曰：『孙仲谋不欺我也。』重赏来使，遂下令班师，命庐江太守朱光镇守皖城，自引大军回许昌。孙权亦收军回秣陵。权与众将商议：『曹操虽然北去，刘备尚在葭萌关未还。何不引拒曹操之兵，以取荆州？』张昭献计曰：『且未可动兵。某有一计，使刘备不能再还荆州。』正是：孟德雄兵方退北，仲谋壮志又图南。不知张昭说出甚计来，且看下文分解。

第六十二回 取涪关杨高授首 攻雒城黄魏争功

却说张昭献计曰：『且休要动兵。若一兴师，曹操必复至。不如修书二封：一封与刘璋，言刘备结连东吴，共取西川，使刘璋心疑而攻刘备；一封与张鲁，教进兵向荆州来。着刘备首尾不能救应。我然后起兵取之，事可谐矣。』权从之，即发使二处去讫。

且说玄德在葭萌关日久，甚得民心。忽接得孔明文书，知孙夫人已回东吴。又闻曹操兴兵犯濡须，乃与庞统议曰：『曹操击孙权，操胜必将取荆州，权胜亦必取荆州矣。为之奈何？』庞统曰：『主公勿忧。有孔明在彼，料想东吴不敢犯荆州。主公可驰书去刘璋处，只推：「曹操攻击孙权，权求救于荆州。吾与孙权唇齿之邦，不容不相援。张鲁自守之贼，决不敢来犯界。吾今欲勒兵回荆州，与孙权会同破曹操，奈兵少粮缺。望推同宗之谊，速发精兵三四万，行粮十万斛相助。请勿有误。」若得军马钱粮，却另作商议。』

玄德从之，遣人往成都。来到关前，杨怀、高沛闻知此事，遂教高沛守关，杨怀同使者入成都，见刘璋呈上书信。刘璋看毕，问杨怀为何亦同来。杨怀曰：『专为此书而来。刘备自从入川，广布恩德，以收民心，其意甚是不善。今求军马钱粮，切不可与。如若相助，是把薪助火也。』刘璋曰：『吾与玄德有兄弟之情，岂可不助？』一人出曰：『刘备枭雄，久留于蜀而不遣，是纵虎入室矣。今更助之以军马钱粮，何异与虎添翼乎？』众视其人，乃零陵烝(zhēng)阳人，姓刘，名巴，字子初。刘璋闻刘巴之言，犹豫未决。黄权又复苦谏。

璋乃量拨老弱军四千，米一万斛，发书遣使报玄德。仍令杨怀、高沛紧守关隘。刘璋使者到葭萌关见玄德，呈上回书。玄德大怒曰：『吾为汝御敌，费力劳心。汝今积财吝赏，何以使士卒效命乎？』遂扯毁回书，大骂而起。使者逃回成都。庞统曰：『主公只以仁义为重，今日毁书发怒，前情尽弃矣。』玄德曰：『如此，当若何？』庞统曰：『某有三条计策，请主公自择而行。』玄德问：『那三条计？』统曰：『只今便选精兵，昼夜兼道径袭成都：此为上计。杨怀、高沛乃蜀中名将，各仗强兵拒守关隘；今主公佯以回荆州为名，二将闻知，必来相送，就送行处，擒而杀之，夺了关隘，先取涪城，然后却向成都：此中计也。退还白帝，连夜回荆州，徐图进取：此为下计。若沉吟不去，将至大困，不可救矣。』玄德曰：『军师上计太促，下计太缓；中计不迟不疾，可以行之。』

于是发书致刘璋，只说曹操令部将乐进引兵至青泥镇，众将抵敌不住，吾当亲往拒之，不及面会，特书相辞。书至成都，张松听得说刘玄德欲回荆州，只道是真心，乃修书一封，欲令人送与玄德。却值亲兄广汉太守张肃到，松急藏书于袖中，与肃相陪说话。肃见松神情恍惚，心中疑惑。松取酒与肃共饮。献酬之间，忽落此书于地，被肃从人拾得。席散后，从人以书呈肃。肃开视之。书略曰：

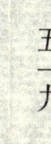

松昨进言于皇叔，并无虚谬，何乃迟迟不发？逆取顺守，古人所贵。今大事已在掌握之中，何故欲弃此而回荆州乎？使松闻之，如有所失。书呈到日，疾速进兵。松当为内应，万勿自误！

张肃见了，大惊曰：『吾弟作灭门之事，不可不首。』连夜将书见刘璋，具言弟张松与刘备同谋，欲献西川。刘璋大怒曰：『吾平日未尝薄待他，何故欲谋反！』遂下令捉张松全家，斩于市。后人有诗叹曰：

一览无遗世所稀，谁知书信泄天机。未观玄德兴王业，先向成都血染衣。

刘璋既斩张松，聚集文武商议曰：『刘备欲夺吾基业，当如之何？』黄权曰：『事不宜迟。即便差人告报各处关隘，添兵把守，不许放荆州一人一骑入关。』璋从其言，星夜驰檄各关去讫。

却说玄德提兵回涪城，先令人报上涪水关，请杨怀、高沛出关相别。杨、高二将闻报，商议曰：『玄德此回若何？』高沛曰：『玄德合死。我等各藏利刃在身，就送行处刺之，以绝吾主之患。』杨怀曰：『此计大妙。』二人只带随行二百人，出关送行，其余并留在关上。玄德大军尽发。前至涪水之上，庞统在马上谓玄德曰：『杨怀、高沛若欣然而来，可提防之；若彼不来，便起兵径取其关，不可迟缓。』正说间，忽起一阵旋风，把马前『帅』字旗吹倒。玄德问庞统曰：『此何兆也？』统曰：『此警报也：杨怀、高沛二人必有行刺之意，宜善防之。』玄德乃身披重铠，自佩宝剑防备。人报杨、高二将前来送行。玄德令军马歇定。庞统分付魏延、黄忠：『但关上来的军士，不问多少，马步军兵，一个也休放回。』二将得令而去。

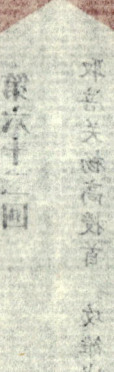

却说杨怀、高沛二人身边各藏利刃，带二百军兵，牵羊送酒，直至军前。见并无准备，心中暗喜，以为中计。入至帐下，见玄德正与庞统坐于帐中。二将声喏曰：『闻皇叔远回，特具薄礼相送。』遂进酒劝玄德。玄德曰：『二将军守关不易，当先饮此杯。』二将饮酒毕，玄德曰：『吾有密事与二将军商议，闲人退避。』遂将带来二百人尽赶出中军。玄德叱曰：『左右与吾捉下二贼！』帐后刘封、关平应声而出。杨、高二人急待争斗，刘封、关平各捉住一人。玄德喝曰：『吾与汝主是同宗兄弟，汝二人何故同谋，离间亲情？』庞统叱左右搜其身畔，果然各搜出利刃一口。统便喝斩二人；玄德还犹未决，统曰：『二人本意欲杀吾主，罪不容诛。』遂叱刀斧手斩杨怀、高沛于帐前。黄忠、魏延早将二百从人，先自捉下，不曾走了一个。玄德唤入，各赐酒压惊。玄德曰：『杨怀、高沛离间吾兄弟，又藏利刃行刺，故行诛戮。尔等无罪，不必惊疑。』众各拜谢。庞统曰：『吾今即用汝等引路，带吾军取关。各有重赏。』众皆应允。是夜二百人先行，大军随后。前军至关下叫曰：『二将军有急事回，可速开关。』城上听得是自家军，即时开关。大军一拥而入，兵不血刃，得了涪关。蜀兵皆降。玄德各加重赏，遂即分兵前后守把。次日劳军，设宴于公厅。玄德酒酣，顾庞统曰：『今日之会，可为乐乎？』庞统曰：『伐人之国而以为乐，非仁者之兵也。』玄德曰：『吾闻昔日武王伐纣，作乐象功，此亦非仁者之兵欤？汝言何不合道理？可速退！』庞统大笑而起。左右亦扶玄德入后堂。睡至半夜，酒醒。左右以逐庞统之言，告知玄德。玄德大悔；次早穿衣升堂，请庞统谢罪曰：『昨日酒醉，言语触犯，幸勿挂怀。』庞统谈笑自若。玄德曰：『昨日之言，惟吾有失。』庞统曰：『君臣俱失，何独主公？』玄德亦大笑，其乐如初。

却说刘璋闻玄德杀了杨、高二将，袭了涪水关，大惊曰：『不料今日果有此事！』遂聚文武，问退兵之策。黄权曰：『可连夜遣兵屯雒县，塞住咽喉之路。刘备虽有精兵猛将，不能过也。』璋遂令刘璝、泠苞、张任、邓贤点五万大军，星夜往守雒县，以拒刘备。

四将行兵之次，刘璝曰：『吾闻锦屏山中有一异人，道号「紫虚上人」，知人生死贵贱。吾辈今日行军，正从锦屏山过。何不试往问之？』张任曰：『大丈夫行兵拒敌，岂可问于山野之人乎？』璝曰：『不然。圣人云：「至诚之道，可以前知。」吾等问于高明之人，当趋吉避凶。』于是四人引五六十骑至山下，问径樵夫。樵夫指高山绝顶上，便是上人所居。四人上山至庵前，见一道童出迎。问了姓名，引入庵中。只见紫虚上人，坐于蒲墩之上。四人下拜，求问前程之事。紫虚上人曰：『贫道乃山野废人，岂知休咎？』刘璝再三拜问，紫虚遂命道童取纸笔，写下八句言语，付与刘璝。其文曰：

左龙右凤，飞入西川。雏凤坠地，卧龙升天。一得一失，天数当然。见机而作，勿丧九泉。

刘璝又问曰：『我四人气数如何？』紫虚上人曰：『定数难逃，何必再问！』又请问时，上人眉垂目合，恰似睡着的一般，并不答应。四人下山。刘璝曰：『仙人之言，不可不信。』张任曰：『此狂叟也，听之何益。』遂上马前行。既至雒县，分调人马，守把各处隘口。刘璝曰：『雒城乃成都之保障，失此则成都难保。吾四人公议，着二人守城，二人去雒县前面，依山傍险，扎下两个寨子，勿使敌兵临城。』泠苞、

邓贤曰：『某愿往结寨。』刘璝大喜，分兵二万，与泠、邓二人，离城六十里下寨。刘璝、张任守护雒城。

却说玄德既得涪水关，与庞统商议进取雒城。人报刘璋拨四将前来，即日泠苞、邓贤领二万军离城六十里扎下两个大寨。玄德聚众将问曰：『谁敢建头功，去取二将寨栅？』老将黄忠应声出曰：『老夫愿往。』玄德曰：『老将军率本部人马，前至雒城，如取得泠苞、邓贤营寨，必当重赏。』

黄忠大喜，即领本部兵马，谢了要行。忽帐下一人出曰：『老将军年纪高大，如何去得？小将不才愿往。』玄德视之，乃是魏延。黄忠曰：『我已领下将令，你如何敢搀越？』魏延曰：『老者不以筋骨为能。吾闻泠苞、邓贤乃蜀中名将，血气方刚。恐老将军近他不得，岂不误了主公大事？因此愿相替，本是好意。』黄忠大怒曰：『汝说吾老，敢与我比试武艺么？』魏延曰：『就主公之前，当面比试。赢得的便去，何如？』黄忠遂趋步下阶，便叫小校：『将刀来！』玄德急止之曰：『不可！吾今提兵取川，全仗汝二人之力。今两虎相斗，必有一伤。须误了我大事。吾与你二人劝解，休得争论。』庞统曰：『汝二人不必相争。即今泠苞、邓贤下了两个营寨。今汝二人自领本部军马，各打一寨。如先夺得者，便为头功。』于是分定黄忠打泠苞寨，魏延打邓贤寨。二人各领命去了。庞统曰：『此二人去，恐于路上相争。主公可自引军为后应。』玄德留庞统守城，自与刘封、关平引五千军随后进发。

却说黄忠归寨，传令来日四更造饭，五更结束，平明进兵，取左边山谷而进。魏延却暗使人探听黄忠甚时起兵。探事人回报：『来日四更造饭，五更起兵。』魏延暗喜，分付众军士二更造饭，三更起兵，平明要到邓贤寨边。军士得令，都饱餐一顿，马摘铃，人衔枚，卷旗束甲，暗地去劫寨。三更前后，离寨前进。到半路，魏延马上寻思：『只去打邓贤寨，不显能处；不如先去打泠苞寨，却将得胜兵打邓贤寨。两处功劳，都是我的。』就马上传令，教军士都投左边山路里去。天色微明，离泠苞寨不远，教军士少歇，排搠金鼓旗幡、枪刀器械。早有伏路小军飞报入寨，泠苞已有准备了。一声炮响，三军上马，杀将出来。魏延纵马提刀，与泠苞接战。二将交马，战到三十合，川兵分两路来袭汉军。汉军走了半夜，人马力乏，抵当不住，退后便走。魏延听得背后阵脚乱，撇了泠苞，拨马回走。川兵随后赶来，汉军大败。走不到五里，山背后鼓声震地，邓贤引一彪军从山谷里截出来，大叫：『魏延快下马受降！』魏延策马飞奔，那马忽失前蹄，双足跪地，将魏延掀将下来。邓贤马奔到，挺枪来刺魏延。枪未到处，弓弦响，邓贤倒撞下马。后面泠苞方欲来救，一员大将，从山坡上跃马而来，厉声大叫：『老将黄忠在此！』舞刀直取泠苞。泠苞抵敌不住，望后便走。黄忠乘势追赶，川兵大乱。

黄忠一枝军救了魏延，杀了邓贤，直赶到寨前。泠苞回马与黄忠再战。不到十余合，后面军马拥将上来，泠苞只得弃了左寨，引败军来投右寨。见见寨中旗帜全别，泠苞大惊。兜住马看时，当头一员大将，金甲锦袍，乃是刘玄德——左边刘封，右边关平——大喝道：『寨子吾已夺下，汝欲何往？』原来玄德引兵从后接应，便乘势夺了邓贤寨子。泠苞两头无路，取山僻小径，要回雒城。行不到十里，狭路伏兵忽起，搭钩齐举，把泠苞活捉了。原来却是魏延自知罪犯，无可解释，收拾后军，令蜀兵引路，伏在这里，等个

正着。用索缚了泠苞，解投玄德寨来。

却说玄德立起免死旗，但川兵倒戈卸甲者，并不许杀害，如伤者偿命；又谕众降兵曰：『汝川人皆有父母妻子，愿降者充军，不愿降者放回。』于是欢声动地。黄忠安下寨脚，径来见玄德，说魏延违了军令，可斩之。玄德急召魏延，魏延解泠苞至。玄德曰：『延虽有罪，此功可赎。』令魏延谢黄忠救命之恩，今后毋得相争。魏延顿首伏罪。玄德重赏黄忠。使人押泠苞到帐下，玄德去其缚，赐酒压惊，问曰：『汝肯降否？』泠苞曰：『既蒙免死，如何不降？刘璝、张任与某为生死之交，若肯放某回去，当即招二人来降，就献雒城。』玄德大喜，便赐衣服鞍马，令回雒城。魏延曰：『此人不可放回。若脱身一去，不复来矣。』玄德曰：『吾以仁义待人，人不负我。』

却说泠苞得回雒城，见刘璝、张任，不说捉去放回，只说：『被我杀了十余人，夺得马匹逃回。』刘璝忙遣人往成都求救。刘璋听知折了邓贤，大惊，慌忙聚众商议。长子刘循进曰：『儿愿领兵前去守雒城。』璋曰：『既吾儿肯去，当遣谁人为辅？』一人出曰：『某愿往。』璋视之，乃舅氏吴懿也。璋曰：『得尊舅去最好。谁可为副将？』吴懿保吴兰、雷铜二人为副将，点二万军马来到雒城。刘璝、张任接着，具言前事。吴懿曰：『兵临城下，难以拒敌，汝等有何高见？』泠苞曰：『此间一带，正靠涪江，江水大急；前面寨占山脚，其形最低。某乞五千军，各带锹锄前去，决涪江之水，可尽淹死刘备之兵也。』吴懿从其计，即令泠苞前往决水，吴兰、雷铜引兵接应。泠苞领命，自去准备决水器械。

却说玄德令黄忠、魏延各守一寨，自回涪城，与军师庞统商议。细作报说：『东吴孙权遣人结好东川张鲁，将欲来攻葭萌关。』玄德惊曰：『若葭萌关有失，截断后路，吾进退不得，当如之何？』庞统谓孟达曰：『公乃蜀中人，多知地理，去守葭萌关如何？』达曰：『某保一人与某同去守关，万无一失。』玄德问何人。达曰：『此人曾在荆州刘表部下为中郎将，乃南郡枝江人，姓霍，名峻，字仲邈。』玄德大喜，即时遣孟达、霍峻守葭萌关去了。

庞统退归馆舍，门吏忽报：『有客特来相访。』统出迎接，见其人身长八尺，形貌甚伟；头发截短，披于颈上；衣服不甚齐整。统问曰：『先生何人也？』其人不答，径登堂仰卧床上。统甚疑之，再三请问。其人曰：『且消停，吾当与汝说知天下之事。』统闻之愈疑，命左右进酒食。其人起而便食，并无谦逊；饮食甚多，食罢又睡。统疑惑不定，使人请法正视之，恐是细作。法正慌忙到来。统出迎接，谓正曰：『有一人如此如此。』法正曰：『莫非彭永言乎？』升阶视之。其人跃起曰：『孝直别来无恙！』正是：只为川人逢旧识，遂令涪水息洪流。毕竟此人是谁，且看下文分解。

第六十三回 诸葛亮痛哭庞统 张翼德义释严颜

却说法正与那人相见，各抚掌而笑。庞统问之。正曰：『此公乃广汉人，姓彭，名羕，字永言，蜀中豪杰也。因直言触忤刘璋，被璋髡(kūn)钳为徒隶，因此短发。』统乃以宾礼待之，问羕从何而来。羕曰：『吾特来救汝数万人性命，见刘将军方可说。』法正忙报玄德。玄德亲自谒见，请问其故。羕曰：『将军有多少军马在前寨？』玄德实告：『有魏延、黄忠在彼。』羕曰：『为将之道，岂可不知地理乎？前寨紧靠涪江，若决动江水，前后以兵塞之，一人无可逃也。』玄德大悟。彭羕曰：『罡星在西方，太白临于此地，当有不吉之事，切宜慎之。』玄德即拜彭羕为幕宾，使人密报魏延、黄忠，教朝暮用心巡警，以防决水。黄忠、魏延商议：二人各轮一日；如遇敌军到来，互相通报。

却说泠苞见当夜风雨大作，引了五千军，径循江边而进，安排决江。只听得后面喊声乱起，泠苞知有准备，急急回军。前面魏延引军赶来，川兵自相践踏。泠苞正奔走间，撞着魏延。交马不数合，被魏延活捉去了。比及吴兰、雷铜来接应时，又被黄忠一军杀退。魏延解泠苞到涪关。玄德责之曰：『吾以仁义相待，放汝回去，何敢背我！今次难饶！』将泠苞推出斩之，重赏魏延。玄德设宴管待彭羕。忽报：荆州诸葛亮军师特遣马良奉书至此。玄德召入问之。马良礼毕曰：『荆州平安，不劳主公忧念。』遂呈上军师书信。玄德拆书观之，略云：

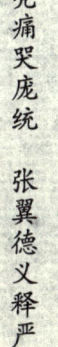

亮夜算太乙数，今年岁次癸巳，罡星在西方；又观乾象，太白临于雒城之分：主将帅身上多凶少吉。切宜谨慎。

玄德看了书，便教马良先回。玄德曰：『吾将回荆州，去论此事。』庞统暗思：『孔明怕我取了西川，成了功，故意将此书相阻耳。』乃对玄德曰：『统亦算太乙数，已知罡星在西，应主公合得西川，别不主凶事。统亦占天文，见太白临于雒城，先斩蜀将泠苞，已应凶兆矣。主公不可疑心，可急进兵。』

玄德见庞统再三催促，乃引军前进。黄忠同魏延接入寨去。庞统问法正曰：『前至雒城，有多少路？』法正画地作图。玄德取张松所遗图本对之，并无差错。法正言：『山北有条大路，正取雒城东门；山南有条小路，却取雒城西门：两条路皆可进兵。』庞统谓玄德曰：『统令魏延为先锋，取南小路而进；主公令黄忠作先锋，从山北大路而进：并到雒城取齐。』玄德曰：『吾自幼熟于弓马，多行小路。军师可从大路去取东门，吾取西门。』庞统曰：『大路必有军邀拦，主公引兵当之。统取小路。』玄德曰：『军师不可。吾夜梦一神人，手执铁棒击吾右臂，觉来犹自臂疼。此行莫非不佳。』庞统曰：『壮士临阵，不死带伤，理之自然也。何故以梦寐之事疑心乎？』玄德曰：『吾所疑者，孔明之书也。军师还守涪关，如何？』庞统大笑曰：『主公被孔明所惑矣：彼不欲令统独成大功，故作此言以疑主公之心。心疑则致梦，何凶之有？统肝脑涂地，方称本心。主公再勿多言，来早准行。』当日传下号令，军士五更造饭，平明上马。黄忠、魏延领军先行。玄德再与庞统约会，忽坐下马眼生前失，把庞统掀将下来。玄德跳下马，自来笼住那马。

玄德曰：『军师何故乘此劣马？』庞统曰：『此马乘久，不曾如此。』玄德曰：『临阵眼生，误人性命。吾所骑白马，性极驯熟，军师可骑，万无一失。劣马吾自乘之。』遂与庞统更换所骑之马。庞统谢曰：『深感主公厚恩，虽万死亦不能报也。』遂各上马取路而进。玄德见庞统去了，心中甚觉不快，怏怏而行。

却说雒城中吴懿、刘璝听知折了泠苞，遂与众商议。张任曰：『城东南山僻有一条小路，最为要紧，某自引一军守之。诸公紧守雒城，勿得有失。』忽报汉兵分两路前来攻城。张任急引三千军，先来抄小路埋伏。见魏延兵过，张任教尽放过去，休得惊动。后见庞统军来，张任军士遥指军中大将：『骑白马者必是刘备。』张任大喜，传令教如此如此。

却说庞统迤逦前进，抬头见两山逼窄，树木丛杂；又值夏末秋初，枝叶茂盛。庞统心下甚疑，勒住马问：『此处是何地？』数内有新降军士，指道：『此处地名落凤坡。』庞统惊曰：『吾道号凤雏，此处名落凤坡，不利于吾。』令后军疾退。只听山坡前一声炮响，箭如飞蝗，只望骑白马者射来。可怜庞统竟死于乱箭之下。时年止三十六岁。后人有诗叹曰：

古岘(xiàn)相连紫翠堆，士元有宅傍山隈。儿童惯识呼鸠曲，闾巷曾闻展骥才。
预计三分平刻削，长驱万里独徘徊。谁知天狗流星坠，不使将军衣锦回。

先是东南有童谣云：

一凤并一龙，相将到蜀中。才到半路里，凤死落坡东。风送雨，雨随风，隆汉兴时蜀道通，蜀道通时只有龙。

当日张任射死庞统，汉军拥塞，进退不得，死者大半。前军飞报魏延。魏延忙勒兵欲回，奈山路逼窄，厮杀不得。又被张任截断归路，在高阜处用强弓硬弩射来。魏延心慌。有新降蜀兵曰：『不如杀奔雒城下，取大路而进。』延从其言，当先开路，杀奔雒城来。尘埃起处，前面一军杀至，乃雒城守将吴兰、雷铜也；后面张任引兵追来：前后夹攻，把魏延围在垓心。魏延死战不能得脱。但见吴兰、雷铜后军自乱，二将急回马去救。魏延乘势赶去，当先一将，舞刀拍马，大叫：『文长，吾特来救汝！』视之，乃老将黄忠也。两下夹攻，杀败吴、雷二将，直冲至雒城之下。刘璝引兵杀出，却得玄德在后当住接应。黄忠、魏延翻身便回。玄德军马比及奔到寨中，张任军马又从小路里截出。刘璝、吴兰、雷铜当先赶来。玄德守不住二寨，且战且走，奔回涪关。蜀兵得胜，迤逦追赶。玄德人困马乏，那里有心厮杀，且只顾奔走。将近涪关，张任一军追赶至紧。幸得左边刘封，右边关平，二将领三万生力军截出，杀退张任；还赶二十里，夺回战马极多。

玄德一行军马，再入涪关，问庞统消息。有落凤坡逃得性命的军士，报说：『军师连人带马，被乱箭

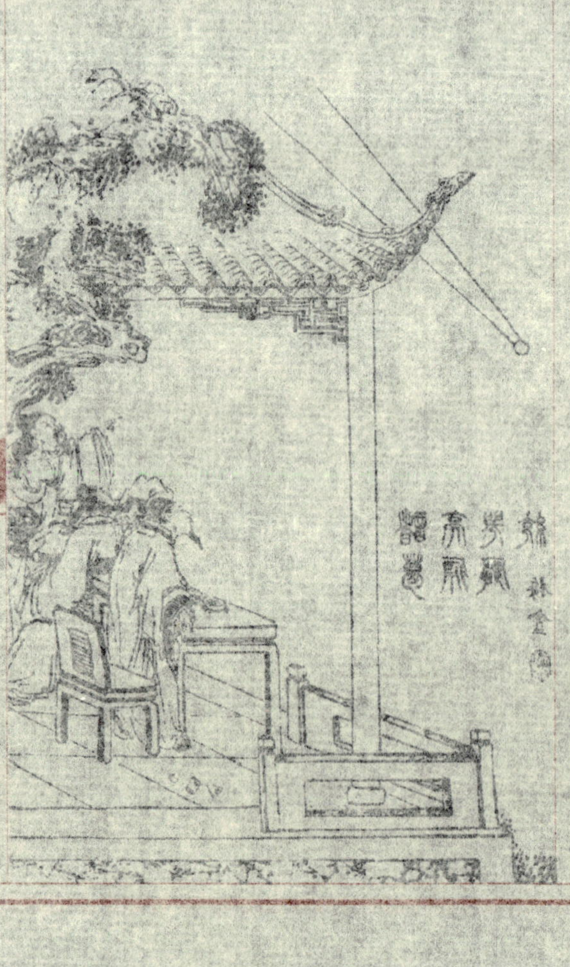

射死于坡前。』玄德闻言，望西痛哭不已，遥为招魂设祭。诸将皆哭。黄忠曰：『今番折了庞统军师，张任必然来攻打涪关，如之奈何？不若差人往荆州，请诸葛军师来商议收川之计。』正说之间，人报张任引军直临城下搦战。黄忠、魏延皆要出战。玄德曰：『锐气新挫，宜坚守以待军师来到。』黄忠、魏延领命，只谨守城池。玄德写一封书，教关平分付：『你与我往荆州请军师去。』关平领了书，星夜往荆州来。玄德自守涪关，并不出战。

却说孔明在荆州，时当七夕佳节，大会众官夜宴，共说收川之事。只见正西上一星，其大如斗，从天坠下，流光四散。孔明失惊，掷杯于地，掩面哭曰：『哀哉！痛哉！』众官慌问其故。孔明曰：『吾前者算今年罡星在西方，不利于军师；天狗犯于吾军，太白临于雒城，已拜书主公，教谨防之。谁想今夕西方星坠，庞士元命必休矣！』言罢，大哭曰：『今吾主丧一臂矣！』众官皆惊，未信其言。孔明曰：『数日之内，必有消息。』是夕酒不尽欢而散。

数日之后，孔明与云长等正坐间，人报关平到。众官皆惊。关平入，呈上玄德书信。孔明视之，内言：

本年七月初七日，庞军师被张任在落凤坡前箭射身故。

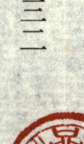

孔明大哭，众官无不垂泪。孔明曰：『既主公在涪关进退两难之际，亮不得不去。』云长曰：『军师去，谁人保守荆州？荆州乃重地，干系非轻。』孔明曰：『主公书中虽不明言其人，吾已知其意了。』乃将玄德书与众官看曰：『主公书中，把荆州托在吾身上，教我自量才委用。虽然如此，今教关平赍书前来，其意欲云长公当此重任。云长想桃园结义之情，可竭力保守此地。责任非轻，公宜勉之。』云长更不推辞，慨然领诺。孔明设宴，交割印绶。云长双手来接。孔明擎着印曰：『这干系都在将军身上。』云长曰：『大丈夫既领重任，除死方休。』孔明见云长说个『死』字，心中不悦；欲待不与，其言已出。孔明曰：『倘曹操引兵来到，当如之何？』云长曰『以力拒之。』孔明又曰：『倘曹操、孙权，齐起兵来，如之奈何？』云长曰：『分兵拒之。』孔明曰：『若如此，荆州危矣。吾有八个字，将军牢记，可保守荆州。』云长问：『那八个字？』孔明曰：『北拒曹操，东和孙权。』云长曰：『军师之言，当铭肺腑。』

孔明遂与了印绶，令文官马良、伊籍、向朗、糜竺，武将糜芳、廖化、关平、周仓，一班儿辅佐云长，同守荆州。一面亲自统兵入川。先拨精兵一万，教张飞部领，取大路杀奔巴州、雒城之西，先到者为头功。又拨一枝兵，教赵云为先锋，溯江而上，会于雒城。孔明随后引简雍、蒋琬等起行。那蒋琬字公琰，零陵湘乡人也，乃荆襄名士，现为书记。

当日孔明引兵一万五千，与张飞同日起行。张飞临行时，孔明嘱付曰：『西川豪杰甚多，不可轻敌。于路戒约三军，勿得掳掠百姓，以失民心。所到之处，并宜存恤，勿得恣逞鞭挞士卒。望将军早会雒城，不可有误。』

张飞欣然领诺，上马而去。迤逦前行，所到之处，但降者秋毫无犯。径取汉川路，前至巴郡。细作回报：『巴郡太守严颜，乃蜀中名将，年纪虽高，精力未衰，善开硬弓，使大刀，有万夫不当之勇：据住城郭，

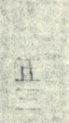

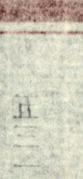

不竖降旗。』张飞教离城十里下寨，差人入城去，『说与老匹夫：早早来降，饶你满城百姓性命；若不归顺，即踏平城郭，老幼不留！』

却说严颜在巴郡，闻刘璋差法正请玄德入川，拊(fǔ)心而叹曰：『此所谓独坐穷山，引虎自卫者也！』后闻玄德据住涪关，大怒，屡欲提兵往战，又恐这条路上有兵来。当日闻知张飞兵到，便点起本部五六千人马，准备迎敌。或献计曰：『张飞在当阳长坂，一声喝退曹兵百万之众。曹操亦闻风而避之，不可轻敌。今只宜深沟高垒，坚守不出。彼军无粮，不过一月，自然退去。更兼张飞性如烈火，专要鞭挞士卒；如不与战，必怒；怒则必以暴厉之气，待其军士：军心一变，乘势击之，张飞可擒也。』严颜从其言，教军士尽数上城守护。忽见一个军士，大叫：『开门！』严颜教放入问之。那军士告说是张将军差来的，把张飞言语依直便说。严颜大怒，骂：『匹夫怎敢无礼！吾严将军岂降贼者乎！借你口说与张飞！』唤武士把军人割下耳鼻，却放回寨。

军人回见张飞，哭告严颜如此毁骂。张飞大怒，咬牙睁目，披挂上马，引数百骑来巴郡城下搦战。城上众军百般痛骂。张飞性急，几番杀到吊桥，要过护城河，又被乱箭射回。到晚全无一个人出，张飞忍一肚气还寨。次日早晨，又引军去搦战。那严颜在城敌楼上，一箭射中张飞头盔。飞指而恨曰：『若拿住你这老匹夫，我亲自食你肉！』到晚又空回。第三日，张飞引了军，沿城去骂。原来那座城子是个山城，周围都是乱山，张飞自乘马登山，下视城中。见军士尽皆披挂，分列队伍，伏在城中，只是不出；又见民夫来来往往，搬砖运石，相助守城。张飞教马军下马，步军皆坐，引他出敌，并无动静。又骂了一日，依旧空回。张飞在寨中，自思：『终日叫骂，彼只不出，如之奈何？』猛然思得一计，教众军不要前去搦战，都结束了在寨中等候；却只教三五十个军士，直去城下叫骂，引严颜军出来，便与厮杀。张飞磨拳擦掌，只等敌军来。小军连骂了三日，全然不出。张飞眉头一纵，又生一计，传令教军士四散砍打柴草，寻觅路径，不来搦战。严颜在城中，连日不见张飞动静，心中疑惑，着十数个小军，扮作张飞砍柴的军，潜地出城，杂在军内，入山中探听。

当日诸军回寨。张飞坐在寨中，顿足大骂：『严颜老匹夫！枉气杀我！』只见帐前三四个人说道：『将军不须心焦：这几日打探得一条小路，可以偷过巴郡。』张飞故意大叫曰：『既有这个去处，何不早来说？』众应曰：『这几日却才哨探得出。』张飞曰：『事不宜迟，只今二更造饭，趁三更明月，拔寨都起，人衔枚，马去铃，悄悄而行。我自前面开路，汝等依次而行。』传了令便满寨告报。

探细的军听得这个消息，尽回城中来，报与严颜。颜大喜曰：『我算定这匹夫忍耐不得！你偷小路过去，须是粮草辎重在后；我截住后路，你如何得过？好无谋匹夫，中我之计！』即时传令，教军士准备赴敌：『今夜二更也造饭，三更出城，伏于树木丛杂去处。只等张飞过咽喉小路去了，车仗来时，只听鼓响，一齐杀出。』传了号令，看看近夜，严颜全军尽皆饱食，披挂停当，悄悄出城，四散伏住，只听鼓响；严颜自引十数裨将，下马伏于林中。约三更后，遥望见张飞亲自在前，横矛纵马，悄悄引军前进。去不得三四里，背后车仗人马，

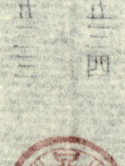

陆续进发，严颜看得分晓，一齐擂鼓，四下伏兵尽起。正来抢夺车仗，背后一声锣响，一彪军掩到，大喝：『老贼休走！我等的你恰好！』严颜猛回头看时，为首一员大将，豹头环眼，燕颔虎须，使丈八矛，骑深乌马：乃是张飞。四下里锣声大震，众军杀来。严颜见了张飞，举手无措，交马战不十合，张飞卖个破绽，严颜一刀砍来，张飞闪过，撞将入去，扯住严颜勒甲绦，生擒过来，掷于地下；众军向前，用索绑缚住了。原来先过去的是假张飞。料道严颜击鼓为号，张飞却教鸣金为号：金响诸军齐到。川兵大半弃甲倒戈而降。

张飞杀到巴郡城下，后军已自入城。张飞叫休杀百姓，出榜安民。群刀手把严颜推至。飞坐于厅上，严颜不肯下跪。飞怒目咬牙大叱曰：『大将到此，何为不降，而敢拒敌？』严颜全无惧色，口叱飞曰：『汝等无义，侵我州郡！但有断头将军，无降将军！』飞大怒，喝左右斩来。严颜喝曰：『贼匹夫！砍头便砍，何怒也？』张飞见严颜声音雄壮，面不改色，乃回嗔作喜，下阶喝退左右，亲解其缚，取衣衣之，扶在正中高坐，低头便拜曰：『适来言语冒渎，幸勿见责。吾素知老将军乃豪杰之士也。』严颜感其恩义，乃降。

后人有诗赞严颜曰：

白发居西蜀，清名震大邦。忠心如皎月，浩气卷长江。宁可断头死，安能屈膝降？巴州年老将，天下更无双。

又有赞张飞诗曰：

生获严颜勇绝伦，惟凭义气服军民。至今庙貌留巴蜀，社酒鸡豚日日春。

张飞请问入川之计。严颜曰：『败军之将，荷蒙厚恩，无可以报，愿施犬马之劳，不须张弓只箭，径取成都。』正是：只因一将倾心后，致使连城唾手降。未知其计如何，且看下文分解。

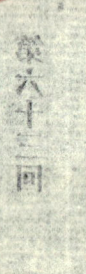

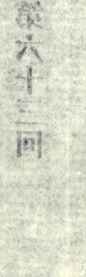

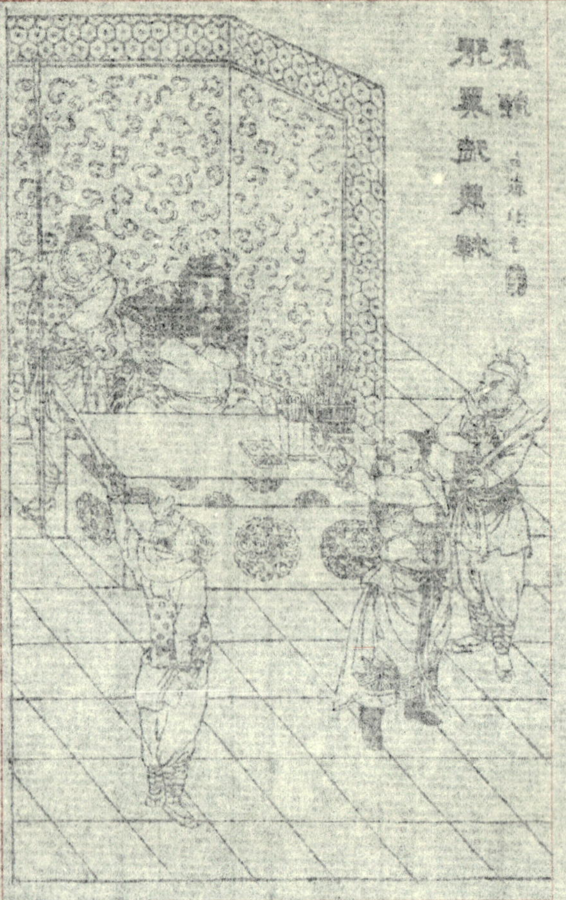

第六十四回　孔明定计捉张任　杨阜借兵破马超

却说张飞问计于严颜，颜曰：『从此取雒城，凡守御关隘，都是老夫所管，官军皆出于掌握之中。今感将军之恩，无可以报，老夫当为前部，所到之处，尽皆唤出拜降。』张飞称谢不已。于是严颜为前部，张飞领军随后。凡到之处，尽是严颜所管，都唤出投降。有迟疑未决者，颜曰：『我尚且投降，何况汝乎？』自是望风归顺，并不曾厮杀一场。

却说孔明已将起程日期申报玄德，教都会聚雒城。玄德与众官商议：『今孔明、翼德分两路取川，会于雒城，同入成都。水陆舟车，已于七月二十日起程，此时将及待到。今我等便可进兵。』黄忠曰：『张任每日来搦战，见城中不出，彼军懈怠，不做准备，今日夜间分兵劫寨，胜如白昼厮杀。』玄德从之，教黄忠引兵取左，魏延引兵取右，玄德取中路。当夜二更，三路军马齐发。张任果然不做准备。汉军拥入大寨，放起火来，烈焰腾空。蜀兵奔走，连夜直赶到雒城，城中兵接应入去。玄德还中路下寨；次日，引兵直到雒城，围住攻打。张任按兵不出。攻到第四日，玄德自提一军攻打西门，令黄忠、魏延在东门攻打，留南门北门放军行走。原来南门一带都是山路，北门有涪水；因此不围。张任望见玄德在西门，骑马往来，指挥打城，从辰至未，人马渐渐力乏。张任教吴兰、雷铜二将引兵出北门，转东门，敌黄忠、魏延；自己却引军出南门，转西门，单迎玄德。城内尽拨民兵上城，擂鼓助喊。

却说玄德见红日平西，教后军先退。军士方回身，城上一片声喊起，南门内军马突出。张任径来军中捉玄德，玄德军中大乱。黄忠、魏延又被吴兰、雷铜敌住。两下不能相顾。玄德敌不住张任，拨马往山僻小路而走。张任从背后追来，看看赶上。玄德独自一人一马，张任引数骑赶来。玄德正望前尽力加鞭而行，忽山路一军冲来。玄德马上叫苦曰：『前有伏兵，后有追兵，天亡我也！』只见来军当头一员大将，乃是张飞。原来张飞与严颜正从那条路上来，望见尘埃起，知与川兵交战。张飞当先而来，正撞着张任，便就交马。战到十余合，背后严颜引兵大进。张任火速回身，张飞直赶到城下。张任退入城，拽起吊桥。

张飞回见玄德曰：『军师溯江而来，尚且未到，反被我夺了头功。』玄德曰：『山路险阻，如何无军阻当，长驱大进，先到于此？』张飞曰：『于路关隘四十五处，皆出老将严颜之功，因此于路并不曾费分毫之力。』遂把义释严颜之事，从头说了一遍，引严颜见玄德。玄德谢曰：『若非老将军，吾弟安能到此？』即脱身上黄金锁子甲以赐之。严颜拜谢。正待安排宴饮，忽闻哨马回报：『黄忠、魏延和川将吴兰、雷铜

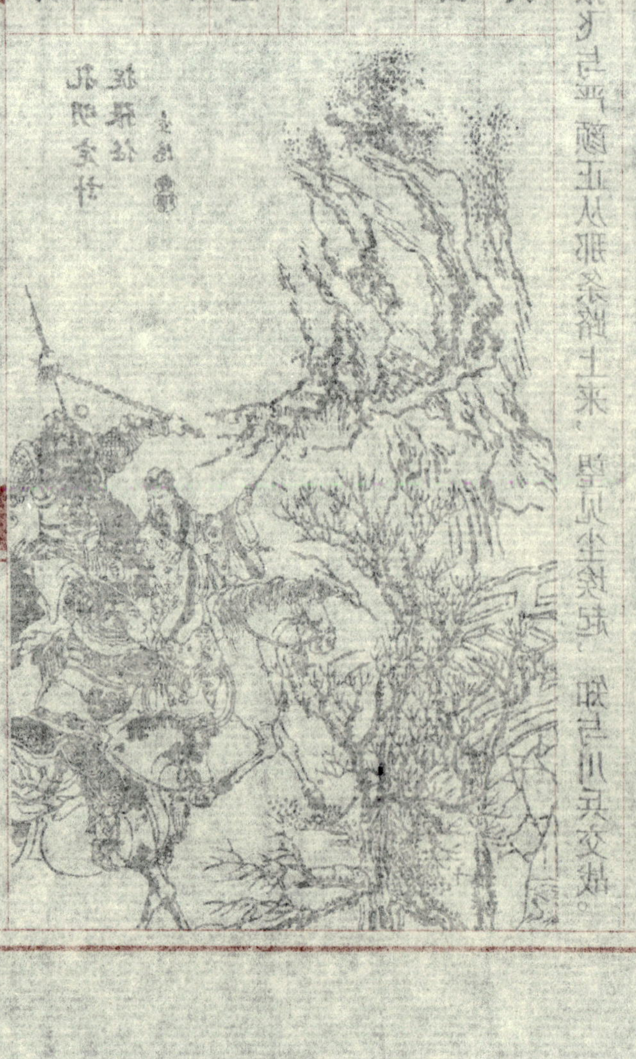

交锋，城中吴懿、刘璝又引兵助战，两下夹攻，我军抵敌不住，魏、黄二将败阵投东去了。」张飞听得，便请玄德分兵两路，杀去救援，于是张飞在左，玄德在右，杀奔前来。吴懿、刘璝见后面喊声起，慌退入城中。吴兰、雷铜只顾引兵追赶黄忠、魏延，却被玄德、张飞截住归路。黄忠、魏延又回马转攻。吴兰、雷铜料敌不住，只得将本部军马前来投降。玄德准其降，收兵近城下寨。

却说张任失了二将，心中忧虑。吴懿、刘璝曰：「兵势甚危，不决一死战，如何得兵退？一面差人去成都见主公告急，一面用计敌之。」张任曰：「吾来日领一军搦战，诈败，引转城北；城内再以一军冲出，截断其中：可获胜也。」吴懿曰：「刘将军相辅公子守城，我引兵冲出助战。」约会已定。次日，张任引数千人马，摇旗呐喊，出城搦战。张飞上马出迎，更不打话，与张任交锋。战不十余合，张任诈败，绕城而走。张飞尽力追之。吴懿一军截住，张任引军复回，把张飞围在垓心，进退不得。正没奈何，只见一队军从江边杀出。当先一员大将，挺枪跃马，与吴懿交锋；只一合，生擒吴懿，战退敌军，救出张飞。视之，乃赵云也。飞问：「军师何在？」云曰：「军师已至。想此时已与主公相见了也。」二人擒吴懿回寨。张任自退入东门去了。

张飞、赵云回寨中，见孔明、简雍、蒋琬已在帐中。飞下马来参军师。孔明惊问曰：「如何得先到？」玄德具述义释严颜之事。孔明贺曰：「张将军能用谋，皆主公之洪福也。」赵云解吴懿见玄德。玄德曰：「汝降否？」吴懿曰：「我既被捉，如何不降？」玄德大喜，亲解其缚。孔明问：「城中有几人守城？」吴懿曰：「有刘季玉之子刘循，辅将刘璝、张任。刘璝不打紧；张任乃蜀郡人，极有胆略，不可轻敌。」孔明曰：「先捉张任，然后取雒城。」问：「城东这座桥名为何桥？」吴懿曰：「金雁桥。」孔明遂乘马至桥边，绕河看了一遍，回到寨中，唤黄忠、魏延听令曰：「离金雁桥南五六里，两岸都是芦苇蒹葭，可以埋伏。魏延引一千枪手伏于左，单戳马上将；黄忠引一千刀手伏于右，单砍坐下马。杀散彼军，张任必投山东小路而来。张翼德引一千军伏在那里，就彼处擒之。」又唤赵云伏于金雁桥北：「待我引张任过桥，你便将桥拆断，却勒兵于桥北，遥为之势，使张任不敢望北走，退投南去，却好中计。」调遣已定，军师自去诱敌。

却说刘璋差卓膺、张翼二将，前至雒城助战。张任教张翼与刘璝守城，自与卓膺为前后二队——任为前队，膺为后队——出城退敌。孔明引一队不整不齐军，过金雁桥来，与张任对阵。孔明乘四轮车，纶巾羽扇而出，两边百余骑簇捧，遥指张任曰：「曹操以百万之众，闻吾之名，望风而走；今汝何人，敢不投降？」张任看见孔明军伍不齐，在马上冷笑曰：「人说诸葛亮用兵如神，原来有名无实！」把枪一招，大小军校齐杀过来。孔明弃了四轮车，上马退走过桥。张任从背后赶来。过了金雁桥，见玄德军在左，严颜军在右，冲杀将来。张任知是计，急回军时，桥已拆断了；欲投北去，只见赵云一军隔岸摆开，遂不敢投北，径往南绕河而走。走不到五七里，早到芦苇丛杂处。魏延一军从芦中忽起，都用长枪乱戳。黄忠一军伏在芦苇里，用长刀只剁马蹄。马军尽倒，皆被执缚。步军那里敢来？张任引数十骑望山路而走，正撞着张飞。张任方欲退走，张飞大喝一声，众军齐上，将张任活捉了。原来卓膺见张任中计，已投赵云军前降了，一发都到

大寨。玄德赏了卓膺。张飞解张任至。孔明亦坐于帐中。玄德谓张任曰：『蜀中诸将，望风而降，汝何不早投降？』张任睁目怒叫曰：『忠臣岂肯事二主乎？』玄德曰：『汝不识天时耳。降即免死。』任曰：『今日便降，久后也不降！可速杀我！』玄德不忍杀之。张任厉声高骂。孔明命斩之以全其名，后人有诗赞曰：

烈士岂甘从二主，张君忠勇死犹生。高明正似天边月，夜夜流光照雒城。

玄德感叹不已，令收其尸首，葬于金雁桥侧，以表其忠。

次日，令严颜、吴懿等一班蜀中降将为前部，直至雒城，大叫：『早开门受降，免一城生灵受苦！』刘璝在城上大骂。严颜方待取箭射之，忽见城上一将，拔剑砍翻刘璝，开门投降。玄德军马入雒城，刘循开西门走脱，投成都去了。玄德出榜安民。杀刘璝者，乃武阳人张翼也。玄德得了雒城，重赏诸将。孔明曰：『雒城已破，成都只在目前；惟恐外州郡不宁，可令张翼、吴懿引赵云抚外水江阳、犍为等处所属州郡，令严颜、卓膺引张飞抚巴西德阳所属州郡，就委官按治平靖，即勒兵回成都取齐。』张飞、赵云领命，各自引兵去了。孔明问：『前去有何处关隘？』蜀中降将曰：『止绵竹有重兵守御；若得绵竹，成都唾手可得。』孔明便商议进兵。法正曰：『雒城既破，蜀中危矣。主公欲以仁义服众，且勿进兵。某作一书上刘璋，陈说利害，璋自然降矣。』孔明曰：『孝直之言最善。』便令写书遣人径往成都。

却说刘循逃回见父，说雒城已陷，刘璋慌聚众官商议。从事郑度献策曰：『今刘备虽攻城夺地，然兵不甚多，士众未附，野谷是资，军无辎重。不如尽驱巴西梓潼民，过涪水以西。其仓廪野谷，尽皆烧除，深沟高垒，静以待之。彼至请战，勿许。久无所资，不过百日，彼兵自走。我乘虚击之，备可擒也。』刘璋曰：『不然。吾闻拒敌以安民，未闻动民以备敌也。此言非保全之计。』正议间，人报法正有书至。刘璋唤入。呈上书。璋拆开视之。其略曰：

昨蒙遣差结好荆州，不意主公左右不得其人，以致如此。今荆州眷念旧情，不忘族谊。主公若能幡然归顺，量不薄待。望三思裁示。

刘璋大怒，扯毁其书，大骂：『法正卖主求荣、忘恩背义之贼！』逐其使者出城。即时遣妻弟费观，提兵前去守把绵竹。费观举保南阳人姓李，名严，字正方，一同领兵。当下费观、李严点三万军来守绵竹。益州太守董和，字幼宰，南郡枝江人也，上书与刘璋，请往汉中借兵。璋曰：『张鲁与吾世仇，安肯相救？』和曰：『虽然与我有仇，刘备军在雒城，势在危急，唇亡则齿寒，若以利害说之，必然肯从。』璋乃修书遣使前赴汉中。

却说马超自兵败入羌，二载有余，结好羌兵，攻拔陇西州郡。所到之处，尽皆归降；惟冀城攻打不下。刺史韦康，累遣人求救于夏侯渊。渊不

得曹操言语，未敢动兵。韦康见救兵不来，与众商议：『不如投降马超。』参军杨阜哭谏曰：『超等叛君之徒，岂可降之？』康曰：『事势至此，不降何待？』阜苦谏不从。韦康大开城门，投拜马超。超大怒曰：『汝今事急请降，非真心也！』将韦康四十余口尽斩之，不留一人。有人言：『杨阜劝韦康休降，可斩之。』超曰：『此人守义，不可斩也。』复用杨阜为参军。阜荐梁宽、赵衢二人，超尽用为军官。杨阜告马超曰：『阜妻死于临洮，乞告两个月假，归葬其妻便回。』马超从之。

杨阜过历城，来见抚彝将军姜叙。叙与阜是姑表兄弟：叙之母是阜之姑，时年已八十二。当日，杨阜入姜叙内宅，拜见其姑，哭告曰：『阜守城不能保，主亡不能死，愧无面目见姑。马超叛君，妄杀郡守，一州士民，无不恨之。今吾兄坐据历城，竟无讨贼之心，此岂人臣之理乎？』言罢，泪流出血。叙母闻言，唤姜叙入，责之曰：『韦使君遇害，亦尔之罪也。』又谓阜曰：『汝既降人，且食其禄，何故又兴心讨之？』阜曰：『吾从贼者，欲留残生，与主报冤也。』叙曰：『马超英勇，急难图之。』阜曰：『有勇无谋，易图也。吾已暗约下梁宽、赵衢。兄若肯兴兵，二人必为内应。』叙母曰：『汝不早图，更待何时？谁不有死，死于忠义，死得其所也。勿以我为念。汝若不听义山之言，吾当先死，以绝汝念。』

叙乃与统兵校尉尹奉、赵昂商议。原来赵昂之子赵月，现随马超为裨将。赵昂当日应允，归见其妻王氏曰：『吾今日与姜叙、杨阜、尹奉一处商议，欲报韦康之仇。吾想子赵月现随马超，今若兴兵，超必先杀吾子，奈何？』其妻厉声曰：『雪君父之大耻，虽丧身亦不惜，何况一子乎！君若顾子而不行，吾当先死矣！』赵昂乃决。次日一同起兵。姜叙、杨阜屯历城，尹奉、赵昂屯祁山。王氏乃尽将首饰资帛，亲自往祁山军中，赏劳军士，以励其众。

马超闻姜叙、杨阜会合尹奉、赵昂举事，大怒，即将赵月斩之；令庞德、马岱尽起军马，杀奔历城来。姜叙、杨阜引兵出。两阵圆处，杨阜、姜叙衣白袍而出，大骂曰：『叛君无义之贼！』马超大怒，冲将过来，两军混战。姜叙、杨阜如何抵得马超，大败而走。马超驱兵赶来。背后喊声起处，尹奉、赵昂杀来。超急回时，两下夹攻，首尾不能相顾。正斗间，刺斜里大队军马杀来。原来是夏侯渊得了曹操军令，正领军来破马超。超如何当得三路军马，大败奔回。走了一夜，比及平明，到得冀城叫门时，城上乱箭射下。梁宽、赵衢立在城上，大骂马超，将马超妻杨氏从城上一刀砍了，撇下尸首来；又将马超幼子三人，并至亲十余口，都从城上一刀一个，剁将下来。超气噎塞胸，几乎坠下马来。背后夏侯渊引兵追赶。超见势大，不敢恋战，与庞德、马岱杀开一条路走。前面又撞见姜叙、杨阜，杀了一阵；冲得过去，又撞着尹奉、赵昂，杀了一阵。零零落落，剩得五六十骑，连夜奔走。四更前后，走到历城下，守门者只道姜叙兵回，大开门接入。超从城南门边杀起，尽洗城中百姓。至姜叙宅，拿出老母。母全无惧色，指马超而大骂。超大怒，自取剑杀之。尹奉、赵昂全家老幼，亦尽被马超所杀。昂妻王氏因在军中，得免于难。次日，夏侯渊大军至，马超弃城杀出，望西而逃。行不得二十里，前面一军摆开，为首的是杨阜。超切齿而恨，拍马挺枪刺之。阜宗弟七人，一齐来助战。马岱、庞德敌住后军。宗弟七人，皆被马超杀死。阜身中五枪，犹然死战。后面夏侯渊

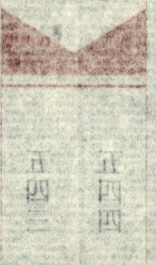

大军赶来，马超遂走。只有庞德、马岱五七骑后随而去。夏侯渊自行安抚陇西诸州人民，令姜叙等各各分守，用车载杨阜赴许都，见曹操。操封阜为关内侯。阜辞曰：『阜无捍难之功，又无死难之节，于法当诛，何颜受职？』操嘉之，卒与之爵。

却说马超与庞德、马岱商议，径往汉中投张鲁。张鲁大喜，以为得马超，则西可以吞益州，东可以拒曹操，乃商议欲以女招超为婿。大将杨柏谏曰：『马超妻子遭惨祸，皆超之贻害也。主公岂可以女与之？』鲁从其言，遂罢招婿之议。或以杨柏之言，告知马超。超大怒，有杀杨柏之意。杨柏知之，与兄杨松商议，亦有图马超之心。正值刘璋遣使求救于张鲁，鲁不从。忽报刘璋又遣黄权到。权先来见杨松，说：『东西两川，实为唇齿；西川若破，东川亦难保矣。今若肯相救，当以二十州相酬。』松大喜，即引黄权来见张鲁，说唇齿利害，更以二十州相谢。鲁喜其利，从之。巴西阎圃谏曰：『刘璋与主公世仇，今事急求救，诈许割地，不可从也。』忽阶下一人进曰：『某虽不才，愿乞一旅之师，生擒刘备。务要割地以还。』正是：

方看真主来西蜀，又见精兵出汉中。

未知其人是谁，且看下文分解。

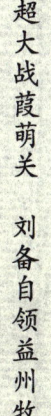

第六十五回　马超大战葭萌关　刘备自领益州牧

却说阎圃正劝张鲁勿助刘璋，只见马超挺身出曰：『超感主公之恩，无可上报。愿领一军攻取葭萌关，生擒刘备。务要刘璋割二十州奉还主公。』张鲁大喜，先遣黄权从小路而回，随即点兵二万与马超。此时庞德卧病不能行，留于汉中。张鲁令杨柏监军。超与弟马岱选日起程。

却说玄德军马在雒城。法正所差下书人回报说：『郑度劝刘璋尽烧野谷，并各处仓廪，率巴西之民，避于涪水西，深沟高垒而不战。』玄德、孔明闻之，皆大惊曰：『若用此言，吾势危矣！』法正笑曰：『主公勿忧。此计虽毒，刘璋必不能用也。』不一日，人传刘璋不肯迁动百姓，不从郑度之言。玄德闻之，方始宽心。孔明曰：『可速进兵取绵竹。如得此处，成都易取矣。』遂遣黄忠、魏延领兵前进。费观听知玄德兵来，差李严出迎。严领三千兵出，各布阵完。黄忠出马，与李严战四五十合，不分胜败。孔明在阵中教鸣金收军。黄忠回阵，问曰：『正待要擒李严，军师何故收兵？』孔明曰：『吾已见李严武艺，不可力取。来日再战，汝可诈败，引入山峪，出奇兵以胜之。』黄忠领计。次日，李严再引兵来，黄忠又出战，不十合诈败，引兵便走。李严赶来，迤逦赶入山峪，猛然省悟。急待回来，前面魏延引兵摆开。孔明自在山头，唤曰：『公如不降，两下已伏强弩，欲与吾庞士元报仇矣。』李严慌下马卸甲投降。军士不曾伤害一人。孔明引李严见玄德。玄德待之甚厚。严曰：『费观虽是刘益州亲戚，与某甚密，当往说之。』玄德即命李

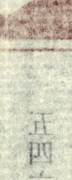

严回城招降费观。严入绵竹城，对费观赞玄德如此仁德：今若不降，必有大祸。观从其言，开门投降。玄德遂入绵竹，商议分兵取成都。忽流星马急报，言：『孟达、霍峻守葭萌关，今被东川张鲁遣马超与杨柏、马岱领兵攻打甚急，救迟则关隘休矣。』玄德大惊。孔明曰：『须是张、赵二将，方可与敌。』玄德曰：『子龙引兵在外未回。翼德已在此，可急遣之。』孔明曰：『主公且勿言，容亮激之。』

却说张飞闻马超攻关，大叫而入曰：『辞了哥哥，便去战马超也！』孔明佯作不闻，对玄德曰：『今马超侵犯关隘，无人可敌；除非往荆州取关云长来，方可与敌。』张飞曰：『军师何故小觑吾！吾曾独拒曹操百万之兵，岂愁马超一匹夫乎！』孔明曰：『翼德拒水断桥，此因曹操不知虚实耳；若知虚实，将军岂得无事？今马超之勇，天下皆知，渭桥六战，杀得曹操割须弃袍，几乎丧命，非等闲之比。云长且未必可胜。』飞曰：『我只今便去；如胜不得马超，甘当军令！』孔明曰：『既尔肯写文书，便为先锋。——请主公亲自去一遭。留亮守绵竹。待子龙来，却作商议。』魏延曰：『某亦愿往。』孔明令魏延带五百哨马先行，张飞第二，玄德后队，望葭萌关进发。魏延哨马先到关下，正遇杨柏。魏延与杨柏交战，不十合，杨柏败走。魏延要夺张飞头功，乘势赶去。前面一军摆开，为首乃是马岱。魏延只道是马超，舞刀跃马迎之。与岱战不十合，岱败走。延赶去，被岱回身一箭，中了魏延左臂。延急回马走。马岱赶到关前，只见一将喊声如雷，从关上飞奔至面前。原来是张飞初到关上，听得关前厮杀，便来看时，正见魏延中箭，因骤马下关，救了魏延。飞喝马岱曰：『汝是何人？先通姓名，然后厮杀！』马岱曰：『吾乃西凉马岱是也。』张飞曰：『你原来不是马超，快回去！非吾对手！只令马超那厮自来，说道燕人张飞在此！』马岱大怒曰：『汝焉敢小觑我！』挺枪跃马，直取张飞。战不十合，马岱败走。张飞欲待追赶，关上一骑马到来，叫：『兄弟且休去！』飞回视之，原来是玄德到来。飞遂不赶，一同上关。玄德曰：『恐怕你性躁，故我随后赶来到此。既然胜了马岱，且歇一宵，来日战马超。』

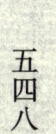

次日天明，关下鼓声大震，马超兵到。玄德在关上看时，门旗影里，马超纵骑持枪而出；狮盔兽带，银甲白袍：一来结束非凡，二者人才出众。玄德叹曰：『人言「锦马超」，名不虚传！』张飞便要下关。玄德急止之曰：『且休出战。先当避其锐气。』关下马超单搦张飞出马，关上张飞恨不得平吞马超，三五番皆被玄德当住。看看午后，玄德望见马超阵上人马皆倦，遂选五百骑，跟着张飞，冲下关来。马超见张飞军到，把枪望后一招，约退军有一箭之地。张飞军马一齐扎住；关上军马，陆续下来。张飞挺枪出马，大呼：『认得燕人张翼德么！』马超曰：『吾家屡世公侯，岂识村野匹夫！』张飞大怒。两马齐出，二枪并举。约战百余合，不分胜负。玄德观之，叹曰：『真虎将也！』恐张飞有失，急鸣金收军。两将各回。张飞回到阵中，略歇马片时，不用头盔，只裹包巾上马，又出阵前搦马超厮杀。超又出。两个再战。玄德恐张飞有失，自披挂下关，直至阵前；看张飞与马超又斗百余合，两个精神倍加。玄德教鸣金收军。二将分开，各回本阵。是日天色已晚，玄德谓张飞曰：『马超英勇，不可轻敌，且退上关。来日再战。』张飞杀得性起，那里肯休？大叫曰：『誓死不回！』玄德曰：『今日天晚，不可战矣。』飞曰：『多点火把，安排夜战！』

马超亦换了马，再出阵前，大叫曰：『张飞！敢夜战么？』张飞性起，问玄德换了坐下马，抢出阵来，叫曰：『我捉你不得，誓不上关！』超曰：『我胜你不得，誓不回寨！』两军呐喊，点起千百火把，照耀如同白日。两将又向阵前鏖战。到二十余合，马超拨回马便走。张飞大叫曰：『走那里去！』原来马超见赢不得张飞，心生一计：诈败佯输，赚张飞赶来，暗掣铜锤在手，扭回身觑着张飞便打将来。张飞见马超走，心中也提防；比及铜锤打来时，张飞一闪，从耳朵边过去。张飞便勒回马走时，马超却又赶来。张飞带住马，拈弓搭箭，回射马超；超却闪过。二将各自回阵。玄德自于阵前叫曰：『吾以仁义待人，不施谲诈。马孟起，你收兵歇息，我不乘势赶你。』马超闻言，亲自断后，诸军渐退。玄德亦收军上关。

次日，张飞又欲下关战马超。人报军师来到。玄德接着孔明。孔明曰：『亮闻孟起世之虎将，若与翼德死战，必有一伤；故令子龙、汉升守住绵竹，我星夜来此。可用条小计，令马超归降主公。』玄德曰：『吾见马超英勇，甚爱之。如何可得？』孔明曰：『亮闻东川张鲁，欲自立为「汉宁王」。手下谋士杨松，极贪贿赂。主公可差人从小路径投汉中，先用金银结好杨松，后进书与张鲁云：「吾与刘璋争西川，是与汝报仇。不可听信离间之语。事定之后，保汝为汉宁王。」令其撤回马超兵。待其来撤时，便可用计招降马超矣。』玄德大喜，即时修书，差孙乾赍金珠从小路径至汉中，先来见杨松，说知此事，送了金珠。松大喜，先引孙乾见张鲁，陈言方便。鲁曰：『玄德只是左将军，如何保得我为汉宁王？』杨松曰：『他是大汉皇叔，正合保奏。』张鲁大喜，便差人教马超罢兵。孙乾只在杨松家听回信。

不一日，使者回报：『马超言：未成功，不可退兵。』张鲁又遣人去唤，又不肯回。一连三次不至。杨松曰：『此人素无信行，不肯罢兵，其意必反。』遂使人流言云：『马超意欲夺西川，自为蜀主，与父报仇，不肯臣于汉中。』张鲁闻之，问计于杨松。松曰：『一面差人去说与马超：「汝既欲成功，与汝一月限，要依我三件事。若依得，便有赏；否则必诛：一要取西川，二要刘璋首级，三要退荆州兵。三件事不成，可献头来。」一面教张卫点军守把关隘，防马超兵变。』鲁从之，差人到马超寨中，说这三件事。超大惊曰：『如何变得恁的！』乃与马岱商议：『不如罢兵。』杨松又流言曰：『马超回兵，必怀异心。』于是张卫分七路军，坚守隘口，不放马超兵入。超进退不得，无计可施。孔明谓玄德曰：『今马超正在进退两难之际，亮凭三寸不烂之舌，亲往超寨，说马超来降。』玄德曰：『先生乃吾之股肱心腹，倘有疏虞，如之奈何？』孔明坚意要去。玄德再三不肯放去。

正踌躇间，忽报赵云有书荐西川一人来降。玄德召入问之。其人乃建宁俞元人也，姓李，名恢，字德昂。玄德曰：『向日闻公苦谏刘璋，今何故归我？』恢曰：『吾闻：「良禽相木而栖，贤臣择主而事。」前谏刘益州者，以尽人臣之心；既不能用，知必败矣。今将军仁德布于蜀中，知事必成，故来归耳。』玄德曰：『先生此来，必有益于刘备。』恢曰：『今闻马超在进退两难之际。恢昔在陇西，与彼有一面之交，愿往说马超归降，若何？』孔明曰：『正欲得一人替吾一往。愿闻公之说词。』李恢于孔明耳畔陈说如此如此。孔明大喜，即时遣行。

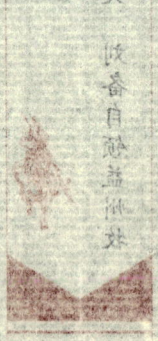

恢行至超寨，先使人通姓名。马超曰：『吾知李恢乃辩士，今必来说我。』先唤二十刀斧手伏于帐下，嘱曰：『令汝砍，即砍为肉酱！』须臾，李恢昂然而入。马超端坐帐中不动，叱李恢曰：『汝来为何？』恢曰：『特来作说客。』超曰：『吾匣中宝剑新磨。汝试言之。其言不通，便请试剑！』恢笑曰：『将军之祸不远矣！但恐新磨之剑，不能试吾之头，将欲自试也！』超曰：『吾有何祸？』恢曰：『吾闻越之西子，善毁者不能闭其美；齐之无盐，善美者不能掩其丑；「日中则昃(zè)，月满则亏」：此天下之常理也。今将军与曹操有杀父之仇，而陇西又有切齿之恨；前不能救刘璋而退荆州之兵，后不能制杨松而见张鲁之面；目下四海难容，一身无主；若复有渭桥之败，冀城之失，何面目见天下之人乎？』超顿首谢曰：『公言极善；但超无路可行。』恢曰：『公既听吾言，帐下何故伏刀斧手？』超大惭，尽叱退。恢曰：『刘皇叔礼贤下士，吾知其必成，故舍刘璋而归之。公之尊人，昔年曾与皇叔约共讨贼，公何不背暗投明，以图上报父仇，下立功名乎？』马超大喜，即唤杨柏入，一剑斩之，将首级共恢一同上关来降玄德。玄德亲自接入，待以上宾之礼。超顿首谢曰：『今遇明主，如拨云雾而见青天！』时孙乾已回。玄德复命霍峻、孟达守关，便撤兵来取成都。赵云、黄忠接入绵竹。人报蜀将刘晙(jùn)，马汉引军到。赵云曰：『某愿往擒此二人！』言讫，上马引军出。玄德在城上管待马超吃酒。未曾安席，子龙已斩二人之头，献于筵前。马超亦惊，倍加敬重。超曰：『不须主公军马厮杀，超自唤出刘璋来降。如不肯降，超自与弟马岱取成都，双手奉献。』玄德大喜。是日尽欢。

却说败兵回到益州，报刘璋。璋大惊，闭门不出。人报城北马超救兵到，刘璋方敢登城望之。见马超、马岱立于城下，大叫：『请刘季玉答话。』刘璋在城上问之。超在马上以鞭指曰：『吾本领张鲁兵来救益州，谁想张鲁听信杨松谗言，反欲害我。今已归降刘皇叔。公可纳土拜降，免致生灵受苦。如或执迷，吾先攻城矣！』刘璋惊得面如土色，气倒于城上。众官救醒。璋曰：『吾之不明，悔之何及！不若开门投降，以救满城百姓。』董和曰：『城中尚有兵三万余人；钱帛粮草，可支一年：奈何便降？』刘璋曰：『吾父子在蜀二十余年，无恩德以加百姓；攻战三年，血肉捐于草野：皆我罪也，我心何安？不如投降以安百姓。』众人闻之，皆堕泪。忽一人进曰：『主公之言，正合天意。』视之，乃巴西西充国人也，姓谯，名周，字允南。此人素晓天文。璋问之，周曰：『某夜观乾象，见群星聚于蜀郡；其大星光如皓月，乃帝王之象也。况一载之前，小儿谣云：「若要吃新饭，须待先主来。」此乃预兆。不可逆天道。』黄权、刘巴闻言皆大怒，欲斩之。刘璋当住。忽报：『蜀郡太守许靖，逾城出降矣。』刘璋大哭归府。

次日，人报刘皇叔遣幕宾简雍在城下唤门。璋令开门接入。雍坐车中，傲睨自若。忽一人掣剑大喝曰：『小辈得志，傍若无人！汝敢藐视吾蜀中人物耶！』雍慌下车迎之。此人乃广汉绵竹人也，姓秦，名宓，字子勑(chì)。雍笑曰：『不识贤兄，幸勿见责。』遂同入见刘璋，具说玄德宽洪大度，并无相害之意。于是刘璋决计投降，厚待简雍。次日，亲责印绶文籍，与简雍同车出城投降。玄德出寨迎接，握手流涕曰：『非吾不行仁义，奈势不得已也！』共入寨，交割印绶文籍，并马入城。

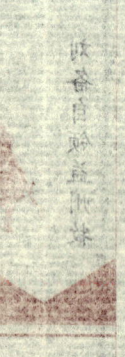

玄德入成都，百姓香花灯烛，迎门而接。玄德到公厅，升堂坐定。郡内诸官，皆拜于堂下；惟黄权、刘巴，闭门不出。众将忿怒，欲往杀之。玄德慌忙传令曰：『如有害此二人者，灭其三族！』玄德亲自登门，请二人出仕。二人感玄德恩礼，乃出。孔明请曰：『今西川平定，难容二主：可将刘璋送去荆州。』玄德曰：『吾方得蜀郡，未可令季玉远去。』孔明曰：『刘璋失基业者，皆因太弱耳。主公若以妇人之仁，临事不决，恐此土难以长久。』玄德从之，设一大宴，请刘璋收拾财物，佩领振威将军印绶，令将妻子良贱，尽赴南郡公安住歇，即日起行。

玄德自领益州牧。其所降文武，尽皆重赏，定拟名爵：严颜为前将军，法正为蜀郡太守，董和为掌军中郎将，许靖为左将军长史，庞义为营中司马，刘巴为左将军，黄权为右将军。其余吴懿、费观、彭羕、卓膺、李严、吴兰、雷铜、李恢、张翼、秦宓、谯周、吕义、霍峻、邓芝、杨洪、周群、费祎、费诗、孟达，文武投降官员，共六十余人，并皆擢用。诸葛亮为军师，关云长为荡寇将军、汉寿亭侯，张飞为征虏将军、新亭侯，赵云为镇远将军，黄忠为征西将军，魏延为扬武将军，马超为平西将军。孙乾、简雍、糜竺、糜芳、刘封、吴班、关平、周仓、廖化、马良、马谡、蒋琬、伊籍，及旧日荆襄一班文武官员，尽皆升赏。遣使赍黄金五百斤、白银一千斤、钱五千万、蜀锦一千匹，赐与云长。其余官将，给赏有差。杀牛宰马，大饷士卒，开仓赈济百姓；军民大悦。

益州既定，玄德欲将成都有名田宅，分赐诸官。赵云谏曰：『益州人民，屡遭兵火，田宅皆空；今当

归还百姓，令安居复业，民心方服；不宜夺之为私赏也。』玄德大喜，从其言。使诸葛军师定拟治国条例，刑法颇重。法正曰：『昔高祖约法三章，黎民皆感其德。愿军师宽刑省法，以慰民望。』孔明曰：『君知其一，未知其二：秦用法暴虐，万民皆怨，故高祖以宽仁得之。今刘璋暗弱，德政不举，威刑不肃；君臣之道，渐以陵替。宠之以位，位极则残；顺之以恩，恩竭则慢。所以致弊，实由于此。吾今威之以法，法行则知恩；限之以爵，爵加则知荣。恩荣并济，上下有节。为治之道，于斯著矣。』法正拜服。自此军民安堵。四十一州地面，分兵镇抚，并皆平定。法正为蜀郡太守，凡平日一餐之德，睚眦之怨，无不报复。或告孔明曰：『孝直太横，宜稍斥之。』孔明曰：『昔主公困守荆州，北畏曹操，东惮孙权，赖孝直为之辅翼，遂翻然翱翔，不可复制。今奈何禁止孝直，使不得少行其意耶？』因竟不问。法正闻之，亦自敛戢(jí)。

一日，玄德正与孔明闲叙，忽报云长遣关平来谢所赐金帛。玄德召入，平拜罢，呈上书信曰：『父亲知马超武艺过人，要入川来与之比试高低，教就禀伯父此事。』玄德大惊曰：『若云长入蜀，与孟起比试，势不两立。』孔明曰：『无妨。亮自作书回之。』玄德只恐云长性急，便教孔明写了书，发付关平星夜回荆州。平回至荆州，云长问曰：『我欲与马孟起比试，汝曾说否？』平答曰：『军师有书在此。』云长拆开视之。其书曰：

亮闻将军欲与孟起分别高下。以亮度之：孟起虽雄烈过人，亦乃黥布、彭越之徒耳；当与翼德并驱争先，犹未及美髯公之绝伦超群也。今公受任守荆州，不为不重；倘一入川，若荆州有失，罪莫大焉。惟冀明照。

云长看毕，自绰其髯笑曰：『孔明知我心也。』将书遍示宾客，遂无入川之意。

却说东吴孙权，知玄德并吞西川，将刘璋逐于公安，遂召张昭、顾雍商议曰：『当初刘备借我荆州时，说取了西川，便还荆州。今已得巴蜀四十一州，须用取索汉上诸郡。如其不还，即动干戈。』张昭曰：『吴中方宁，不可动兵。昭有一计，使刘备将荆州双手奉还主公。』正是：西蜀方开新日月，东吴又索旧山川。

未知其计如何，且看下文分解。

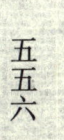

第六十六回　关云长单刀赴会　伏皇后为国捐生

却说孙权要索荆州。张昭献计曰：『刘备所倚仗者，诸葛亮耳。其兄诸葛瑾今仕于吴，何不将瑾老小执下，使瑾入川告其弟，令劝刘备交割荆州：「如其不还，必累及我老小。」亮念同胞之情，必然应允。』权曰：『诸葛瑾乃诚实君子，安忍拘其老小？』昭曰：『明教知是计策，自然放心。』权从之，召诸葛瑾老小，虚监在府；一面修书，打发诸葛瑾往西川去。不数日，早到成都，先使人报知玄德。玄德问孔明曰：『令兄此来为何？』孔明曰：『来索荆州耳。』玄德曰：『何以答之？』孔明曰：『只须如此如此。』

计会已定，孔明出郭接瑾。不到私宅，径入宾馆。参拜毕，瑾放声大哭。亮曰：『兄长有事但说。何故发哀？』瑾曰：『吾一家老小休矣！』亮曰：『莫非为不还荆州乎？因弟之故，执下兄长老小，弟心何安？兄休忧虑，弟自有计还荆州便了。』瑾大喜，即同孔明入见玄德，呈上孙权书。玄德看了，怒曰：『孙权既以妹嫁我，却乘我不在荆州，竟将妹子潜地取去，情理难容！我正要大起川兵，杀下江南，报我之恨，却还想来索荆州乎！』孔明哭拜于地，曰：『吴侯执下亮兄长老小，倘若不还，吾兄将全家被戮。兄死，亮岂能独生？望主公看亮之面，将荆州还了东吴，全亮兄弟之情！』玄德再三不肯，孔明只是哭求。玄德徐徐曰：『既如此，看军师面，分荆州一半还之：将长沙、零陵、桂阳三郡与他。』亮曰：『既蒙见允，便可写书与云长令交割三郡。』玄德曰：『子瑜到彼，须用善言求吾弟。吾弟性如烈火，吾尚惧之。切宜

仔细。」

瑾求了书，辞了玄德，别了孔明，登途径到荆州。云长请入中堂，宾主相叙。瑾出玄德书曰：「皇叔许先以三郡还东吴，望将军即日交割，令瑾好回见吾主。」云长变色曰：「吾与吾兄桃园结义，誓共匡扶汉室。荆州本大汉疆土，岂得妄以尺寸与人？「将在外，君命有所不受」。虽吾兄有书来，我却只不还。」瑾曰：「今吴侯执下瑾老小，若不得荆州，必将被诛。望将军怜之！」云长曰：「此是吴侯谲计，如何瞒得我过！」瑾曰：「将军何太无面目？」云长执剑在手曰：「休再言！此剑上并无面目！」关平告曰：「军师面上不好看，望父亲息怒。」云长曰：「不看军师面上，教你回不得东吴！」

瑾满面羞惭，急辞下船，再往西川见孔明。孔明已自出巡去了。瑾只得再见玄德，哭告云长欲杀之事。玄德曰：「吾弟性急，极难与言。子瑜可暂回，容吾取了东川、汉中诸郡，调云长往守之，那时方得交付荆州。」瑾不得已，只得回东吴见孙权，具言前事。孙权大怒曰：「子瑜此去，反覆奔走，莫非皆是诸葛亮之计？」瑾曰：「非也。吾弟亦哭告玄德，方许将三郡先还，又无奈云长

第六十六回
关云长单刀赴会　伏皇后为国捐生

恃顽不肯。」孙权曰：「既刘备有先还三郡之言，便可差官前去长沙、零陵、桂阳三郡赴任，且看如何。」瑾曰：「主公所言极善。」权乃令瑾取回老小，一面差官往三郡赴任。不一日，三郡差去官吏，尽被逐回，告孙权曰：「关云长不肯相容，连夜赶逐回吴。迟后者便要杀。」孙权大怒，差人召鲁肃责之曰：「子敬昔为刘备作保，借吾荆州；今刘备已得西川，不肯归还，子敬岂得坐视？」肃曰：「肃已思得一计，正欲告主公。」权问：「何计？」肃曰：「今屯兵于陆口，使人请关云长赴会。若云长肯来，以善言说之；如其不从，伏下刀斧手杀之。如彼不肯来，随即进兵，与决胜负，夺取荆州便了。」孙权曰：「正合吾意。可即行之。」阚泽进曰：「不可。关云长乃世之虎将，非等闲可及。恐事不谐，反遭其害。」孙权怒曰：「若如此，荆州何日可得！」便命鲁肃速行此计。肃乃辞孙权，至陆口，召吕蒙、甘宁商议，设宴于陆口寨外临江亭上，修下请书，选帐下能言快语一人为使，登舟渡江。江口关平问了，遂引使人入荆州，叩见云长，具道鲁肃相邀赴会之意，呈上请书。云长看书毕，谓来人曰：「既子敬相请，我明日便来赴宴。汝可先回。」

使者辞去。关平曰：「鲁肃相邀，必无好意，父亲何故许之？」云长笑曰：「吾岂不知耶？此是诸葛瑾回报孙权，说吾不肯还三郡，故令鲁肃屯兵陆口，邀我赴会，便索荆州。吾若不往，道吾怯矣。吾来日独驾小舟，只用亲随十余人，单刀赴会，看鲁肃如何近我！」平谏曰：「父亲奈何以万金之躯，亲蹈虎狼之穴？恐非所以重伯父之寄托也。」云长曰：「吾于千枪万刃之中，矢石交攻之际，匹马纵横，如入无人之境；岂忧江东群鼠乎！」马良亦谏曰：「鲁肃虽有长者之风，但今事急，不容不生异心。将军不可轻往。」

云长曰：『昔战国时赵人蔺相如，无缚鸡之力，于渑池会上，觑秦国君臣如无物；况吾曾学万人敌者乎！既已许诺，不可失信。』良曰：『纵将军去，亦当有准备。』云长曰：『只教吾儿选快船十只，藏善水军五百，于江上等候。看吾认旗起处，便过江来。』平领命自去准备。

却说使者回报鲁肃，说云长慨然应允，来日准到。肃与吕蒙商议：『此来若何？』蒙曰：『彼带军马来，某与甘宁各人领一军伏于岸侧，放炮为号，准备厮杀；如无军来，只于庭后伏刀斧手五十人，就筵间杀之。』计会已定。次日，肃令人于岸口遥望。辰时后，见江面上一只船来，梢公水手只数人，一面红旗，风中招飐，显出一个大『关』字来。船渐近岸，见云长青巾绿袍，坐于船上；傍边周仓捧着大刀，八九个关西大汉，各跨腰刀一口。鲁肃惊疑，接入庭内。叙礼毕，入席饮酒，举杯相劝，不敢仰视。云长谈笑自若。

酒至半酣，肃曰：『有一言诉与君侯，幸垂听焉：昔日令兄皇叔，使肃于吾主之前，保借荆州暂住，约于取川之后归还。今西川已得，而荆州未还，得毋失信乎？』云长曰：『此国家之事，筵间不必论之。』肃曰：『吾主只区区江东之地，而肯以荆州相借者，为念君侯等兵败远来，无以为资故也。今已得益州，则荆州自应见还；乃皇叔但肯先割三郡，而君侯又不从，恐于理上说不去。』云长曰：『乌林之役，左将军亲冒矢石，戮力破敌，岂得徒劳而无尺土相资？今足下复来索地耶？』肃曰：『不然。君侯始与皇叔同败于长坂，计穷力竭，将欲远窜，吾主矜念皇叔身无处所，不爱土地，使有所托足，以图后功；而皇叔愆德隳(huī)好，已得西川，又占荆州，贪而背义，恐为天下所耻笑。惟君侯察之。』云长曰：『此皆吾兄之事，

非某所宜与也。』肃曰：『某闻君侯与皇叔桃园结义，誓同生死。皇叔即君侯也，何得推托乎？』云长未及口答，周仓在阶下厉声言曰：『天下土地，惟有德者居之。岂独是汝东吴当有耶！』云长变色而起，夺周仓所捧大刀，立于庭中，目视周仓而叱曰：『此国家之事，汝何敢多言！可速去！』仓会意，先到岸口，把红旗一招。关平船如箭发，奔过江东来。云长右手提刀，左手挽住鲁肃手，佯推醉曰：『公今请吾赴宴，莫提起荆州之事。吾今已醉，恐伤故旧之情。他日令人请公到荆州赴会，另作商议。』鲁肃魂不附体，被云长扯至江边。吕蒙、甘宁各引本部军欲出，见云长手提大刀，亲握鲁肃，恐肃被伤，遂不敢动。云长到船边，却才放手，早立于船首，与鲁肃作别。肃如痴似呆，看关公船已乘风而去。后人有诗赞关公曰：

藐视吴臣若小儿，单刀赴会敢平欺。当年一段英雄气，尤胜相如在渑池。

云长自回荆州。鲁肃与吕蒙共议：『此计又不成，如之奈何？』蒙曰：『可即申报主公，起兵与云长决战。』肃即时使人申报孙权。权闻之大怒，商议起倾国之兵，来取荆州。忽报：『曹操又起三十万大军来也！』权大惊，且教鲁肃休惹荆州之兵，移兵向合淝、濡须，以拒曹操。

却说操将欲起程南征，参军傅干，字彦材，上书谏操。书略曰：

干闻用武则先威，用文则先德；威德相济，而后王业成。往者天下大乱，明公用武攘之，十平其九；今未承王命者，吴与蜀耳。吴有长江之险，蜀有崇山之阻，难以威胜。愚以为：且宜增修文德，按甲寝兵，息军养士，待时而动。今若举数十万之众，顿长江之滨，倘贼凭险深藏，使我士马不得逞其能，奇变无所用其权，

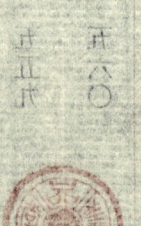

则天威屈矣。惟明公详察焉。

曹操览之，遂罢南征，兴设学校，延礼文士。于是侍中王粲、杜袭、卫凯、和洽四人，议欲尊曹操为『魏王』。中书令荀攸曰：『不可。丞相官至魏公，荣加九锡，位已极矣。今又进升王位，于理不可。』曹操闻之，怒曰：『此人欲效荀彧耶！』荀攸知之，忧愤成疾，卧病十数日而卒，亡年五十八岁。操厚葬之，遂罢『魏王』事。

一日，曹操带剑入宫，献帝正与伏后共坐。伏后见操来，慌忙起身。帝见曹操，战栗不已。操曰：『孙权、刘备各霸一方，不尊朝廷，当如之何？』帝曰：『尽在魏公裁处。』操怒曰：『陛下出此言，外人闻之，只道吾欺君也。』帝曰：『君若肯相辅则幸甚；不尔，愿垂恩相舍。』操闻言，怒目视帝，恨恨而出。左右或奏帝曰：『近闻魏公欲自立为王，不久必将篡位。』帝与伏后大哭。后曰：『妾父伏完常有杀操之心，妾今当修书一封，密与父图之。』帝曰：『昔董承为事不密，反遭大祸；今恐又泄漏，朕与汝皆休矣！』后曰：『旦夕如坐针毡，似此为人，不如早亡！妾看宦官中之忠义可托者，莫如穆顺，当令寄此书。』乃即召穆顺入屏后，退去左右近侍。帝后大哭告顺曰：『操贼欲为「魏王」，早晚必行篡夺之事。朕欲令后父伏完密图此贼，而左右之人，俱贼心腹，无可托者。欲汝将皇后密书，寄与伏完。量汝忠义，必不负朕。』顺泣曰：『臣感陛下大恩，敢不以死报！臣即请行。』后乃修书付顺。顺藏书于发中，潜出禁宫，径至伏完宅，将书呈上。完见是伏后亲笔，乃谓穆顺曰：『操贼心腹甚众，不可遽图。除非江东孙权、西川刘备，

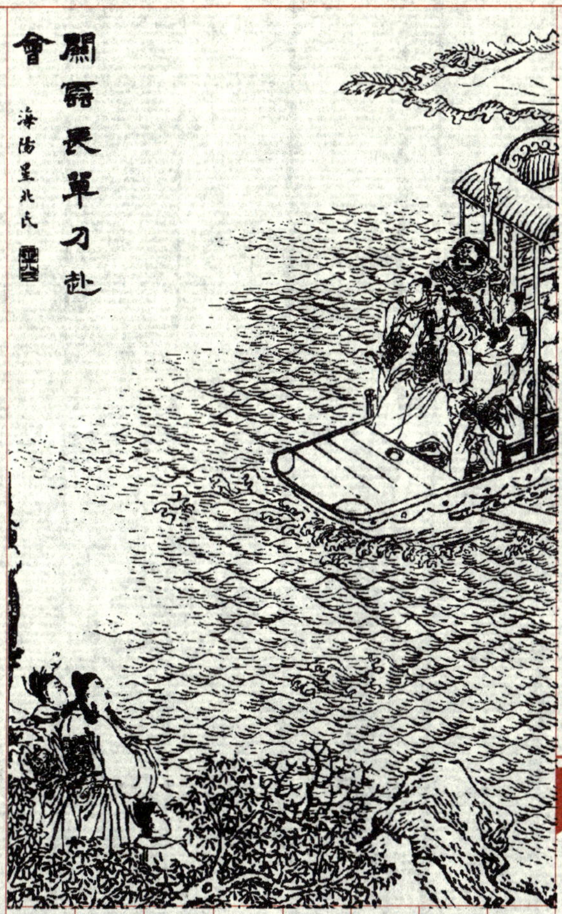

二处起兵于外，操必自往。此时却求在朝忠义之臣，一同谋之。内外夹攻，庶可有济。』顺曰：『皇丈可作书覆帝后，求密诏，暗遣人往吴、蜀二处，令约会起兵，讨贼救主。』伏完即取纸写书付顺。顺乃藏于头髻内，辞完回宫。

原来早有人报知曹操。操先于宫门等候。穆顺回遇曹操，操问：『那里去来？』顺答曰：『皇后有病，命求医去。』操曰：『召得医人何在？』顺曰：『还未召至。』操喝左右，遍搜身上，并无夹带，放行。忽然风吹落其帽。操又唤回，取帽视之，遍观无物，还帽令戴。穆顺双手倒戴其帽。操心疑，令左右搜其头发中，搜出伏完书来。操看时，书中言欲结连孙、刘为外应。操大怒，执下穆顺于密室问之，顺不肯招。操连夜点起甲兵三千，围住伏完私宅，老幼并皆拿下；搜出伏后亲笔之书，随将伏氏三族尽皆下狱。平明，使御林将军郗虑持节入宫，先收皇后玺绶。

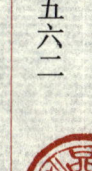

是日，帝在外殿，见郗虑引三百甲兵直入。帝问曰：『有何事？』虑曰：『奉魏公命收皇后玺。』帝知事泄，心胆皆碎。虑至后宫，伏后方起。虑使唤管玺绶人索取玉玺而出。伏后情知事发，便于殿后椒房

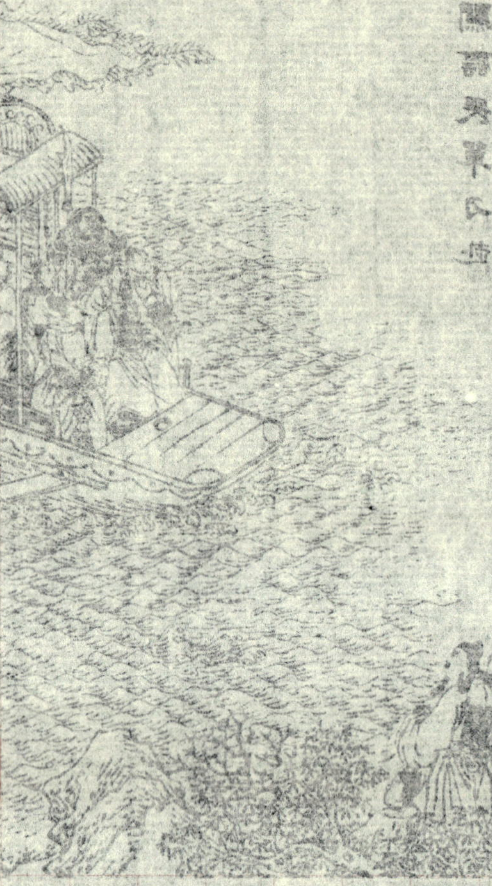

内夹壁中藏躲。少顷，尚书令华歆引五百甲兵入到后殿，问宫人：『伏后何在？』宫人皆推不知。歆教甲兵打开朱户，寻觅不见；料在壁中，便喝甲士破壁搜寻。歆亲自动手揪后头髻拖出。后曰：『望免我一命！』歆叱曰：『汝自见魏公诉去！』后披发跣足，二甲士推拥而出。原来华歆素有才名，向与邴原、管宁相友善。时人称三人为一龙：华歆为龙头，邴原为龙腹，管宁为龙尾。一日，宁与歆共种园蔬，锄地见金。宁挥锄不顾；歆拾而视之，然后掷下。又一日，宁与歆同坐观书，闻户外传呼之声，有贵人乘轩而过。宁端坐不动，歆弃书往观。宁自此鄙歆之为人，遂割席分坐，不复与之为友。后来管宁避居辽东，常戴白帽，坐卧一楼，足不履地，终身不肯仕魏；而歆乃先事孙权，后归曹操，至此乃有收捕伏皇后一事。后人有诗叹华歆曰：

华歆当日逞凶谋，破壁生将母后收。助虐一朝添虎翼，骂名千载笑『龙头』！

又有诗赞管宁曰：

辽东传有管宁楼，人去楼空名独留。笑杀子鱼贪富贵，岂如白帽自风流。

且说华歆将伏后拥至外殿。帝望见后，乃下殿抱后而哭。歆曰：『魏公有命，可速行！』后哭谓帝曰：『不能复相活耶？』帝曰：『我命亦不知在何时也！』甲士拥后而去，帝捶胸大恸。见郗虑在侧，帝曰：『郗公！天下宁有是事乎！』哭倒在地。郗虑令左右扶帝入宫。华歆拿伏后见操。操骂曰：『吾以诚心待汝等，汝等反欲害我耶！吾不杀汝，汝必杀我！』喝左右乱棒打死。随即入宫，将伏后所生二子，皆酖杀之。当晚将伏完、穆顺等宗族二百余口，皆斩于市。朝野之人，无不惊骇。时建安十九年十一月也。后人有诗叹曰：

曹瞒凶残世所无，伏完忠义欲何如。可怜帝后分离处，不及民间妇与夫！

献帝自从坏了伏后，连日不食。操入曰：『陛下无忧，臣无异心。臣女已与陛下为贵人，大贤大孝，宜居正宫。』献帝安敢不从？于建安二十年正月朔，就庆贺正旦之节，册立曹操女曹贵人为正宫皇后。群下莫敢有言。

此时曹操威势日甚，会大臣商议收吴灭蜀之事。贾诩曰：『须召夏侯惇、曹仁二人回，商议此事。』操即时发使，星夜唤回。夏侯惇未至，曹仁先到，连夜便入府中见操。操方被酒而卧，许褚仗剑立于堂门之内。曹仁欲入，被许褚当住。曹仁大怒曰：『吾乃曹氏宗族，汝何敢阻当耶？』许褚曰：『将军虽亲，乃外藩镇守之官；许褚虽疏，现充内侍。主公醉卧堂上，不敢放入。』仁乃不敢入。曹操闻之，叹曰：『许褚真忠臣也！』不数日，夏侯惇亦至，共议征伐。惇曰：『吴、蜀急未可攻，宜先取汉中张鲁，以得胜之兵取蜀，可一鼓而下也。』曹操曰：『正合吾意。』遂起兵西征。正是：方逞凶谋欺弱主，又驱劲卒扫偏邦。

未知后事如何，且看下文分解。

第六十七回 曹操平定汉中地 张辽威震逍遥津

却说曹操兴师西征，分兵三队：前部先锋夏侯渊、张郃；操自领诸将居中；后部曹仁、夏侯惇，押运粮草。早有细作报入汉中来，张鲁与弟张卫，商议退敌之策。卫曰：『汉中最险无如阳平关；可于关之左右，依山傍林，下十余个寨栅，迎敌曹兵。兄在汉宁，多拨粮草应付。』张鲁依言，遣大将杨昂、杨任，与其弟即日起程。军马到阳平关，下寨已定。夏侯渊、张郃前军随到，闻阳平关已有准备，离关一十五里下寨。是夜，军士疲困，各自歇息。忽寨后一把火起，杨昂、杨任两路兵杀来劫寨。夏侯渊、张郃急上得马，四下里大兵拥入，曹兵大败，退见曹操。操怒曰：『汝二人行军许多年，岂不知「兵若远行疲困，可防劫寨」？如何不作准备？』欲斩二人，以明军法。众官告免。

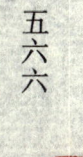

操次日自引兵为前队，见山势险恶，林木丛杂，不知路径，恐有伏兵，即引军回寨，谓许褚、徐晃二将曰：『吾若知此处如此险恶，必不起兵来。』许褚曰：『兵已至此，主公不可惮劳。』次日，操上马，只带许褚、徐晃二人，来看张卫寨栅。三匹马转过山坡，早望见张卫寨栅。操扬鞭遥指，谓二将曰：『如此坚固，急切难下！』言未已，背后一声喊起，箭如雨发。杨昂、杨任分两路杀来。操大惊。许褚大呼曰：『吾当敌贼！徐公明善保主公！』说罢，提刀纵马向前，力敌二将。杨昂、杨任不能当许褚之勇，回马退去，其余不敢向前。徐晃保着曹操奔过山坡，前面又一军到；看时，却是夏侯渊、张郃二将，听得喊声，故引军杀来接应。于是杀退杨昂、杨任，救得曹操回寨。操重赏四将。自此两边相拒五十余日，只不交战。曹操传令退军。贾诩曰：『贼势未见强弱，主公何故自退耶？』操曰：『吾料贼兵每日提备，急难取胜。吾以退军为名，使贼懈而无备，然后分轻骑抄袭其后，必胜贼矣。』贾诩曰：『丞相神机，不可测也。』于是令夏侯渊、张郃分兵两路，各引轻骑三千，取小路抄阳平关后。曹操一面引大军拔寨尽起。杨昂听得曹兵退，请杨任商议，欲乘势击之。杨任曰：『操诡计极多，未知真实，不可追赶。』杨昂曰：『公不往，吾当自去。』杨任苦谏不从。杨昂尽提五寨军马前进，只留些少军士守寨。是日，大雾迷漫，对面不相见。杨昂军至半路，不能行，且权扎住。

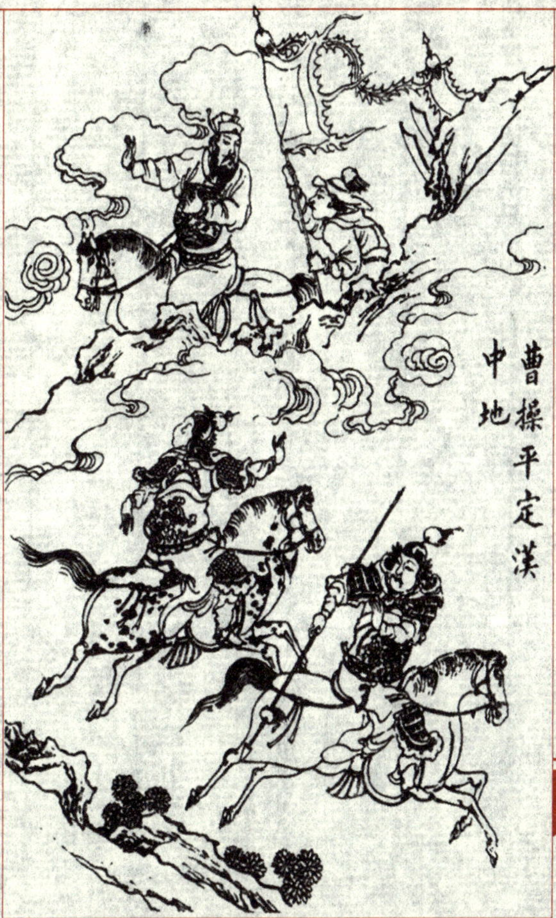

却说夏侯渊一军抄过山后，见重雾垂空，又闻人语马嘶，恐有伏兵，急催人马行动，大雾中误走到杨昂寨前。守寨军士，听得马蹄响，只道是杨昂兵回，开门纳之。曹军一拥而入，见是空寨，便就寨中放起火来。五寨军士，尽皆弃寨而走。比及雾散，杨任领兵来救，与夏侯渊战不数合，背后张郃兵到。杨任杀条大路，奔回南郑。杨昂待要回时，已被夏侯渊、张郃两个占了寨栅。背后曹操大队军马赶来。两下夹攻，四边无路。

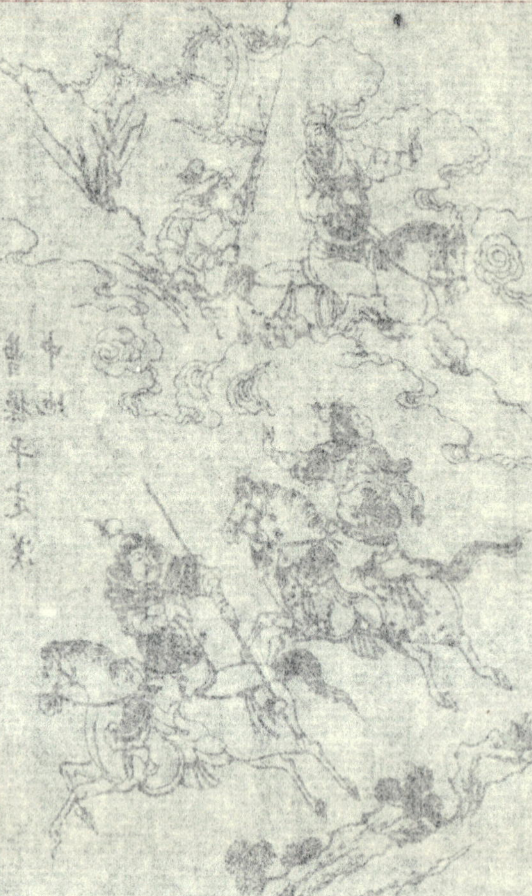

杨昂欲突阵而出，正撞着张郃。两个交手，被张郃杀死。败兵回投阳平关，来见张卫。原来卫知二将败走，诸营已失，半夜弃关，奔回去了。曹操遂得阳平关并诸寨。张卫、杨任回见张鲁。卫言二将失了隘口，因此守关不住。张鲁大怒，欲斩杨任。任曰：『某曾谏杨昂，休追操兵。他不肯听信，故有此败。任再乞一军前去挑战，必斩曹操。如不胜，甘当军令。』张鲁取了军令状。杨任上马，引二万军离南郑下寨。

却说曹操提军将进，先令夏侯渊领五千军，往南郑路上哨探，正迎着杨任军马，两军摆开。任遣部将昌奇出马，与渊交锋，战不三合，被渊一刀斩于马下。杨任自挺枪出马，与渊战三十余合，不分胜负，渊佯败而走，任从后追来，被渊用拖刀计，斩于马下。军士大败而回。曹操知夏侯渊斩了杨任，即时进兵，直抵南郑下寨。张鲁慌聚文武商议，阎圃曰：『某保一人，可敌曹操手下诸将。』鲁问是谁。圃曰：『南安庞德，前随马超投主公；后马超往西川，庞德卧病不曾行。现今蒙主公恩养，何不令此人去？』

张鲁大喜，即召庞德至，厚加赏劳；点一万军马，令庞德出。离城十余里，与曹兵相对，庞德出马搦战。曹操在渭桥时，深知庞德之勇，乃嘱诸将曰：『庞德乃西凉勇将，原属马超；今虽依张鲁，未称其心。吾欲得此人。汝等须皆与缓斗，使其力乏，然后擒之。』张郃先出，战了数合便退。夏侯渊也战数合退了。徐晃又战三五合也退了。临后许褚战五十余合亦退。庞德力战四将，并无惧怯。各将皆于操前夸庞德好武艺。曹操心中大喜，与众将商议：『如何得此人投降？』贾诩曰：『某知张鲁手下，有一谋士杨松。其人极贪贿赂。今可暗以金帛送之，使谮(zèn)庞德于张鲁，便可图矣。』操曰：『何由得人入南郑？』诩曰：『来日交锋，诈败佯输，弃寨而走，使庞德据我寨；我却于夤夜引兵劫寨，庞德必退入城：却选一能言军士，扮作彼军，杂在阵中，便得入城。』操听其计，选一精细军校，重加赏赐，付与金掩心甲一副，令披在贴肉，外穿汉中军士号衣，先于半路上等候。次日，先拨夏侯渊、张郃两枝军，远去埋伏；却教徐晃挑战，不数合败走。庞德招军掩杀，曹兵尽退。庞德却夺了曹操寨栅。见寨中粮草极多，大喜，即时申报张鲁；一面在寨中设宴庆贺。当夜二更之后，忽然三路火起：正中是徐晃、许褚，左张郃，右夏侯渊。三路军马，齐来劫寨。庞德不及提备，只得上马冲杀出来，望城而走。背后三路兵追来。庞德急唤开城门，领兵一拥而入。

此时细作已杂到城中，径投杨松府下谒见，具说：『魏公曹丞相久闻盛德，特使某送金甲为信。更有密书呈上。』松大喜，看了密书中言语，谓细作曰：『上覆魏公，但请放心。某自有良策奉报。』打发来人先回，便连夜入见张鲁，说庞德受了曹操贿赂，卖此一阵。张鲁大怒，唤庞德责骂，欲斩之。阎圃苦谏。张鲁曰：『你来日出战，不胜必斩！』庞德抱恨而退。次日，曹兵攻城，庞德引兵冲出。操令许褚交战。褚诈败，庞德赶来。操自乘马于山坡上唤曰：『庞令明何不早降？』庞德寻思：『拿住曹操，抵一千员上将！』遂飞马上坡。一声喊起，天崩地塌，连人和马，跌入陷坑内去；四壁钩索一齐上前，活捉了庞德，押上坡来。曹操下马，叱退军士，亲释其缚，问庞德肯降否。庞德寻思张鲁不仁，情愿拜降。曹操亲扶上马，共回大寨，故意教城上望见。人报张鲁，德与操并马而行。鲁益信杨松之言为实。

次日，曹操三面竖立云梯，飞炮攻打。张鲁见其势已极，与弟张卫商议。卫曰：『放火尽烧仓廪府库，

出奔南山，去守巴中可也。」杨松曰：『不如开门投降。』张鲁犹豫不定。卫曰：『只是烧了便行。』张鲁曰：『我向本欲归命国家，而意未得达；今不得已而出奔，仓廪府库，国家之有，不可废也。』遂尽封锁。是夜二更，张鲁引全家老小，开南门杀出。曹操教休追赶，提兵入南郑，见鲁封闭库藏，心甚怜之。遂差人往巴中，劝使投降。张鲁欲降，张卫不肯。杨松以密书报操，便教进兵，松为内应。操得书，亲自引兵往巴中。张鲁使弟卫领兵出敌，与许褚交锋，被褚斩于马下。败军回报张鲁，鲁欲坚守。杨松曰：『今若不出，坐而待毙矣。某守城，主公当亲与决一死战。』鲁从之。阎圃谏鲁休出。鲁不听，遂引军出迎。未及交锋，后军已走。张鲁急退，背后曹兵赶来。鲁到城下，杨松闭门不开。张鲁无路可走，操从后追至，大叫：『何不早降！』鲁乃下马投拜。操大喜，念其封仓库之心，优礼相待，封鲁为镇南将军。阎圃等皆封列侯。于是汉中皆平。曹操传令各郡分设太守，置都尉，大赏士卒。惟有杨松卖主求荣，即命斩之于市曹示众。后人有诗叹曰：

妨贤卖主逞奇功，积得金银总是空。家未荣华身受戮，令人千载笑杨松！

曹操已得东川，主簿司马懿进曰：『刘备以诈力取刘璋，蜀人尚未归心。今主公已得汉中，益州震动。可速进兵攻之，势必瓦解。智者贵于乘时，时不可失也。』曹操叹曰：『「人苦不知足，既得陇，复望蜀」耶？』刘晔曰：『司马仲达之言是也。若少迟缓，诸葛亮明于治国而为相，关、张等勇冠三军而为将，蜀民既定，据守关隘，不可犯矣。』操曰：『士卒远涉劳苦，且宜存恤。』遂按兵不动。

却说西川百姓，听知曹操已取东川，料必来取西川，一日之间，数遍惊恐。玄德请军师商议。孔明曰：『亮有一计，曹操自退。』玄德问何计。孔明曰：『曹操分军屯合淝，惧孙权也。今我若分江夏、长沙、桂阳三郡还吴，遣舌辩之士，陈说利害，令吴起兵袭合淝，牵动其势，操必勒兵南向矣。』玄德问：『谁可为使？』伊籍曰：『某愿往。』玄德大喜，遂作书具礼，令伊籍先到荆州，知会云长，然后入吴。到秣陵，来见孙权，先通了姓名。权召籍入。籍见权礼毕，权问曰：『汝到此何为？』籍曰：『昨承诸葛子瑜取长沙等三郡，为军师不在，有失交割，今传书送还。所有荆州南郡、零陵，本欲送还；被曹操袭取东川，使关将军无容身之地。今合淝空虚，望君侯起兵攻之，使曹操撤兵回南。吾主若取了东川，即还荆州全土。』权曰：『汝且归馆舍，容吾商议。』伊籍退出，权问计于众谋士。张昭曰：『此是刘备恐曹操取西川，故为此谋。虽然如此，可因操在汉中，乘势取合淝，亦是上计。』权从之，发付伊籍回蜀去讫，便议起兵攻操：令鲁肃收取长沙、江夏、桂阳三郡，屯兵于陆口，取吕蒙、甘宁回；又去余杭取凌统回。不一日，吕蒙、甘宁先到。蒙献策曰：『现今曹操令庐江太守朱光，屯兵于皖城，大开稻田，纳谷于合淝，以充军实，今可先取皖城，然后攻合淝。』权曰：『此计甚合吾意。』遂教吕蒙、甘宁为先锋，蒋钦、潘璋为合后，权自引周泰、陈武、董袭、徐盛为中军。时程普、黄盖、韩当在各处镇守，都未随征。

却说军马渡江，取和州，径到皖城。皖城太守朱光，使人往合淝求救；一面固守城池，坚壁不出。权自到城下看时，城上箭如雨发，射中孙权麾盖。权回寨，问众将曰：『如何取得皖城？』董袭曰：『可差

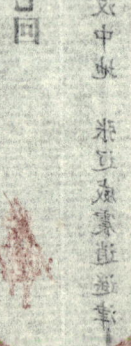

军士筑起土山攻之。」徐盛曰：「可竖云梯，造虹桥，下观城中而攻之。」吕蒙曰：「此法皆费日月而成，合淝救军一至，不可图矣。今我军初到，士气方锐，正可乘此锐气，奋力攻击。来日平明进兵，午未时便当破城。」权从之。次日五更饭毕，三军大进。城上矢石齐下。甘宁手执铁链，冒矢石而上。朱光令弓弩手齐射，甘宁拨开箭林，一链打倒朱光。吕蒙亲自擂鼓。士卒皆一拥而上，乱刀砍死朱光。余众多降，得了皖城，方才辰时。张辽引军至半路，哨马回报皖城已失。辽即回兵归合淝。

孙权入皖城，凌统亦引军到。权慰劳毕，大犒三军，重赏吕蒙、甘宁诸将，设宴庆功。吕蒙逊甘宁上坐，盛称其功劳。酒至半酣，凌统想起甘宁杀父之仇，又见吕蒙夸美之，心中大怒，瞪目直视良久，忽拔左右所佩之剑，立于筵上曰：「筵前无乐，看吾舞剑。」甘宁知其意，推开果桌起身，两手取两枝戟挟定，纵步出曰：「看我筵前使戟。」吕蒙见二人各无好意，便一手挽牌，一手提刀，立于其中曰：「二公虽能，皆不如我巧也。」说罢，舞起刀牌，将二人分于两下。早有人报知孙权。权慌跨马，直至筵前。众见权至，方各放下军器。权曰：「吾常言二人休念旧仇，今日又何如此？」凌统哭拜于地，孙权再三劝止。至次日，

起兵进取合淝，三军尽发。

张辽为失了皖城，回到合淝，心中愁闷。忽曹操差薛悌送木匣一个，上有操封，傍书云：「贼来乃发」。是日报说孙权自引十万大军，来攻合淝。张辽便开匣观之。内书云：「若孙权至，张、李二将军出战，乐将军守城。」张辽将教帖与李典、乐进观之。乐进曰：「将军之意若何？」张辽曰：「主公远征在外，吴兵以为破我必矣，今可发兵出迎，奋力与战，折其锋锐，以安众心，然后可守也。」李典素与张辽不睦，闻辽此言，默然不答。乐进见李典不语，便道：「贼众我寡，难以迎敌，不如坚守。」张辽曰：「公等皆是私意，不顾公事。吾今自出迎敌，决一死战。」便教左右备马。李典慨然而起曰：「将军如此，典岂敢以私憾而忘公事乎？愿听指挥。」张辽大喜曰：「既曼成肯相助，来日引一军于逍遥津北埋伏，待吴兵杀过来，可先断小师桥，吾与乐文谦击之。」李典领命，自去点军埋伏。

却说孙权令吕蒙、甘宁为前队，自与凌统居中，其余诸将陆续进发，望合淝杀来。吕蒙、甘宁前队兵进，正与乐进相迎。甘宁出马与乐进交锋，战不数合，乐进诈败而走。甘宁招呼吕蒙一齐引军赶去。孙权在第二队，听得前军得胜，催兵行至逍遥津北，忽闻连珠炮响，左边张辽一军杀来，右边李典一军杀来。孙权大惊，急令人唤吕蒙、甘宁回救时，张辽兵已到。凌统手下，止有三百余骑，当不得曹军势如山倒。凌统大呼曰：「主公何不速渡小师桥！」言未毕，张辽引二千余骑，当先杀至。凌统翻身死战。孙权纵马上桥，桥南已折丈余，并无一片板。孙权惊得手足无措。牙将谷利大呼曰：「主公可约马退后，再放马向前，跳

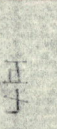

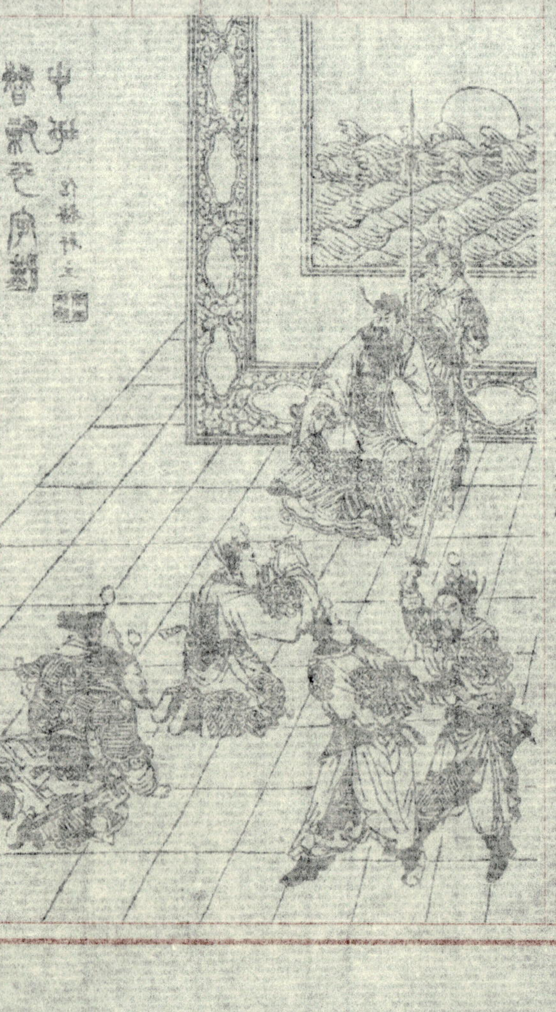

过桥去。』孙权收回马来有三丈余远，然后纵辔加鞭，那马一跳飞过桥南。后人有诗曰：

的卢当日跳檀溪，又见吴侯败合淝。退后着鞭驰骏骑，逍遥津上玉龙飞。

孙权跳过桥南，徐盛、董袭驾舟相迎。凌统、谷利抵住张辽。甘宁、吕蒙引军回救，却被乐进从后追来，李典又截住厮杀，吴兵折了大半。凌统所领三百余人，尽被杀死，统身中数枪，杀到桥边，桥已折断，绕河而逃。孙权在舟中望见，急令董袭棹舟接之，乃得渡回。吕蒙、甘宁皆死命逃过河南。这一阵杀得江南人人害怕；闻张辽大名，小儿也不敢夜啼。众将保护孙权回营。权乃重赏凌统、谷利，收军回濡须，整顿船只，商议水陆并进；一面差人回江南，再起人马来助战。

却说张辽闻孙权在濡须将欲兴兵进取，恐合淝兵少难以抵敌，急令薛悌星夜往汉中，报知曹操，求请救兵。操同众官议曰：『此时可收西川否？』刘晔曰：『今蜀中稍定，已有提备，不可击也。不如撤兵去救合淝之急，就下江南。』操乃留夏侯渊守汉中定军山隘口，留张郃守蒙头岩等隘口。其余军兵拔寨都起，杀奔濡须坞来。正是：铁骑甫能平陇右，旌旄又复指江南。未知胜负如何，且看下文分解。

第六十八回 甘宁百骑劫魏营 左慈掷杯戏曹操

却说孙权在濡须口收拾军马，忽报曹操自汉中领兵四十万前来救合淝。孙权与谋士计议，先拨董袭、徐盛二人领五十只大船，在濡须口埋伏；令陈武带领人马，往来江岸巡哨。张昭曰：『今曹操远来，必须先挫其锐气。』权乃问帐下曰：『曹操远来，谁敢当先破敌，以挫其锐气？』凌统出曰：『某愿往。』权曰：『带多少军去？』统曰：『三千人足矣。』甘宁曰：『只须百骑，便可破敌，何必三千！』凌统大怒。两个就在孙权面前争竞起来。权曰：『曹军势大，不可轻敌。』乃命凌统带三千军出濡须口去哨探，遇曹兵，便与交战。凌统领命，引着三千人马，离濡须坞，尘头起处，曹兵早到。先锋张辽与凌统交锋，斗五十合，不分胜败。孙权恐凌统有失，令吕蒙接应回营。

甘宁见凌统回，即告权曰：『宁今夜只带一百人马去劫曹营；若折了一人一骑，也不算功。』孙权壮之，乃调拨帐下一百精锐马兵付宁；又以酒五十瓶，羊肉五十斤，赏赐军士。甘宁回到营中，教一百人皆列坐，先将银碗斟酒，自吃两碗，乃语百人曰：『今夜奉命劫寨，请诸公各满饮一觞，努力向前。』众人闻言，面面相觑。甘宁见众人有难色，乃拔剑在手，怒叱曰：『我为上将，且不惜命；汝等何得迟疑！』众人见甘宁作色，皆起拜曰：『愿效死力。』甘宁将酒肉与百人共饮食尽，约至二更时候，取白鹅翎一百根，插于盔上为号；都披甲上马，飞奔曹操寨边，拔开鹿角，大喊一声，杀入寨中，径奔中军来杀曹操。原来

中军人马，以车仗伏路穿连，围得铁桶相似，不能得进。甘宁只将百骑，左冲右突。曹兵惊慌，正不知敌兵多少，自相扰乱。那甘宁百骑，在营内纵横驰骤，逢着便杀。各营鼓噪，举火如星，喊声大震。甘宁从寨之南门杀出，无人敢当。孙权令周泰引一枝兵来接应，甘宁将百骑回到濡须。操兵恐有埋伏，不敢追袭。后人有诗赞曰：

鼙鼓声喧震地来，吴师到处鬼神哀！百翎直贯曹家寨，尽说甘宁虎将才。

甘宁引百骑到寨，不折一人一骑；至营门，令百人皆击鼓吹笛，口称：『万岁！』欢声大震。孙权自来迎接。甘宁下马拜伏。权扶起，携宁手曰：『将军此去，足使老贼惊骇。非孤相舍，正欲观卿胆耳！』即赐绢千匹，利刀百口。宁拜受讫，遂分赏百人。权语诸将曰：『孟德有张辽，孤有甘兴霸，足以相敌也。』

次日，张辽引兵搦战。凌统见甘宁有功，奋然曰：『统愿敌张辽。』权许之。统遂领兵五千，离濡须。权自引甘宁临阵观战。对阵圆处，张辽出马，左有李典，右有乐进。凌统纵马提刀，出至阵前。张辽使乐进出迎。两个斗到五十合，未分胜败。曹操闻知，亲自策马到门旗下来看，见二将酣斗，乃令曹休暗放冷箭。曹休便闪在张辽背后，开弓一箭，正中凌统坐下马，那马直立起来，把凌统掀翻在地。乐进连忙持枪来刺。枪还未到，只听得弓弦响处，一箭射中乐进面门，翻身落马。两军齐出，各救一将回营，鸣金罢战。凌统回寨中拜谢孙权，权曰：『放箭救你者，甘宁也。』凌统乃顿首拜宁曰：『不想公能如此垂恩！』自此与甘宁结为生死之交，再不为恶。

且说曹操见乐进中箭，令自到帐中调治。次日，分兵五路来袭濡须：操自领中路；左一路张辽，二路李典；右一路徐晃，二路庞德。每路各带一万人马，杀奔江边来。时董袭、徐盛二将，在楼船上见五路军马来到，诸军各有惧色。徐盛曰：『食君之禄，忠君之事，何惧哉！』遂引猛士数百人，用小船渡过江边，杀入李典军中去了。董袭在船上，令众军擂鼓呐喊助威。忽然江上猛风大作，白浪掀天，波涛汹涌。军士见大船将覆，争下脚舰逃命。董袭仗剑大喝曰：『将受君命，在此防贼，怎敢弃船而去！』立斩下船军士十余人。须臾，风急船覆，董袭竟死于江口水中。徐盛在李典军中，往来冲突。

却说陈武听得江边厮杀，引一军来，正与庞德相遇，两军混战。孙权在濡须坞中，听得曹兵杀到江边，亲自与周泰引军前来助战。正见徐盛在李典军中搅做一团厮杀，便麾军杀入接应。却被张辽、徐晃两枝军，把孙权困在垓心。曹操上高阜处看见孙权被围，急令许褚纵马持刀杀入军中，把孙权军冲作两段，彼此不能相救。

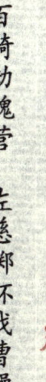

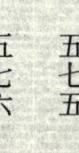

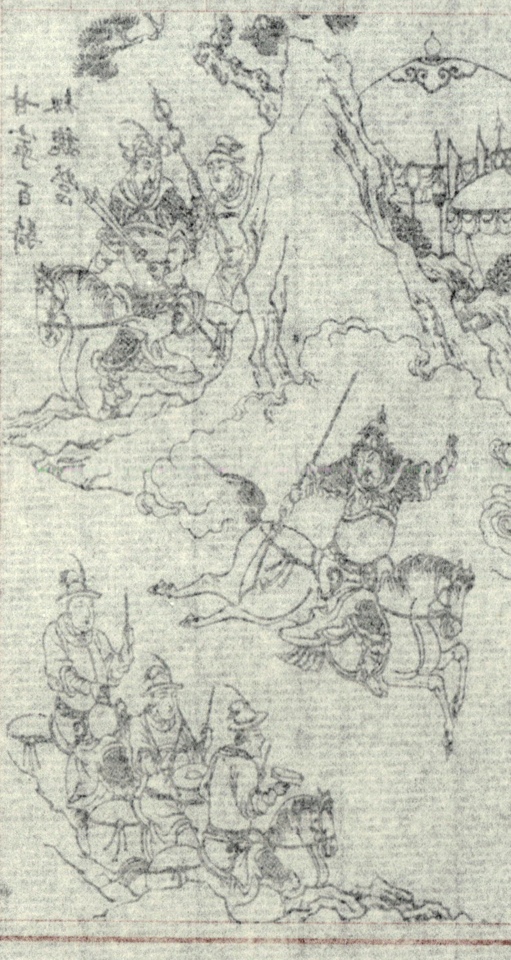

却说周泰从军中杀出，到江边，不见了孙权，勒回马，从外又杀入阵中，问本部军：『主公何在？』军人以手指兵马厚处，曰：『主公被围甚急！』周泰挺身杀入，寻见孙权。泰曰：『主公可随泰杀出。』于是泰在前，权在后，奋力冲突。泰到江边，回头又不见孙权，乃复翻身杀入围中，又寻见孙权。权曰：『弓弩齐发，不能得出，如何？』泰曰：『主公在前，某在后，可以出围。』孙权乃纵马前行。周泰左右遮护，身被数枪，箭透重铠，救得孙权。到江边，吕蒙引一枝水军前来接应下船。权曰：『吾亏周泰三番冲杀，得脱重围。但徐盛在垓心，如何得脱？』周泰曰：『吾再救去。』遂轮枪复翻身杀入重围之中，救出徐盛。二将各带重伤。吕蒙教军士乱箭射住岸上兵，救二将下船。

却说陈武与庞德大战，后面又无应兵，被庞德赶到峪口，树林丛密；陈武再欲回身交战，被树株抓住袍袖，不能迎敌，为庞德所杀。曹操见孙权走脱了，自策马驱兵，赶到江边对射。吕蒙箭尽，正慌间，忽对江一宗船到，为首一员大将，乃是孙策女婿陆逊，自引十万兵到；一阵射退曹兵，乘势登岸追杀曹兵，复夺战马数千匹，曹兵伤者，不计其数，大败而回。于乱军中寻见陈武尸首。

孙权知陈武已亡，董袭又沉江而死，哀痛至切，令人入水中寻见董袭尸首，与陈武尸一齐厚葬之，又感周泰救护之功，设宴款之。权亲自把盏，抚其背，泪流满面，曰：『卿两番相救，不惜性命，被枪数十，肤如刻画，孤亦何心不待卿以骨肉之恩、委卿以兵马之重乎！卿乃孤之功臣，孤当与卿共荣辱、同休戚也。』言罢，令周泰解衣与众将观之：皮肉肌肤，如同刀剜，盘根遍体。孙权手指其痕，一一问之。周泰具言战斗被伤之状。一处伤令吃一觥酒。是日，周泰大醉。权以青罗伞赐之，令出入张盖，以为显耀。

权在濡须，与操相拒月余，不能取胜。张昭、顾雍上言：『曹操势大，不可力取；若与久战，大损士卒：不若求和安民为上。』孙权从其言，令步骘往曹营求和，许年纳岁贡。操见江南急未可下，乃从之，令：『孙权先撤人马，吾然后班师。』步骘回覆，权只留蒋钦、周泰守濡须口，尽发大兵上船回秣陵。

操留曹仁、张辽屯合淝，班师回许昌。文武众官皆议立曹操为『魏王』。尚书崔琰力言不可。众官曰：『汝独不见荀文若乎？』琰大怒曰：『时乎，时乎！会当有变！任自为之！』有与琰不和者，告知操。操大怒，收琰下狱问之。琰虎目虬髯，只是大骂曹操欺君奸贼。廷尉白操，操令杖杀崔琰在狱中。后人有赞曰：

清河崔琰，天性坚刚；虬髯虎目，铁石心肠；奸邪辟易，声节显昂；忠于汉主，千古名扬！

建安二十一年夏五月，群臣表奏献帝，颂魏公曹操功德，『极天际地，伊、周莫及，宜进爵为王。』献帝即令钟繇草诏，册立曹操为『魏王』。曹操假意上书三辞。诏三报不许，操乃拜命受『魏王』之爵，冕十二旒(liú)，乘金根车，驾六马，用天子车服銮仪，出警入跸，于邺郡盖魏王宫，议立世子。操大妻丁夫人无出。妾刘氏生子曹昂，因征张绣时死于宛城。卞氏所生四子：长曰丕，次曰彰，三曰植，四曰熊。于是黜丁夫人，而立卞氏为魏王后。第三子曹植，字子建，极聪明，举笔成章，操欲立之为后嗣。长子曹丕，恐不得立，乃问计于中大夫贾诩。诩教如此如此。自是但凡操出征，诸子送行，曹植乃称述功德，发言成章；惟曹丕辞父，只是流涕而拜，左右皆感伤。于是操疑植乖巧，诚心不及丕也。丕又使人买嘱近侍，皆言丕

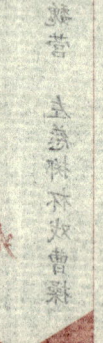

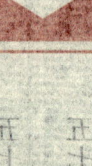

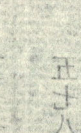

之德。操欲立后嗣，踌躇不定，乃问贾诩曰：『孤欲立后嗣，当立谁？』贾诩不答，操问其故。诩曰：『正有所思，故不能即答耳。』操曰：『何所思？』诩对曰：『思袁本初、刘景升父子也。』操大笑，遂立长子曹丕为王世子。

冬十月，魏王宫成，差人往各处收取奇花异果，栽植后苑。有使者到吴地，见了孙权，传魏王令旨，再往温州取柑子。时孙权正尊让魏王，便令人于本城选了大柑子四十余担，星夜送往邺郡。至中途，挑担役夫疲困，歇于山脚下，见一先生，眇一目，跛一足，头戴白藤冠，身穿青懒衣，来与脚夫作礼，言曰：『你等挑担劳苦，贫道都替你挑一肩何如？』众人大喜。于是先生每担各挑五里。但是先生挑过的担儿都轻了。众皆惊疑。先生临去，与领柑子官说：『贫道乃魏王乡中故人，姓左，名慈，字元放，道号「乌角先生」。如你到邺郡，可说左慈申意。』遂拂袖而去。

取柑人至邺郡见操，呈上柑子。操亲剖之，但只空壳，内并无肉。操大惊，问取柑人。取柑人以左慈之事对。操未肯信。门吏忽报：『有一先生，自称左慈，求见大王。』操召入。取柑人曰：『此正途中所见之人。』操叱之曰：『汝以何妖术，摄吾佳果？』慈笑曰：『岂有此事！』取柑剖之，内皆有肉，其味甚甜。但操自剖者，皆空壳。操愈惊，乃赐左慈坐而问之。慈索酒肉，操令与之，饮酒五斗不醉，肉食全羊不饱。操问曰：『汝有何术，以至于此？』慈曰：『贫道于西川嘉陵峨嵋山中，学道三十年，忽闻石壁中有声呼我之名；及视，不见。如此者数日。忽有天雷震碎石壁，得天书三卷，名曰「遁甲天书」。上卷名「天遁」，

中卷名「地遁」，下卷名「人遁」。天遁能腾云跨风，飞升太虚；地遁能穿山透石；人遁能云游四海，藏形变身，飞剑掷刀，取人首级。大王位极人臣，何不退步，跟贫道往峨嵋山中修行？当以三卷天书相授。』操曰：『我亦久思急流勇退，奈朝廷未得其人耳。』慈笑曰：『益州刘玄德乃帝室之胄，何不让此位与之？不然，贫道当飞剑取汝之头也。』操大怒曰：『此正是刘备细作！』喝左右拿下。慈大笑不止，操令十数狱卒，捉下拷之。狱卒着力痛打，看左慈时，却齁齁熟睡，全无痛楚。操怒，命取大枷，铁钉钉了，铁锁锁了，送入牢中监收，令人看守。只见枷锁尽落，左慈卧于地上，并无伤损。连监禁七日，不与饮食。及看时，慈端坐于地上，面皮转红。狱卒报知曹操，操取出问之。慈曰：『我数十年不食，亦不妨；日食千羊，亦能尽。』操无可奈何。

是日，诸官皆至王宫大宴。正行酒间，左慈足穿木履，立于筵前。众官惊怪。左慈曰：『大王今日水陆俱备，大宴群臣，四方异物极多，内中欠少何物，贫道愿取之。』操曰：『我要龙肝作羹，汝能取否？』慈曰：『有何难哉！』取墨笔于粉墙上画一条龙，以袍袖一拂，龙腹自开。左慈于龙腹中提出龙肝一副，鲜血尚流。操不信，叱之曰：『汝先藏于袖中耳！』慈曰：『即今天寒，草木枯死，大王要甚好花，随意所欲。』操曰：『吾只要牡丹花。』慈曰：『易耳。』令取大花盆放筵前，以水噀之。顷刻发出牡丹一株，开放双花。众官大惊，邀慈同坐而食。少刻，庖人进鱼脍。慈曰：『脍必松江鲈鱼者方美。』操曰：『千里之隔，安能取之？』慈曰：『此亦何难取！』教把钓竿来，于堂下鱼池中钓之，顷刻钓出数十尾大鲈鱼，

放在殿上。操曰：『吾池中原有此鱼。』慈曰：『大王何相欺耶？天下鲈鱼只两腮，惟松江鲈鱼有四腮：此可辨也。』众官视之，果是四腮。慈曰：『烹松江鲈鱼，须紫芽姜方可。』操曰：『汝亦能取之否？』慈曰：『易耳。』令取金盆一个，慈以衣覆之。须臾，得紫芽姜满盆，进上操前。操以手取之，忽盆内有书一本，题曰《孟德新书》。操取视之，一字不差。操大疑。慈取桌上玉杯，满斟佳酿进操曰：『大王可饮此酒，寿有千年。』操曰：『汝可先饮。』慈遂拔冠上玉簪，于杯中一画，将酒分为两半；自饮一半，将一半奉操。操叱之。慈掷杯于空中，化成一白鸠，绕殿而飞。众官仰面视之，左慈不知所往。左右忽报：『左慈出宫门去了。』操曰：『如此妖人，必当除之！否则必将为害。』遂命许褚引三百铁甲军追擒之。褚上马引军赶至城门，望见左慈穿木履在前，慢步而行。褚飞马追之，却只追不上。直赶到一山中，有牧羊小童，赶着一群羊而来，慈走入羊群内。褚取箭射之，慈即不见。褚尽杀群羊而回。牧羊小童守羊而哭。忽见羊头在地上作人言，唤小童曰：『汝可将羊头都凑在死羊腔子上。』小童大惊，掩面而走。忽闻有人在后呼曰：『不须惊走。还汝活羊。』小童回顾，见左慈已将地上死羊凑活，

赶将来了。小童急欲问时，左慈已拂袖而去。其行如飞，倏忽不见。

小童归告主人，主人不敢隐讳，报知曹操。操画影图形，各处捉拿左慈。三日之内，城里城外，所捉眇一目、跛一足、白藤冠、青懒衣、穿木履先生，都一般模样者，有三四百个。哄动街市。操令众将，将猪羊血泼之，押送城南教场。曹操亲自引甲兵五百人围住，尽皆斩之。人人颈腔内各起一道青气，到上天聚成一处，化成一个左慈，向空招白鹤一只骑坐，拍手大笑曰：『土鼠随金虎，奸雄一旦休！』操令众将以弓箭射之。忽然狂风大作，走石扬沙；所斩之尸，皆跳起来，手提其头，奔上演武厅来打曹操。文官武将，掩面惊倒，各不相顾。正是：奸雄权势能倾国，道士仙机更异人。未知曹操性命如何，且看下文分解。

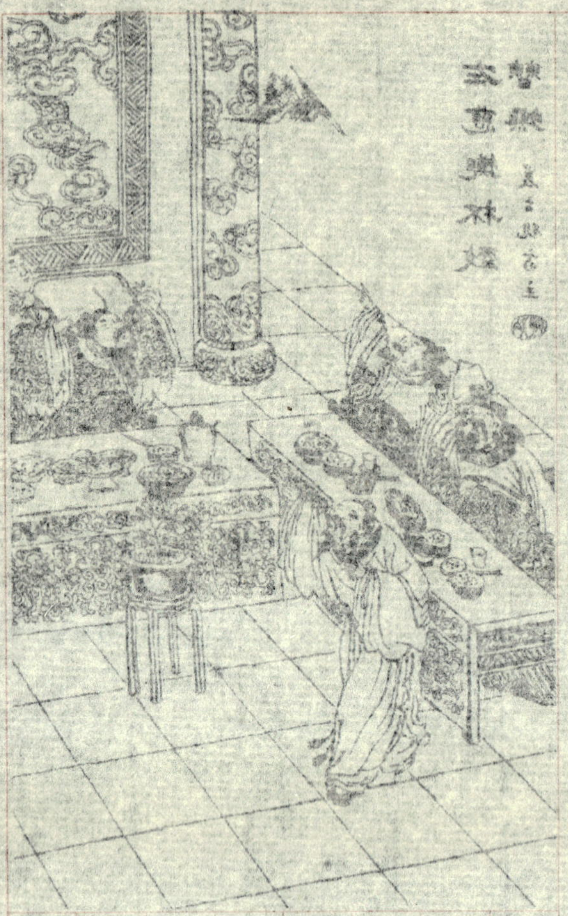

第六十九回　卜周易管辂知机　讨汉贼五臣死节

却说当日曹操见黑风中群尸皆起，惊倒于地。须臾风定，群尸皆不见。左右扶操回宫，惊而成疾。后人有诗赞左慈曰：

飞步凌云遍九州，独凭遁甲自遨游。等闲施设神仙术，点悟曹瞒不转头。

曹操染病，服药无愈。适太史丞许芝，自许昌来见操。操令芝卜《易》。芝曰：「大王曾闻神卜管辂否？」操曰：「颇闻其名，未知其术。汝可详言之。」芝曰：「管辂字公明，平原人也。容貌粗丑，好酒疏狂。其父曾为琅琊即丘长。辂自幼便喜仰视星辰，夜不肯寐，父母不能禁止。常云：『家鸡野鹄，尚自知时，何况为人在世乎？』与邻儿共戏，辄画地为天文，分布日月星辰。及稍长，即深明《周易》，仰观风角，数学通神，兼善相术。琅琊太守单子春闻其名，召辂相见，时有坐客百余人，皆能言之士。辂谓子春曰：『辂年少胆气未坚，先请美酒三升，饮而后言。』子春奇之，遂与酒三升。饮毕，辂问子春：『今欲与辂为对者，若府君四座之士耶？』子春曰：『吾自与卿旗鼓相当。』于是与辂讲论《易》理。辂亹(wěi)亹而谈，言言精奥。子春反覆辩难，辂对答如流。从晓至暮，酒食不行。子春及众宾客，无不叹服。于是天下号为『神童』。后有居民郭恩者，兄弟三人，皆得躄(bì)疾，请辂卜之。辂曰：『卦中有君家本墓中女鬼，非君伯母即叔母也。昔饥荒之年，谋数升米之利，推之落井，以大石压破其头，孤魂痛苦，自诉于天，故君兄弟有此报。不可禳也。』郭恩等涕泣伏罪。安平太守王基，知辂神卜，延辂至家。适信都令妻，常患头风，其子又患心痛，因请辂卜之。辂曰：『此堂之西角有二死尸：一男持矛，一男持弓箭。头在壁内，脚在壁外。持矛者主刺头，故头痛；持弓箭者主刺胸腹，故心痛。』乃掘之。人地八尺，果有二棺。一棺中有矛，一棺中有角弓及箭，木俱已朽烂。辂令徙骸骨去城外十里埋之，妻与子遂无恙。馆陶令诸葛原，迁新兴太守，辂往送行。客言辂能覆射。诸葛原不信，暗取燕卵、蜂窠、蜘蛛三物，分置三盒之中，令辂卜之。卦成，各写四句于盒上。其一曰：『含气须变，依乎宇堂；雌雄以形，羽翼舒张：此燕卵也。』其二曰：『家室倒悬，门户众多；藏精育毒，得秋乃化：此蜂窠也。』其三曰：『觳(hú)觫(sù)长足，吐丝成罗；寻网求食，利在昏夜：此蜘蛛也。』满座惊骇。乡中有老妇失牛，求卜之。辂判曰：『北溪之滨，七人宰烹；急往追寻，皮肉尚存。』老妇果往寻之：七人于茅舍后煮食，皮肉犹存。妇告本郡太守刘邠，捕七人罪之，因问老妇曰：『汝何以知之？』妇告以管辂之神卜。刘邠(bīn)不信，请辂至府，取印囊及山鸡毛藏于盒中，令卜之。辂卜其一曰：『内方外圆，五色成文；含宝守信，出则有章：此印囊也。』其二曰：

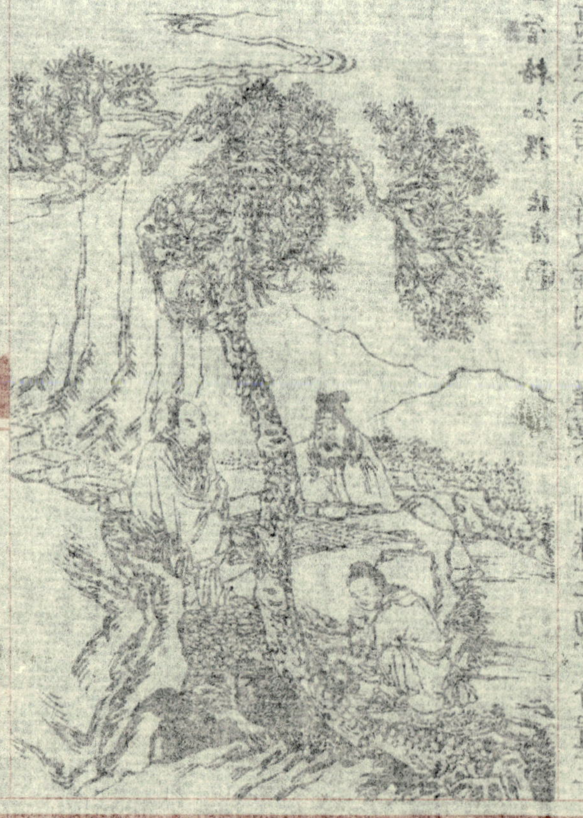

「岩岩有鸟，锦体朱衣；羽翼玄黄，鸣不失晨：此山鸡毛也。」刘邠大惊，遂待为上宾。一日，出郊闲行，见一少年耕于田中，辂立道傍，观之良久，问曰：「少年高姓、贵庚？」答曰：「姓赵，名颜，年十九岁矣。敢问先生为谁？」辂曰：「吾管辂也。吾见汝眉间有死气，三日内必死。汝貌美，可惜无寿。」赵颜回家，急告其父。父闻之，赶上管辂，哭拜于地曰：「请归救吾子！」辂曰：「此乃天命也，安可禳乎？」父告曰：「老夫止有此子，望乞垂救！」赵颜亦哭求。辂见其父子情切，乃谓赵颜曰：「汝可备净酒一瓶，鹿脯一块，来日赍往南山之中，大树之下，看盘石上有二人弈棋：一人向南坐，穿白袍，其貌甚恶；一人向北坐，穿红袍，其貌甚美。汝可乘其弈兴浓时，将酒及鹿脯跪进之。待其饮食毕，汝乃哭拜求寿，必得益算矣。但切勿言是吾所教。」老人留辂在家。次日，赵颜携酒脯杯盘入南山之中。约行五六里，果有二人于大松树下盘石上着棋，全然不顾。赵颜跪进酒脯。二人贪着棋，不觉饮酒已尽。赵颜哭拜于地而求寿，二人大惊。穿红袍者曰：「此必管子之言也。吾二人既受其私，必须怜之。」穿白袍者，乃于身边取出薄籍检看，谓赵颜曰：「汝今年十九岁，当死。吾今于『十』字上添一『九』

字，汝寿可至九十九。回见管辂，教再休泄漏天机；不然，必致天谴。」穿红者出笔添讫，一阵香风过处，二人化作二白鹤，冲天而去。赵颜归问管辂。辂曰：「穿红者，南斗也；穿白者，北斗也。」颜曰：「吾闻北斗九星，何止一人？」辂曰：「散而为九，合而为一也。北斗注死，南斗注生。今已添注寿算，子复何忧？」父子拜谢。自此管辂恐泄天机，更不轻为人卜。此人现在平原，大王欲知休咎，何不召之？」

操大喜，即差人往平原召辂。辂至，参拜讫，操令卜之。辂答曰：「此幻术耳，何必为忧？」操心安，病乃渐可。操令卜天下之事。辂卜曰：「三八纵横，黄猪遇虎；定军之南，伤折一股。」又令卜传祚修短之数。辂卜曰：「狮子宫中，以安神位；王道鼎新，子孙极贵。」操问其详。辂曰：「茫茫天数，不可预知，待后自验。」操欲封辂为太史。辂曰：「命薄相穷，不称此职，不敢受也。」操问其故。答曰：「辂额无主骨，眼无守睛；鼻无梁柱，脚无天根；背无三甲，腹无三壬：只可泰山治鬼，不能治生人也。」操曰：「汝相吾若何？」辂曰：「位极人臣，又何必相？」再三问之，辂但笑而不答。操令辂遍相文武官僚，辂曰：「皆治世之臣也。」操问休咎，皆不肯尽言。后人有诗赞曰：

平原神卜管公明，能算南辰北斗星。八卦幽微通鬼窍，六爻玄奥究天庭。
预知相法应无寿，自觉心源极有灵。可惜当年奇异术，后人无复授遗经。

操令卜东吴、西蜀二处。辂设卦云：「东吴主亡一大将，西蜀有兵犯界。」操不信。忽合淝报来：「东吴陆口守将鲁肃身故。」操大惊，便差人往汉中探听消息。不数日，飞报刘玄德遣张飞、马超兵屯下辨取关。

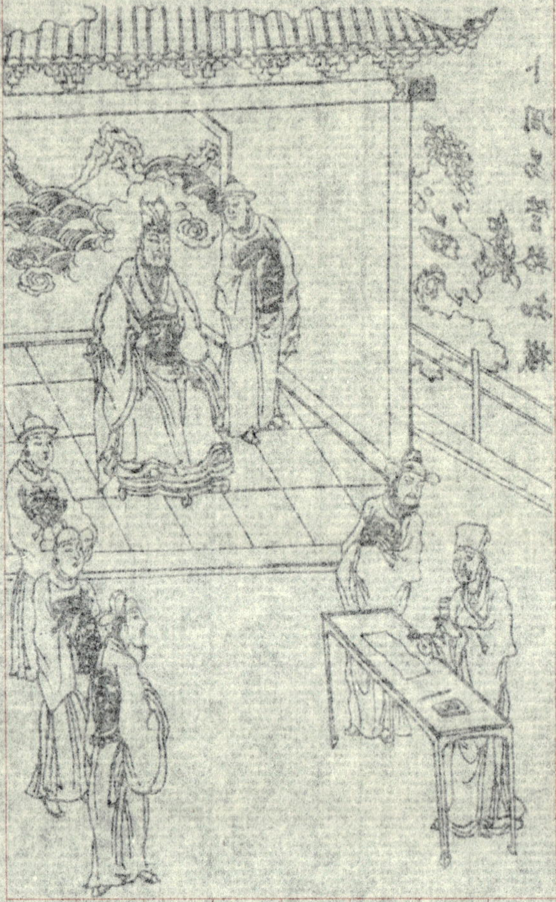

操大怒，便欲自领大兵再入汉中，令管辂卜之。辂曰：『大王未可妄动。来春许都必有火灾。』操见辂言累验，故不敢轻动，留居邺郡，使曹洪领兵五万，往助夏侯渊、张郃同守东川；又差夏侯惇领兵三万，于许都来往巡警，以备不虞；又教长史王必总督御林军马。主簿司马懿曰：『王必嗜酒性宽，恐不堪任此职。』操曰：『王必是孤披荆棘历艰难时相随之人，忠而且勤，心如铁石，最足相当。』遂委王必领御林军马屯于许都东华门外。

时有一人，姓耿，名纪，字季行，洛阳人也；旧为丞相府掾，后迁侍中少府，与司直韦晃甚厚；见曹操进封王爵，出入用天子车服，心甚不平。时建安二十三年春正月。耿纪与韦晃密议曰：『操贼奸恶日甚，将来必为篡逆之事。吾等为汉臣，岂可同恶相济？』韦晃曰：『吾有心腹人，姓金，名祎，乃汉相金日磾之后，素有讨操之心；更兼与王必甚厚。若得同谋，大事济矣。』耿纪曰：『他既与王必交厚，岂肯与我等同谋乎？』韦晃曰：『且往说之，看是如何。』于是二人同至金祎宅中。祎接入后堂，坐定。晃曰：『德伟与王长史甚厚，吾二人特来告求。』祎曰：『所求何事？』晃曰：『吾闻魏王早晚受禅，将登大宝，公与王长史必高迁。望不相弃，曲赐提携，感德非浅！』祎拂袖而起。适从者奉茶至，便将茶泼于地上。晃佯惊曰：『德伟故人，何薄情也？』祎曰：『吾与汝交厚，为汝等是汉朝臣宰之后；今不思报本，欲辅造反之人，吾有何面目与汝为友！』耿纪曰：『奈天数如此，不得不为耳！』祎大怒。耿纪、韦晃见祎果有忠义之心，乃以实情相告曰：『吾等本欲讨贼，来求足下。前言特相试耳。』祎曰：『吾累世汉臣，安能从贼！公等欲扶汉室，有何高见？』晃曰：『虽有报国之心，未有讨贼之计。』祎曰：『吾欲里应外合，杀了王必，夺其兵权，扶助銮舆。更结刘皇叔为外援，操贼可灭矣。』二人闻之，抚掌称善。

祎曰：『我有心腹二人，与操贼有杀父之仇，现居城外，可用为羽翼。』耿纪问是何人。祎曰：『太医吉平之子：长名吉邈，字文然；次名吉穆，字思然。操昔日为董承衣带诏事，曾杀其父；二子逃窜远乡，得免于难。今已潜归许都，若使相助讨贼，无有不从。』耿纪、韦晃大喜。金祎即使人密唤二吉。须臾，二人至。祎具言其事。二人感愤流泪，怨气冲天，誓杀国贼。金祎曰：『正月十五日夜间，城中大张灯火，庆赏元宵。耿少府、韦司直，你二人各领家僮，杀到王必营前；只看营中火起，分两路杀入；杀了王必，径跟我入内，请天子登五凤楼，召百官面谕讨贼。吉文然兄弟于城外杀入，放火为号，各要扬声，叫百姓诛杀国贼，截住城内救军；待天子降诏，招安已定，便进兵杀投邺郡擒曹操，即发使赍诏召刘皇叔。今日约定，至期二更举事。勿似董承自取其祸。』五人对天说誓，歃血为盟，各自归家，整顿军马器械，临期而行。

且说耿纪、韦晃二人，各有家僮三四百，预备器械。吉邈兄弟，亦聚三百人口，只推围猎，安排已定。金祎先期来见王必，言：『方今海宇稍安，魏王威震天下；今值元宵令节，不可不放灯火以示太平气象。』王必然其言，告谕城内居民，尽张灯结彩，庆赏佳节。至正月十五夜，天色晴霁，星月交辉，六街三市，竞放花灯。真个金吾不禁，玉漏无催！王必与御林诸将，在营中饮宴。二更以后，忽闻营中呐喊，人报营

后火起。王必慌忙出帐看时，只见火光乱滚；又闻喊杀连天，知是营中有变，急上马出南门，正遇耿纪，一箭射中肩膊，几乎坠马，遂望西门而走。背后有军赶来。王必着忙，弃马步行。至金祎门首，慌叩其门。原来金祎一面使人于营中放火，一面亲领家僮随后助战，只留妇女在家。时家中闻王必叩门之声，只道金祎归来。祎妻从隔门便问曰：『王必那厮杀了么？』王必大惊，方悟金祎同谋，径投曹休家，报知金祎、耿纪等同谋反。休急披挂上马，引千余人在城中拒敌。城内四下火起，烧着五凤楼，帝避于深宫。曹氏心腹爪牙，死据宫门。城中但闻人叫：『杀尽曹贼，以扶汉室！』

原来夏侯惇奉曹操命，巡警许昌，领三万军，离城五里屯扎；是夜，遥望见城中火起，便领大军前来，围住许都，使一枝军入城接应曹休。直混杀至天明，耿纪、韦晃等无人相助。人报金祎、二吉皆被杀死。耿纪、韦晃夺路杀出城门，正遇夏侯惇大军围住，活捉去了。手下百余人皆被杀。夏侯惇入城，救灭遗火，尽收五人老小宗族，使人飞报曹操。操传令教将耿、韦二人，及五家宗族老小，皆斩于市，并将在朝大小百官，尽行拿解邺郡，听候发落。夏侯惇押耿、韦二人至市曹。耿纪厉

声大叫曰：『曹阿瞒！吾生不能杀汝，死当作厉鬼以击贼！』刽子以刀搠其口，流血满地，大骂不绝而死，韦晃以面颊顿地曰：『可恨！可恨！』咬牙皆碎而死。后人有诗赞曰：

耿纪精忠韦晃贤，各持空手欲扶天。谁知汉祚相将尽，恨满心胸丧九泉。

夏侯惇尽杀五家老小宗族，将百官解赴邺郡。曹操于教场立红旗于左，白旗于右，下令曰：『耿纪、韦晃等造反，放火焚许都，汝等亦有出救火者，亦有闭门不出者。如曾救火者，可立于红旗下；如不曾救火者，可立于白旗下。』众官自思救火者必无罪，于是多奔红旗之下。三停内只有一停立于白旗下。操教尽拿立于红旗下者。众官各言无罪。操曰：『汝当时之心，非是救火，实欲助贼耳。』尽命牵出漳河边斩之，死者三百余员。其立于白旗下者，尽皆赏赐，仍令还许都。时王必已被箭疮发而死，操命厚葬之。令曹休总督御林军马，钟繇为相国，华歆为御史大夫。遂定侯爵六等十八级，关中侯爵十七级，皆金印紫绶；又置关内外侯十六级，银印龟纽墨绶；五大夫十五级，铜印环纽墨绶。定爵封官，朝廷又换一班人物。曹操方悟管辂火灾之说，遂重赏辂。辂不受。

却说曹洪领兵到汉中，令张郃、夏侯渊各据险要。曹洪亲自进兵拒敌。时张飞自与雷铜守把巴西。马超兵至下辨，令吴兰为先锋，领军哨出，正与曹洪军相遇。吴兰欲退，牙将任夔(kuí)曰：『贼兵初至，若不先挫其锐气，何颜见孟起乎？』于是骤马挺枪搦曹洪战。洪自提刀跃马而出。交锋三合，斩夔于马下，乘势掩杀。吴兰大败，回见马超。超责之曰：『汝不得吾令，何故轻敌致败？』吴兰曰：『任夔不听吾言，

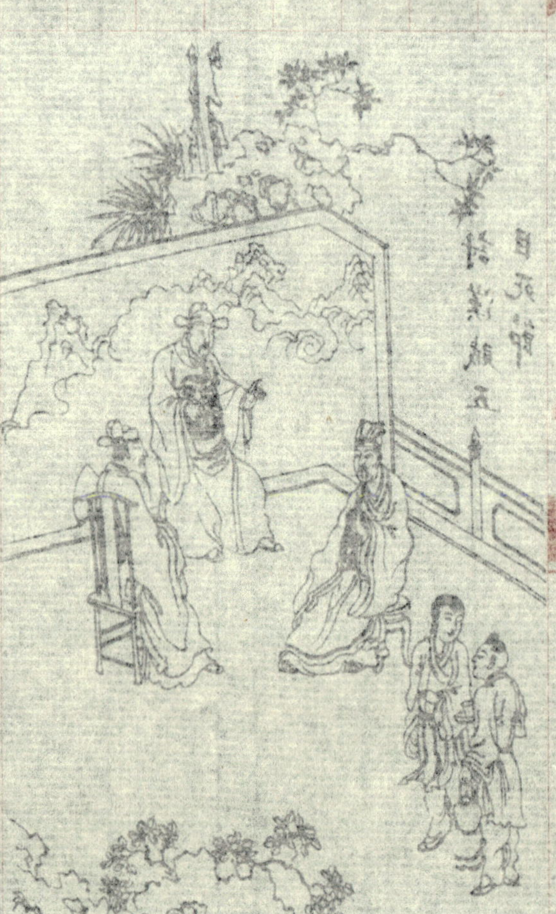

故有此败。」马超曰：『可紧守隘口，勿与交锋。』一面申报成都，听候行止。曹洪见马超连日不出，恐有诈谋，引军退回南郑。张郃来见曹洪，问曰：『将军既已斩将，如何退兵？』洪曰：『吾见马超不出，恐有别谋。且我在邺都，闻神卜管辂有言：当于此地折一员大将。吾疑此言，故不敢轻进。』张郃大笑曰：『将军行兵半生，今奈何信卜者之言而惑其心哉！郃虽不才，愿以本部兵取巴西。若得巴西，蜀郡易耳。』洪曰：『巴西守将张飞，非比等闲，不可轻敌。』张郃曰：『人皆怕张飞，吾视之如小儿耳！此去必擒之！』洪曰：『倘有疏失，若何？』郃曰：『甘当军令。』洪勒了文状，张郃进兵。正是：自古骄兵多致败，从来轻敌少成功。未知胜负如何，且看下文分解。

第七十回 猛张飞智取瓦口隘 老黄忠计夺天荡山

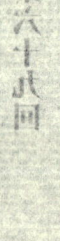

却说张郃部兵三万，分为三寨，各傍山险：一名宕渠寨，一名蒙头寨，一名荡石寨。当日张郃于三寨中，各分军一半，去取巴西，留一半守寨。早有探马报到巴西，说张郃引兵来了。张飞急唤雷铜商议。铜曰：『阆中地恶山险，可以埋伏。将军引兵出战，我出奇兵相助，郃可擒矣。』张飞拨精兵五千与雷铜去讫。飞自引兵一万，离阆中三十里，与张郃兵相遇。两军摆开，张飞出马，单搦张郃。郃挺枪纵马而出。战到二十余合，郃后军忽然喊起：原来望见山背后有蜀兵旗幡，故此扰乱。张郃不敢恋战，拨马回走。张飞从后掩杀。前面雷铜又引兵杀出。两下夹攻，郃兵大败。张飞、雷铜连夜追袭，直赶到宕渠山。张郃仍旧分兵守住三寨，多置擂木炮石，坚守不战。张飞离宕渠十里下寨，次日引兵搦战。郃在山上大吹大擂饮酒，并不下山。张飞令军士大骂，郃只不出。飞只得还营。次日，雷铜又去山下搦战，郃又不出。雷铜驱军士上山，山上擂木炮石打将下来。雷铜急退。荡石、蒙头两寨兵出，杀败雷铜。次日，张飞又去搦战，张郃又不出。飞使军人百般秽骂，郃在山上亦骂。张飞寻思，无计可施。相拒五十余日，飞就在山前扎住大寨，每日饮酒；饮至大醉，坐于山前辱骂。

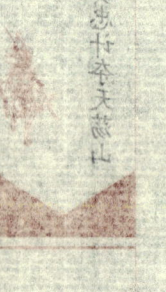

玄德差人犒军，见张飞终日饮酒，使者回报玄德。玄德大惊，忙来问孔明。孔明笑曰：『原来如此！军前恐无好酒；成都佳酿极多，可将五十瓮作三车装，送到军前与张将军饮。』玄德曰：『吾弟自来饮酒

失事，军师何故反送酒与他？』孔明笑曰：『主公与翼德做了许多年兄弟，还不知其为人耶？翼德自来刚强，然前于收川之时，义释严颜，此非勇夫所为也。今与张郃相拒五十余日，酒醉之后，便坐山前辱骂，傍若无人：此非贪杯，乃败张郃之计耳。』玄德曰：『虽然如此，未可托大。可使魏延助之。』孔明令魏延解酒赴军前，车上各插黄旗，大书『军前公用美酒』。魏延领命，解酒到寨中，见张飞，传说主公赐酒。飞拜受讫，分付魏延、雷铜各引一枝人马，为左右翼；只看军中红旗起，便各进兵；教将酒摆列帐下，令军士大开旗鼓而饮。有细作报上山来，张郃自来山顶观望，见张飞坐于帐下饮酒，令二小卒于面前相扑为戏。郃曰：『张飞欺我太甚！』传令今夜下山劫飞寨，令蒙头、荡石二寨，皆出为左右援。当夜张郃乘着月色微明，引军从山侧而下，径到寨前。遥望张飞大明灯烛，正在帐中饮酒。张郃当先大喊一声，山头擂鼓为助，直杀入中军。但见张飞端坐不动。张郃骤马到面前，一枪刺倒——却是一个草人。急勒马回时，帐后连珠炮起。一将当先，拦住去路，睁圆环眼，声如巨雷：乃张飞也。——挺矛跃马，直取张郃。两将在火光中，战到三五十合。张郃只盼两寨来救，谁知两寨救兵，已被魏延、雷铜两将杀退，就势夺了二寨。张郃不见救兵至，正没奈何，又见山上火起，已被张飞后军夺了寨栅。张郃三寨俱失，只得奔瓦口关去了。张飞大获胜捷。报入成都。玄德大喜，方知翼德饮酒是计，只要诱张郃下山。

却说张郃退守瓦口关，三万军已折了二万，遣人问曹洪求救。洪大怒曰：『汝不听吾言，强要进兵，失了紧要隘口，却又来求救！』遂不肯发兵，使人催督张郃出战。郃心慌，只得定计，分两军去关口前山

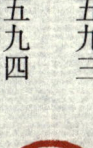

僻埋伏，分付曰：『我诈败，张飞必然赶来，汝等就截其归路。』当日张郃引军前进，正遇雷铜。战不数合，张郃败走，雷铜赶来。两军齐出，截断回路。张郃复回，刺雷铜于马下。败军回报张飞。飞自来与张郃挑战。郃又诈败，张飞不赶。郃又回战，不数合，又败走。张飞知是计，收军回寨，与魏延商议曰：『张郃用埋伏计，杀了雷铜，又要赚吾，何不将计就计？』延问曰：『如何？』飞曰：『我明日先引一军前往，汝却引精兵于后，待伏兵出，汝可分兵击之。用车十余乘，各藏柴草，塞住小路，放火烧之。吾乘势擒张郃，与雷铜报仇。』魏延领计。次日，张飞引兵前进。张郃兵又至，与张飞交锋。战到十合，郃又诈败。张飞引马步军赶来，郃且战且走，引张飞过山峪口，郃将后军为前，复扎住营，与飞又战，指望两彪伏兵出，要围困张飞。不想伏兵却被魏延精兵到，赶入峪口，将车辆截住山路，放火烧车，山谷草木皆着，烟迷其径，兵不得出。张飞只顾引军冲突，张郃大败，死命杀开条路，走上瓦口关，收聚败兵，坚守不出。

张飞和魏延连日攻打关隘不下。飞见不济事，把军退二十里，却和魏延引数十骑，自来两边哨探小路。

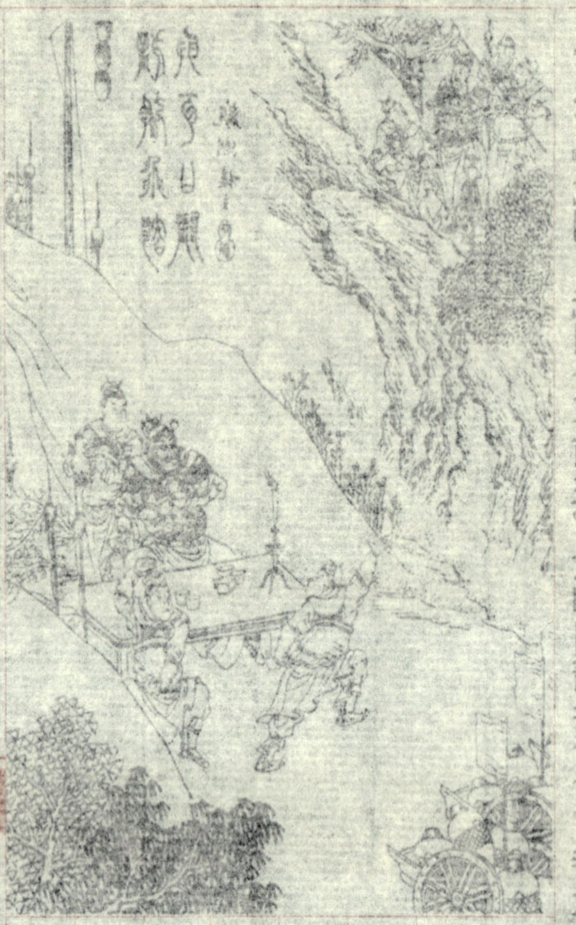

忽见男女数人，各背小包，于山僻路攀藤附葛而走。飞于马上用鞭指与魏延曰：『夺瓦口关，只在这几个百姓身上。』便唤军士分付：『休要惊恐他，好生唤那几个百姓来。』军士连忙唤到马前。飞用好言以安其心，问其何来。百姓告曰：『某等皆汉中居民，今欲还乡。听知大军厮杀，塞闭阆中官道；今过苍溪，从梓潼山桧釿(jìn)川入汉中，还家去。』飞曰：『这条路取瓦口关远近若何？』百姓曰：『从梓潼山小路，却是瓦口关背后。』飞大喜，带百姓入寨中，与了酒食，分付魏延：『引兵扣关攻打，我亲自引轻骑出梓潼山攻关后。』便令百姓引路，选轻骑五百，从小路而进。

却说张郃为救军不到，心中正闷，人报魏延在关下攻打。张郃披挂上马，却待下山，忽报：『关后四五路火起，不知何处兵来。』郃自领兵来迎。旗开处，早见张飞。郃大惊，急往小路而走。马不堪行，后面张飞追赶甚急，郃弃马上山，寻径而逃，方得走脱。随行只有十余人，步行入南郑，见曹洪。洪见张郃只剩下十余人，大怒曰：『吾教汝休去，汝取下文状要去；今日折尽大兵，尚不自死，还来做甚！』喝令左右推出斩之。行军司马郭淮谏曰：『「三军易得，一将难求」。张郃虽然有罪，乃魏王所深爱者也，不可便诛。可再与五千兵径取葭萌关，牵动其各处之兵，汉中自安矣。如不成功，二罪俱罚。』曹洪从之，又与兵五千，教张郃取葭萌关。郃领命而去。

却说葭萌关守将孟达、霍峻，知张郃兵来。霍峻只要坚守；孟达定要迎敌，引军下关与张郃交锋，大败而回。霍峻急申文书到成都。玄德闻知，请军师商议。孔明聚众将于堂上，问曰：『今葭萌关紧急，必

须阆中取翼德，方可退张郃也。』法正曰：『今翼德兵屯瓦口，镇守阆中，亦是紧要之地，不可取回。帐中诸将内选一人去破张郃。』孔明笑曰：『张郃乃魏之名将，非等闲可及。除非翼德，无人可当。』忽一人厉声而出曰：『军师何轻视众人耶！吾虽不才，愿斩张郃首级，献于麾下。』众视之，乃老将黄忠也。孔明曰：『汉升虽勇，争奈年老，恐非张郃对手。』忠听了，白发倒竖而言曰：『某虽老，两臂尚开三石之弓，浑身还有千斤之力：岂不足敌张郃匹夫耶！』孔明曰：『将军年近七十，如何不老？』忠趋步下堂，取架上大刀，轮动如飞；壁上硬弓，连拽折两张。孔明曰：『将军要去，谁为副将？』忠曰：『老将严颜，可同我去。但有疏虞，先纳下这白头。』玄德大喜，即时令严颜、黄忠去与张郃交战。赵云谏曰：『今张郃亲犯葭萌关，军师休为儿戏，若葭萌一失，益州危矣。何故以二老将当此大敌乎？』孔明曰：『汝以二人老迈，不能成事，吾料汉中必于此二人手内可得。』赵云等各哂笑而退。

却说黄忠、严颜到关上，孟达、霍峻见了，心中亦笑孔明欠调度：『是这般紧要去处，如何只教两个老的来！』黄忠谓严颜曰：『你可见诸人动静么？他笑我二人年老，今可建奇功，以服众心。』严颜曰：『愿听将军之令。』两个商议定了。黄忠引军下关，与张郃对阵。张郃出马，见了黄忠，笑曰：『你许大年纪，犹不识羞，尚欲出战耶！』忠怒曰：『竖子欺吾年老！吾手中宝刀却不老！』遂拍马向前与郃决战。二马相交，约战二十余合，忽然背后喊声起：原来是严颜从小路抄在张郃军后。两军夹攻，张郃大败。连夜赶去，张郃兵退八九十里。黄忠、严颜收兵入寨，俱各按兵不动。曹洪听知张郃输了一阵，又欲见罪。郭淮

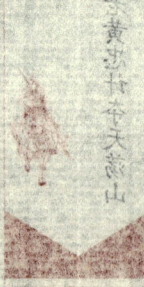

曰：『张郃被迫，必投西蜀；今可遣将助之，就如监临，使不生外心。』曹洪从之，即遣夏侯惇之侄夏侯尚并降将韩玄之弟韩浩，二人引五千兵，前来助战。二将即时起行。到张郃寨中，问及军情，郃言：『老将黄忠，甚是英雄，更有严颜相助，不可轻敌。』韩浩曰：『我在长沙知此老贼利害。他和魏延献了城池，害吾亲兄，今既相遇，必当报仇！』遂与夏侯尚引新军离寨前进。原来黄忠连日哨探，已知路径。严颜曰：『此去有山，名天荡山，山中乃是曹操屯粮积草之地。若取得那个去处，断其粮草，汉中可得也。』忠曰：『将军之言，正合吾意。可与吾如此如此。』严颜依计，自领一枝军去了。

却说黄忠听知夏侯尚、韩浩来，遂引军马出营。韩浩在阵前，大骂黄忠：『无义老贼！』拍马挺枪，来取黄忠。夏侯尚便出夹攻。黄忠力战二将，各斗十余合，黄忠败走。二将赶二十余里，夺了黄忠寨。忠又草创一营。次日，夏侯尚、韩浩赶来，忠又出阵，战数合，又败走。二将又赶二十余里，夺了黄忠营寨，唤张郃守后寨。郃来前寨谏曰：『黄忠连退二日，于中必有诡计。』夏侯尚叱张郃曰：『你如此胆怯，可知屡次战败！今再休多言，看吾二人建功！』张郃羞赧而退。次日，二将又战，

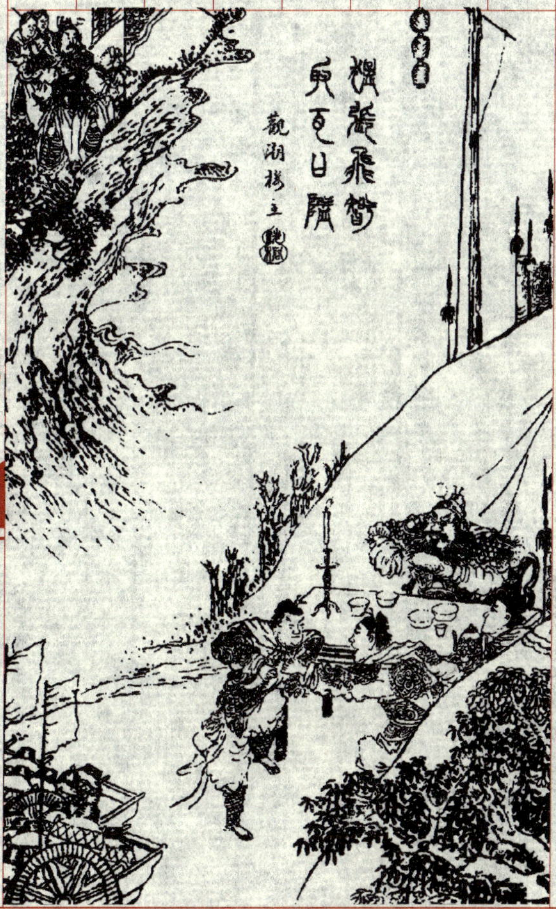

黄忠又败退二十里；二将迤逦赶上。次日，二将兵出，黄忠望风而走，连败数阵，直退在关上。二将扣关下寨，黄忠坚守不出。孟达暗暗发书，申报玄德，说：『黄忠连输数阵，现今退在关上。』玄德慌问孔明。孔明曰：『此乃老将骄兵之计也。』赵云等不信。玄德差刘封来关上接应黄忠。忠与封相见，问刘封曰：『小将军来助战何意？』封曰：『父亲得知将军数败，故差某来。』忠笑曰：『此老夫骄兵之计也。看今夜一阵，可尽复诸营，夺其粮食马匹，此是借寨与彼屯辎重耳。今夜留霍峻守关，孟将军可与我搬粮草夺马匹，小将军看我破敌！』

是夜二更，忠引五千军开关直下。原来夏侯尚、韩浩二将连日见关上不出，尽皆懈怠；被黄忠破寨直入，人不及甲，马不及鞍，二将各自逃命而走。军马自相践踏，死者无数。比及天明，连夺三寨。寨中丢下军器鞍马无数，尽教孟达搬运入关。黄忠催军马随后而进，刘封曰：『军士力困，可以暂歇。』忠曰：『不入虎穴，焉得虎子？』策马先进。士卒皆努力向前，张郃军兵，反被自家败兵冲动，都屯扎不住，望后而走；尽弃了许多寨栅，直奔至汉水傍。

张郃寻见夏侯尚、韩浩议曰：『此天荡山，乃粮草之所；更接米仓山，亦屯粮之地：是汉中军士养命之源。倘若疏失，是无汉中也。当思所以保之。』夏侯尚曰：『米仓山有吾叔夏侯渊分兵守护，那里正接定军山，不必忧虑。天荡山有吾兄夏侯德镇守，我等宜往投之，就保此山。』于是张郃与二将连夜投天荡山来，见夏侯德，具言前事。夏侯德曰：『吾此处屯十万兵，你可引去，复取原寨。』郃曰：『只宜坚守，

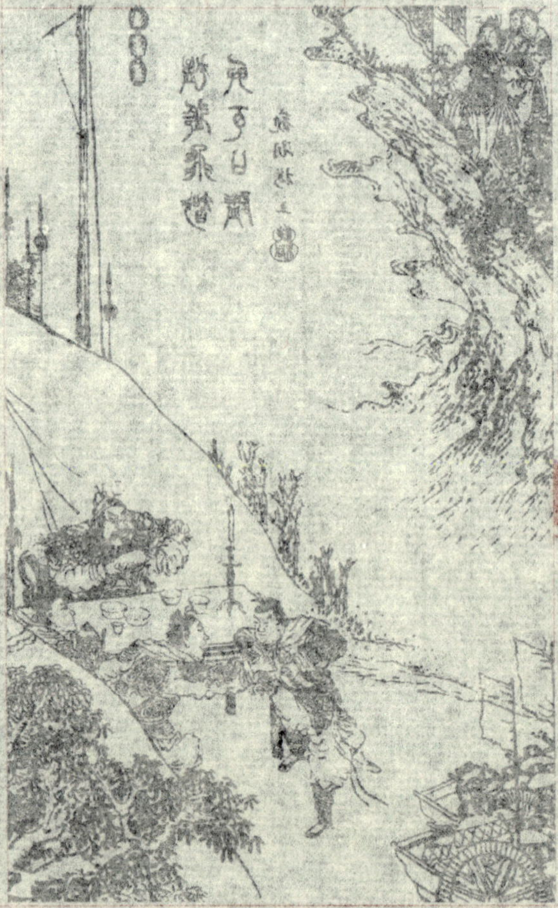

不可妄动。』忽听山前金鼓大震，人报黄忠兵到。夏侯德大笑曰：『老贼不谙兵法，只恃勇耳！』郃曰：『黄忠有谋，非止勇也。』德曰：『川兵远涉而来，连日疲困，更兼深入战境——此无谋也！』郃曰：『亦不可轻敌。且宜坚守。』韩浩曰：『愿借精兵三千击之，当无不克。』德遂分兵与浩下山。黄忠整兵来迎。刘封谏曰：『日已西沉矣，军皆远来劳困，且宜暂息。』忠笑曰：『不然，此天赐奇功，不取是逆天也。』言毕，鼓噪大进，韩浩引兵来战。黄忠挥刀直取浩，只一合，斩浩于马下，蜀兵大喊，杀上山来。张郃、夏侯尚急引军来迎。忽听山后大喊，火光冲天而起，上下通红。夏侯德提兵来救火时，正遇老将严颜，手起刀落，斩夏侯德于马下。原来黄忠预先使严颜引军埋伏于山僻去处，只等黄忠军到，却来放火，柴草堆上，一齐点着，烈焰飞腾，照耀山峪。严颜既斩夏侯德，从山后杀来。张郃、夏侯尚前后不能相顾，只得弃天荡山，望定军山投奔夏侯渊去了。黄忠、严颜守住天荡山，捷音飞报成都。

玄德闻之，聚众将庆喜。法正曰：『昔曹操降张鲁，定汉中，不因此势以图巴、蜀，乃留夏侯渊、张郃二将屯守，而自引大军北还：此失计也。今张郃新败，天荡失守，主公若乘此时，举大兵亲往征之，汉中可定也。既定汉中，然后练兵积粟，观衅伺隙，进可讨贼，退可自守。此天与之时，不可失也。』

玄德、孔明皆深然之，遂传令赵云、张飞为先锋，玄德与孔明亲自引兵十万，择日图汉中；传檄各处，严加提备。时建安二十三年，秋七月吉日。玄德大军出葭萌关下营，召黄忠、严颜到寨，厚赏之。玄德曰：『人皆言将军老矣，惟军师独知将军之能，今果立奇功。但今汉中定军山，乃南郑保障，粮草积聚之所；若得定军山，阳平一路，无足忧矣。将军还敢取定军山否？』黄忠慨然应诺，便要领兵前去。孔明急止之曰：『老将军虽然英勇，然夏侯渊非张郃之比也。渊深通韬略，善晓兵机，曹操倚之为西凉藩蔽：先曾屯兵长安，拒马孟起；今又屯兵汉中。操不托他人，而独托渊者，以渊有将才也。今将军虽胜张郃，未卜能胜夏侯渊。吾欲酌量着一人去荆州，替回关将军来，方可敌之。』忠奋然答曰：『昔廉颇年八十，尚食斗米、肉十斤，诸侯畏其勇，不敢侵犯赵界，何况黄忠未及七十乎？军师言吾老，吾今并不用副将，只将本部兵三千人去，立斩夏侯渊首级，纳于麾下。』孔明再三不容。黄忠只是要去。孔明曰：『既将军要去，吾使一人为监军同去，若何？』正是：请将须行激将法，少年不若老年人。未知其人是谁，且看下文分解。

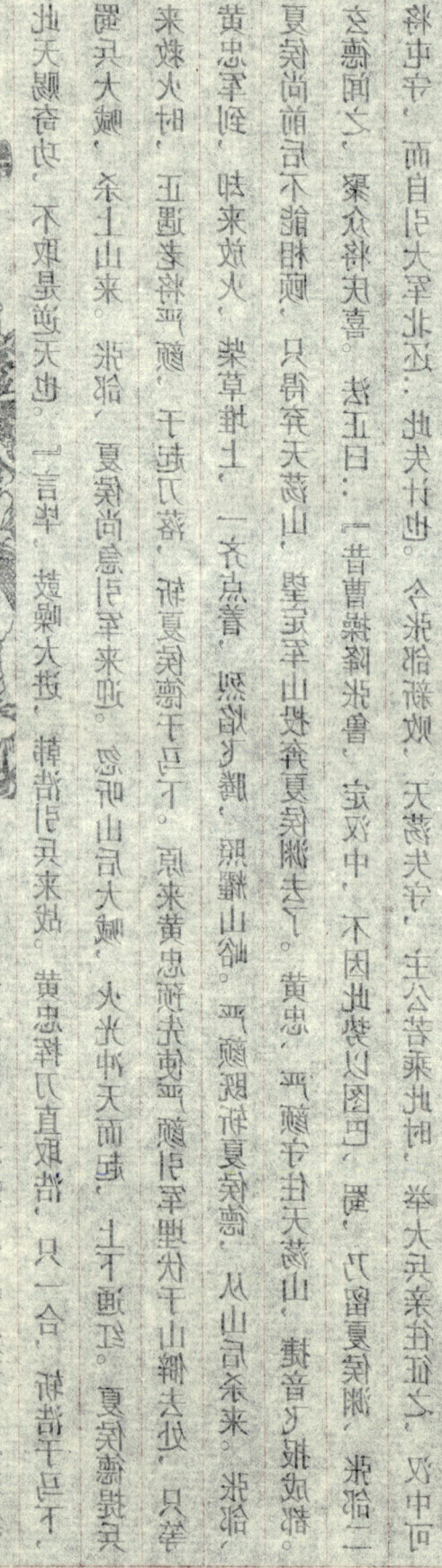

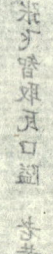

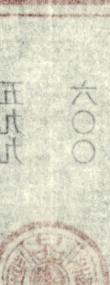

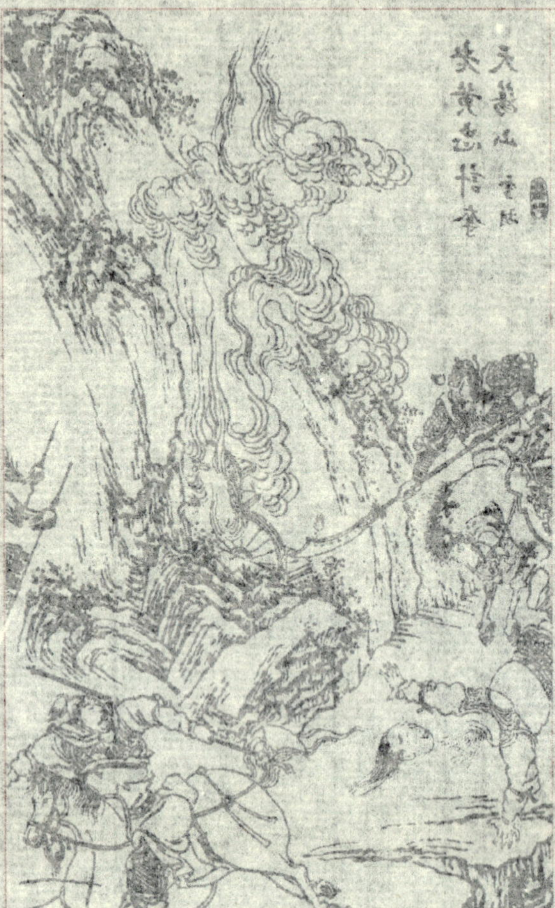

第七十一回　占对山黄忠逸待劳　据汉水赵云寡胜众

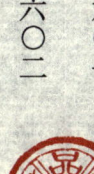

却说孔明分付黄忠：“你既要去，吾教法正助你。凡事计议而行。吾随后拨人马来接应。”黄忠应允，和法正领本部兵去了。孔明告玄德曰：“此老将不着言语激他，虽去不能成功。他今既去，须拨人马前去接应。”乃唤赵云：“将一枝人马，从小路出奇兵接应黄忠：若忠胜，不必出战；倘忠有失，即去救应。”又遣刘封、孟达：“领三千兵于山中险要去处，多立旌旗，以壮我兵之声势，令敌人惊疑。”三人各自领兵去了。又差人往下辨，授计与马超，令他如此而行。又差严颜往巴西阆中守隘，替张飞、魏延来同取汉中。

却说张郃与夏侯尚来见夏侯渊，说：“天荡山已失，折了夏侯德、韩浩。今闻刘备亲自领兵来取汉中，可速奏魏王，早发精兵猛将，前来策应。”夏侯渊便差人报知曹洪。洪星夜前到许昌，禀知曹操。操大惊，急聚文武，商议发兵救汉中。长史刘晔进曰：“汉中若失，中原震动。大王休辞劳苦，必须亲自征讨。”操自悔曰：“恨当时不用卿言，以致如此！”忙传令旨，起兵四十万亲征。时建安二十三年秋七月也。曹操兵分三路而进：前部先锋夏侯惇，操自领中军，使曹休押后，三军陆续起行。操骑白马金鞍，玉带锦衣；武士手执大红罗销金伞盖，左右金瓜银钺，镫棒戈矛，打日月龙凤旌旗；护驾龙虎官军二万五千，分为五队，每队五千，按青、黄、赤、白、黑五色，旗幡甲马，并依本色：光辉灿烂，极其雄壮。

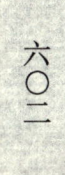

兵出潼关，操在马上望见一簇林木，极其茂盛，问近侍曰：“此何处也？”答曰：“此名蓝田。林木之间，乃蔡邕庄也。今邕女蔡琰与其夫董祀居此。”原来操素与蔡邕相善。先时其女蔡琰，乃卫仲道之妻；后被北方掳去，于北地生二子，作《胡笳十八拍》，流入中原。操深怜之，使人持千金入北方赎之。左贤王惧操之势，送蔡琰还汉。操乃以琰配与董祀为妻。当自到庄前，因想起蔡邕之事，令军马先行，操引近侍百余骑，到庄门下马。时董祀出仕于外，止有蔡琰在家，琰闻操至，忙出迎接。操至堂，琰起居毕，侍立于侧。操偶见壁间悬一碑文图轴，起身观之。问于蔡琰，琰答曰：“此乃曹娥之碑也。昔和帝时，上虞有一巫者，名曹盱，能婆娑乐神；五月五日，醉舞舟中，堕江而死。其女年十四岁，绕江啼哭七昼夜，跳入波中；后五日，负父之尸浮于江面；里人葬之江边。上虞令度尚奏闻朝廷，表为孝女。度尚令邯郸淳作文镌碑以记其事。时邯郸淳年方十三岁，文不加点，一挥而就，立石墓侧，时人奇之。妾父蔡邕闻而往观，时日已暮，乃于暗中以手摸碑文而读之，索笔大书八字于其背。后人镌石，并镌此八字。”操读八字云：“黄绢幼妇，外孙齑曰(jī)。”操问琰曰：“汝解此意否？”琰曰：“虽先人遗笔，妾实不解其意。”操回顾众谋士曰：“汝等解否？”众皆不能答。于内一人出曰：“某已解其意。”操视之，乃主簿杨修也。操曰：“卿且勿言，容吾思之。”遂辞了蔡琰，引众出庄。上马行三里，忽省悟，笑谓修曰：“卿试言之。”修曰：“此隐语耳。‘黄绢’乃颜色之丝也：色傍加丝，是‘绝’字。‘幼妇’者，少女也：女傍少字，是‘妙’字。‘外孙’乃女之子也：女傍子字，是‘好’字。‘齑曰’乃受五辛之器也：受傍辛字，是‘辤(cī)’字。总而言之，是‘绝妙好辤’四字。”操大惊曰：“正合孤意！”众皆叹羡杨修才识之敏。

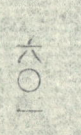

不一日，军至南郑。曹洪接着，备言张郃之事。操曰：『非郃之罪，胜负乃兵家常事耳。』洪曰：『目今刘备使黄忠攻打定军山，夏侯渊知大王兵至，固守未曾出战。』操曰：『若不出战，是示懦也。』便差人持节到定军山，教夏侯渊进兵。刘晔谏曰：『渊性太刚，恐中奸计。』操乃作手书与之。使命持节到渊营，渊接入。使者出书，渊拆视之。略曰：

凡为将者，当以刚柔相济，不可徒恃其勇。若但任勇，则是一夫之敌耳。吾今屯大军于南郑，欲观卿之『妙才』，勿辱二字可也。

夏侯渊览毕大喜，打发使命回讫，乃与张郃商议曰：『今魏王率大兵屯于南郑，以讨刘备。吾与汝久守此地，岂能建立功业？来日吾出战，务要生擒黄忠。』张郃曰：『黄忠谋勇兼备，况有法正相助，不可轻敌。此间山路险峻，只宜坚守。』渊曰：『若他人建了功劳，吾与汝有何面目见魏王耶？汝只守山，吾去出战。』遂下令曰：『谁敢出哨诱敌？』夏侯尚曰：『吾愿往。』渊曰：『汝去出哨，与黄忠交战，只宜输，不宜赢。吾有妙计，如此如此。』尚受令，引三千军离定军山大寨前行。

却说黄忠与法正引兵屯于定军山口，累次挑战，夏侯渊坚守不出，欲要进攻，又恐山路危险，难以料敌，只得据守。是日，忽报山上曹兵下来搦战，黄忠恰待引军出迎，牙将陈式曰：『将军休动，某愿当之。』忠大喜，遂令陈式引军一千，出山口列阵。夏侯尚兵至，遂与交锋。不数合，尚诈败而走。式赶去，行到半路，被两山上擂木炮石，打将下来，不能前进。正欲回时，背后夏侯渊引兵突出，陈式不能抵当，被夏

第七十一回 占对山黄忠逸待劳 据汉水赵云寡胜众

侯渊生擒回寨。部卒多降。有败军逃得性命，回报黄忠，说陈式被擒。忠慌与法正商议，正曰：『渊为人轻躁，恃勇少谋。可激劝士卒，拔寨前进，步步为营，诱渊来战而擒之：此乃「反客为主」之法。』忠用其谋，将应有之物，尽赏三军，欢声满谷，愿效死战。黄忠即日拔寨而进，步步为营，每营住数日，又进。渊闻之，欲出战。张郃曰：『此乃「反客为主」之计，不可出战，战则有失。』渊不从，令夏侯尚引数千兵出战，直到黄忠寨前。忠上马提刀出迎，与夏侯尚交马，只一合，生擒夏侯尚归寨。余皆败走，回报夏侯渊。渊急使人到黄忠寨，言愿将陈式来换夏侯尚。忠约定来日阵前相换。次日，两军皆到山谷阔处，布成阵势。黄忠、夏侯渊各立马于本阵门旗之下。黄忠带着夏侯尚，夏侯渊带着陈式，各不与袍铠，只穿蔽体薄衣。一声鼓响，陈式、夏侯尚各望本阵奔回。夏侯尚比及到阵门时，被黄忠一箭，射中后心。尚带箭而回。渊大怒，骤马径取黄忠。忠正要激渊厮杀。两将交马，战到二十余合，曹营内忽然鸣金收兵。渊慌拨马而回，被忠乘势杀了一阵，渊回阵问押阵官：『为何鸣金？』答曰：『某见山凹中有蜀兵旗幡数处，恐是伏兵，故急招将军回。』渊信其说，遂坚守不出。

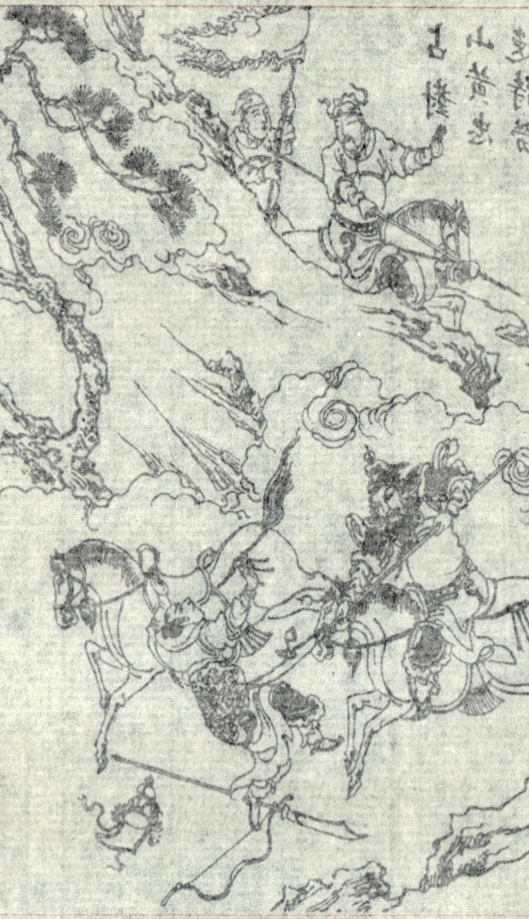

黄忠逼到定军山下，与法正商议。正以手指曰：『定军山西，巍然有一座高山，四下皆是险道。此山上足可下视定军山之虚实。将军若取得此山，定军山只在掌中也。』忠仰见山头稍平，山上有些少人马。是夜二更，忠引军士鸣金击鼓，直杀上山顶。此山有夏侯渊部将杜袭守把，止有数百余人。当时见黄忠大队拥上，只得弃山而走。忠得了山顶，正与定军山相对。法正曰：『将军可守在半山，某居山顶。待夏侯渊兵至，吾举白旗为号，将军却按兵勿动；待他倦怠无备，吾却举起红旗，将军便下山击之：以逸待劳，必当取胜。』忠大喜，从其计。

却说杜袭引军逃回，见夏侯渊，说黄忠夺了对山。渊大怒曰：『黄忠占了对山，不容我不出战。』张郃谏曰：『此乃法正之谋也。将军不可出战，只宜坚守。』渊曰：『占了吾对山，观吾虚实，如何不出战？』郃苦谏不听。渊分军围住对山，大骂挑战。法正在山上举起白旗；任从夏侯渊百般辱骂，黄忠只不出战。午时以后，法正见曹兵倦怠，锐气已堕，多下马坐息，乃将红旗招展。鼓角齐鸣，喊声大震，黄忠一马当先，驰下山来，犹如天崩地塌之势。夏侯渊措手不及，被黄忠赶到麾盖之下，大喝一声，犹如雷吼。渊未及相迎，黄忠宝刀已落，连头带肩，砍为两段。后人有诗赞黄忠曰：

苍头临大敌，皓首逞神威。力趁雕弓发，风迎雪刃挥。雄声如虎吼，骏马似龙飞。献馘(guó)功勋重，开疆展帝畿。

黄忠斩了夏侯渊，曹兵大溃，各自逃生。黄忠乘势去夺定军山，张郃领兵来迎。忠与陈式两下夹攻，混杀一阵，张郃败走。忽然山傍闪出一彪人马，当住去路；为首一员大将，大叫：『常山赵子龙在此！』

张郃大惊，引败军夺路望定军山而走。只见前面一枝兵来迎，乃杜袭也。袭曰：『今定军山已被刘封、孟达夺了。』郃大惊，遂与杜袭引败兵到汉水扎营；一面令人飞报曹操。操闻渊死，放声大哭，方悟管辂所言：『三八纵横』，乃建安二十四年也；『黄猪遇虎』，乃岁在己亥正月也；『定军之南』，乃定军山之南也；『伤折一股』，乃渊与操有兄弟之亲情也。操令人寻管辂时，不知何处去了。操深恨黄忠，遂亲统大军，来定军山与夏侯渊报仇，令徐晃作先锋。行到汉水，张郃、杜袭接着曹操。二将曰：『今定军山已失，可将米仓山粮草移于北山寨中屯积，然后进兵。』曹操依允。

却说黄忠斩了夏侯渊首级，来葭萌关上见玄德献功。玄德大喜，加忠为征西大将军，设宴庆贺。忽牙将张著来报说：『曹操自领大军二十万，来与夏侯渊报仇。目今张郃在米仓山搬运粮草，移于汉水北山脚下。』孔明曰：『今操引大兵至此，恐粮草不敷，故勒兵不进；若得一人深入其境，烧其粮草，夺其辎重，则操之锐气挫矣。』黄忠曰：『老夫愿当此任。』孔明曰：『操非夏侯渊之比，不可轻敌。』玄德曰：『夏侯渊虽是总帅，乃一勇夫耳，安及张郃？若斩得张郃，胜斩夏侯渊十倍也。』忠奋然曰：『吾愿往斩之。』孔明曰：『你可与赵子龙同领一枝兵去；凡事计议而行，看谁立功。』忠应允便行。孔明就令张著为副将同去。云谓忠曰：『今操引二十万众，分屯十营，将军在主公前要去夺粮，非小可之事。将军当用何策？』忠曰：『看我先去，如何？』云曰：『等我先去。』忠曰：『我是主将，你是副将，如何争先？』云曰：『我与你都一般为主公出力，何必计较？我二人拈阄，拈着的先去。』忠依允，当时黄忠拈着先去。云曰：『既将军先去，某当相

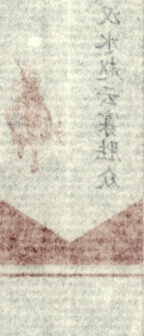

助。可约定时刻。如将军依时而还，某按兵不动；若将军过时而不还，某即引军来接应。』忠曰：『公言是也。』于是二人约定午时为期。云回本寨，谓部将张翼曰：『黄汉升约定明日去夺粮草，若午时不回，我当往助。吾营前临汉水，地势危险；我若去时，汝可谨守寨栅，不可轻动。』张翼应诺。

却说黄忠回到寨中，谓副将张著曰：『我斩了夏侯渊，张郃丧胆；吾明日领命去劫粮草，只留五百军守营。你可助吾。今夜三更，尽皆饱食，四更离营，杀到北山脚下，先捉张郃，后劫粮草。』张著依令。当夜黄忠领人马在前，张著在后，偷过汉水，直到北山之下。东方日出，见粮积如山。有些少军士看守，见蜀兵到，尽弃而走。黄忠教马军一齐下马，取柴堆于米粮之上。正欲放火，张郃兵到，与忠混战一处。曹操闻知，急令徐晃接应。晃领兵前进，将黄忠困于垓心。张著引三百军走脱，正要回寨，忽一枝兵撞出，拦住去路；为首大将，乃是文聘，后面曹兵又至，把张著围住。

却说赵云在营中，看看等到午时，不见忠回，急忙披挂上马，引三千军向前接应；临行，谓张翼曰：『汝可坚守营寨。两壁厢多设弓弩，以为准备。』翼连声应诺。云挺枪骤马直杀往前去。迎头一将拦路，乃文

第七十一回 占对山黄忠逸待劳 据汉水赵云寡胜众

聘部将慕容烈也，拍马舞刀来迎赵云；被云手起一枪刺死。曹兵败走。云直杀入重围，又一枝兵截住，为首乃魏将焦炳。云喝问曰：『蜀兵何在？』炳曰：『已杀尽矣！』云大怒，骤马一枪，又刺死焦炳。杀散余兵，直至北山之下，见张郃、徐晃两人围住黄忠，军士被困多时。云大喝一声，挺枪骤马，杀入重围，左冲右突，如入无人之境。那枪浑身上下，若舞梨花；遍体纷纷，如飘瑞雪。张郃、徐晃心惊胆战，不敢迎敌。云救出黄忠，且战且走；所到之处，无人敢阻。操于高处望见，惊问众将曰：『此将何人也？』有识者告曰：『此乃常山赵子龙也。』操曰：『昔日当阳长坂英雄尚在！』急传令曰：『所到之处，不许轻敌。』赵云救了黄忠，杀透重围，有军士指曰：『东南上围的，必是副将张著。』云不回本寨，遂望东南杀来。所到之处，但见『常山赵云』四字旗号，曾在当阳长坂知其勇者，互相传说，尽皆逃窜。云又救了张著。

曹操见云东冲西突，所向无前，莫敢迎敌，救了黄忠，又救了张著，奋然大怒，自领左右将士来赶赵云。云已杀回本寨。部将张翼接着，望见后面尘起，知是曹兵追来，即谓云曰：『追兵渐近，可令军士闭上寨门，上敌楼防护。』云喝曰：『休闭寨门！汝岂不知吾昔在当阳长坂时，单枪匹马，觑曹兵八十三万如草芥！今有军有将，又何惧哉！』遂拨弓弩手于寨外壕中埋伏；将营内旗枪，尽皆倒偃，金鼓不鸣。云匹马单枪，立于营门之外。

却说张郃、徐晃领兵追至蜀寨，天色已暮；见寨中偃旗息鼓，又见赵云匹马单枪，立于营外，寨门大开，二将不敢前进。正疑之间，曹操亲到，急催督众军向前。众军听令，大喊一声，杀奔营前；见赵云全然不动，

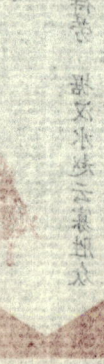

曹兵翻身就回。赵云把枪一招，壕中弓弩齐发。时天色昏黑，正不知蜀兵多少。操先拨回马走。只听得后面喊声大震，鼓角齐鸣，蜀兵赶来。曹兵自相践踏，拥到汉水河边，落水死者，不知其数。赵云、黄忠、张著各引兵一枝，追杀甚急。操正奔走间，忽刘封、孟达率二枝兵，从米仓山路杀来，放火烧粮草。操弃了北山粮草，忙回南郑。徐晃、张郃扎脚不住，亦弃本寨而走。赵云占了曹寨，黄忠夺了粮草，汉水所得军器无数，大获胜捷，差人去报玄德。玄德遂同孔明前至汉水，问赵云的部卒曰：『子龙如何厮杀？』军士将子龙救黄忠、拒汉水之事，细述一遍。玄德大喜，看了山前山后险峻之路，欣然谓孔明曰：『子龙一身都是胆也！』后人有诗赞曰：

昔日战长坂，威风犹未减。突阵显英雄，被围施勇敢。鬼哭与神号，天惊并地惨：常山赵子龙，一身都是胆！

于是玄德号子龙为『虎威将军』，大劳将士，欢宴至晚。

忽报曹操复遣大军从斜谷小路而进，来取汉水。玄德笑曰：『操此来无能为也。我料必得汉水矣。』乃率兵于汉水之西以迎之。曹操命徐晃为先锋，前来决战。帐前一人出曰：『某深知地理，愿助徐将军同去破蜀。』操视之，乃巴西宕渠人也，姓王，名平，字子均，现充牙门将军。操大喜，遂命王平为副先锋，相助徐晃。操屯兵于定军山北。徐晃、王平引军至汉水，晃令前军渡水列阵。平曰：『军若渡水，倘要急退，如之奈何？』晃曰：『昔韩信背水为阵，所谓「致之死地而后生」也。』平曰：『不然。昔者韩信料敌人无谋而用此计；今将军能料赵云、黄忠之意否？』晃曰：『汝可引步军拒敌，看我引马军破之。』遂令搭起浮桥，随即过河来战蜀兵。正是：魏人妄意宗韩信，蜀相那知是子房。未知胜负如何，且看下文分解。

第七十二回　诸葛亮智取汉中　曹阿瞒兵退斜谷

却说徐晃引军渡汉水，王平苦谏不听，渡过汉水扎营。黄忠、赵云告玄德曰：『某等各引本部兵去迎曹兵。』玄德应允。二人引兵而行。忠谓云曰：『今徐晃恃勇而来，且休与敌；待日暮兵疲，你我分兵两路击之可也。』云然之，各引一军据住寨栅。徐晃引兵从辰时搦战，直至申时，蜀兵不动。晃尽教弓弩手向前，望蜀营射去。黄忠谓赵云曰：『徐晃令弓弩射者，其军必将退也：可乘时击之。』言未已，忽报曹兵后队果然退动。于是蜀营鼓声大震：黄忠领兵左出，赵云领兵右出。两下夹攻，徐晃大败，军士逼入汉水，死者无数。晃死战得脱，回营责王平曰：『汝见吾军势将危，如何不救？』平曰：『我若来救，此寨亦不能保。我曾谏公休去，公不肯听，以致此败。』晃大怒，欲杀王平。平当夜引本部军就营中放起火来，曹兵大乱，徐晃弃营而走。王平渡汉水来投赵云，云引见玄德。王平尽言汉水地理。玄德大喜曰：『孤得王子均，取汉中无疑矣。』遂命王平为偏将军，领向导使。

却说徐晃逃回见操，说：『王平反去降刘备矣！』操大怒，亲统大军来夺汉水寨栅。赵云恐孤军难立，遂退于汉水之西。两军隔水相拒。玄德与孔明来观形势。孔明见汉水上流头，有一带土山，可伏千余人；乃回到营中，唤赵云分付：『汝可引五百人，皆带鼓角，伏于土山之下；或半夜，或黄昏，只听我营中炮响：炮响一番，擂鼓一番。——只不要出战。』子龙受计去了。孔明却在高山上暗窥。次日，曹兵到来搦战，

蜀营中一人不出，弓弩亦都不发。曹兵自回。当夜更深，孔明见曹营灯火方息，军士歇定，遂放号炮。子龙听得，令鼓角齐鸣。曹兵惊慌，只疑劫寨。及至出营，不见一军。方才回营欲歇，号炮又响，鼓角又鸣，呐喊震地，山谷应声。曹兵彻夜不安。一连三夜，如此惊疑，操心怯，拔寨退三十里，就空阔处扎营。孔明笑曰：『曹操虽知兵法，不知诡计。』遂请玄德亲渡汉水，背水结营。玄德问计，孔明曰：『可如此如此。』

曹操见玄德背水下寨，心中疑惑，使人来下战书。孔明批来日决战。次日，两军会于中路五界山前，列成阵势。操出马立于门旗下，两行布列龙凤旌旗，擂鼓三通，唤玄德答话。玄德引刘封、孟达并川中诸将而出。操扬鞭大骂曰：『刘备忘恩失义，反叛朝廷之贼！』玄德曰：『吾乃大汉宗亲，奉诏讨贼。汝上弑母后，自立为王，僭用天子銮舆，非反而何？』操怒，命徐晃出马来战。刘封出迎。交战之时，玄德先走入阵。封敌晃不住，拨马便走。操下令：『捉得刘备，便为西川之主。』大军齐呐喊杀过阵来。蜀兵望汉水而逃，尽弃营寨，马匹军器，丢满道上。曹军皆争取。操急鸣金收军。众将曰：『某等正待捉刘备，大王何故收军？』操曰：『吾见蜀兵背汉水安营，其可疑一也；多弃马匹军器，其可疑二也。可急退军，休取衣物。』遂下令曰：『妄取一物者立斩。火速退兵。』曹兵方回头时，孔明号旗举起，玄德中军领兵便出，黄忠左边杀来，赵云右边杀来。曹兵大溃而逃。孔明连夜追赶。操传令军回南郑。只见五路火起——原来魏延、张飞得严颜代守阆中，分兵杀来，先得了南郑。操心惊，望阳平关而走。玄德大兵追至南郑褒州。安民已毕，玄德问孔明曰：『曹操此来，何败之速也？』孔明曰：『操平生为人多疑，虽能用兵，疑则多败。吾以疑兵胜之。』玄德曰：『今操退守阳平关，其势已孤，先生将何策以退之？』孔明曰：『亮已算定了。』便差张飞、魏延分兵两路去截曹操粮道，令黄忠、赵云分兵两路去放火烧山。四路军将，各引向导官军去了。

却说曹操退守阳平关，令军哨探。回报曰：『今蜀兵将远近小路，尽皆塞断；砍柴去处，尽放火烧绝。不知兵在何处。』操正疑惑间，又报张飞、魏延分兵劫粮。操问曰：『谁敢敌张飞？』许褚曰：『某愿往！』操令许褚引一千精兵，去阳平关路上护接粮草。解粮官接着，喜曰：『若非将军到此，粮不得到阳平矣。』遂将车上的酒肉，献与许褚。褚痛饮，不觉大醉，便乘酒兴，催粮车行。解粮官曰：『日已暮矣，前褒州之地，山势险恶，未可过去。』褚曰：『吾有万夫之勇，岂惧他人哉！今夜乘着月色，正好使粮车行走。』许褚当先，横刀纵马，引军前进。二更已后，往褒州路上而来。行至半路，忽山凹里鼓角震天，一枝军当住。为首大将，乃张飞也，挺矛纵马，直取许褚。褚舞刀来迎，却因酒醉，敌不住张飞；敌不数合，被飞一矛刺中肩膀，翻身落马；军士急忙救起，退后便走。张飞尽夺粮草车辆而回。

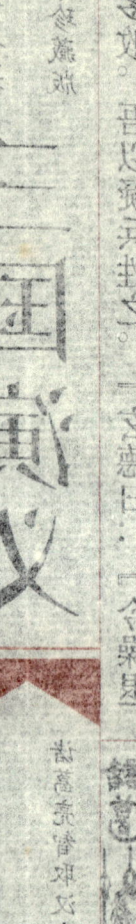

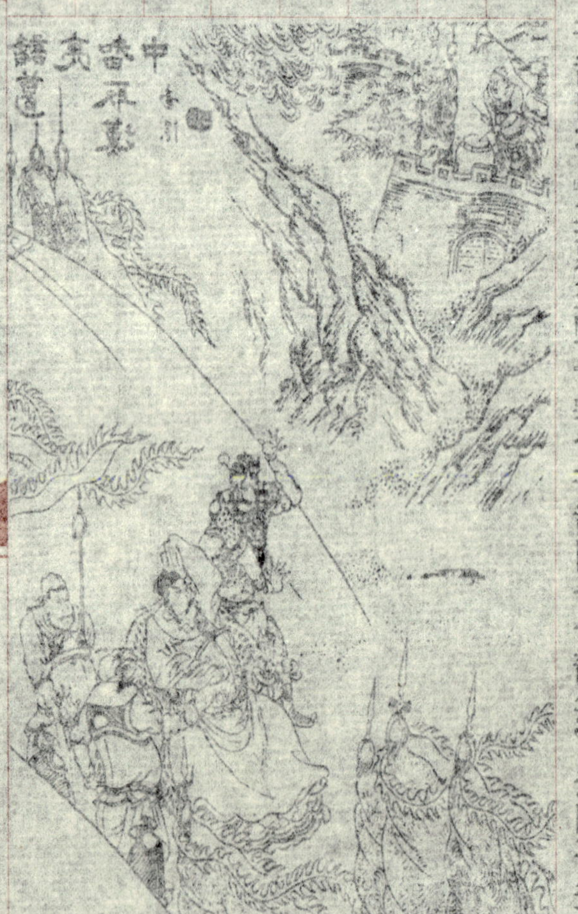

却说众将保着许褚，回见曹操。操令医士疗治金疮，一面亲自提兵来与蜀兵决战。玄德引军出迎。两阵对圆，玄德令刘封出马。操骂曰：『卖履小儿，常使假子拒敌！吾若唤黄须儿来，汝假子为肉泥矣！』刘封大怒，挺枪骤马，径取曹操。操令徐晃来迎，封诈败而走。操引兵追赶。蜀兵营中，四下炮响，鼓角齐鸣。操恐有伏兵，急教退军。曹兵自相践踏，死者极多。奔回阳平关，方才歇定，蜀兵赶到城下：东门放火，西门呐喊；南门放火，北门擂鼓。操大惧，弃关而走。蜀兵从后追袭。操正走之间，前面张飞引一枝兵截住，赵云引一枝兵从背后杀来，黄忠又引兵从褒州杀来。操大败。诸将保护曹操，夺路而走。方逃至斜谷界口，前面尘头忽起，一枝兵到。操曰：『此军若是伏兵，吾休矣！』及兵将近，乃操次子曹彰也。

彰字子文，少善骑射，膂力过人，能手格猛兽。操尝戒之曰：『汝不读书而好弓马，此匹夫之勇，何足贵乎？』彰曰：『大丈夫当学卫青、霍去病，立功沙漠，长驱数十万众，纵横天下；何能作博士耶？』操尝问诸子之志。彰曰：『好为将。』操问：『为将何如？』彰曰：『披坚执锐，临难不顾，身先士卒；赏必行，罚必信。』操大笑。建安二十三年，代郡乌桓反，操令彰引兵五万讨之；临行戒之曰：『居家为父子，受事为君臣。法不徇情，尔宜深戒。』彰到代北，身先战阵，直杀至桑干，北方皆平；因闻操在阳平败阵，故来助战。操见彰至，大喜曰：『我黄须儿来，破刘备必矣！』遂勒兵复回，于斜谷界口安营。

有人报玄德，言曹彰到。玄德问曰：『谁敢去战曹彰？』刘封曰：『某愿往。』孟达又说要去。玄德曰：『汝二人同去，看谁成功。』各引兵五千来迎：刘封在先，孟达在后。曹彰出马与封交战，只三合，封大败而回。

第七十二回 诸葛亮智取汉中 曹阿瞒兵退斜谷

孟达引兵前进，方欲交锋，只见曹兵大乱。原来马超、吴兰两军杀来，曹兵惊动。孟达引兵夹攻。马超士卒，蓄锐日久，到此耀武扬威，势不可当。曹兵败走。曹彰正遇吴兰，两个交锋，不数合，曹彰一戟刺吴兰于马下。三军混战。操收兵于斜谷界中扎住。

操屯兵日久，欲要进兵，又被马超拒守；欲收兵回，又恐被蜀兵耻笑：心中犹豫不决。适庖官进鸡汤。操见碗中有鸡肋，因而有感于怀。正沉吟间，夏侯惇入帐，禀请夜间口号。操随口曰：『鸡肋！鸡肋！』惇传令众官，都称『鸡肋』。行军主簿杨修，见传『鸡肋』二字，便教随行军士，各收拾行装，准备归程。有人报知夏侯惇。惇大惊，遂请杨修至帐中问曰：『公何收拾行装？』修曰：『以今夜号令，便知魏王不日退兵归也：鸡肋者，食之无肉，弃之有味。今进不能胜，退恐人笑，在此无益，不如早归。来日魏王必班师矣。故先收拾行装，免得临行慌乱。』夏侯惇曰：『公真知魏王肺腑也！』遂亦收拾行装。于是寨中诸将，无不准备归计。当夜曹操心乱，不能稳睡，遂手提钢斧，绕寨私行。只见夏侯惇寨内军士，各准备行装。操大惊，急回帐召惇问其故。惇曰：『主簿杨德祖先知大王欲归之意。』操唤杨修问之，修以鸡肋之意对。操大怒曰：『汝怎敢造言，乱我军心！』喝刀斧手推出斩之，将首级号令于辕门外。

原来杨修为人恃才放旷，数犯曹操之忌：操尝造花园一所；造成，操往观之，不置褒贬，只取笔于门上书一『活』字而去。人皆不晓其意。修曰：『「门」内添「活」字，乃「阔」字也。丞相嫌园门阔耳。』于是再筑墙围，改造停当，又请操观之。操大喜，问曰：『谁知吾意？』左右曰：『杨修也。』操虽称美，

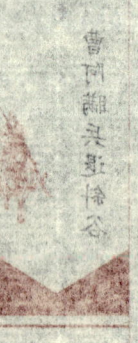

心甚忌之。又一日，塞北送酥一盒至。操自写『一合酥』三字于盒上，置之案头。修入见之，竟取匙与众分食讫。操问其故，修答曰：『盒上明书「一人一口酥」，岂敢违丞相之命乎？』操虽喜笑，而心恶之。操恐人暗中谋害己身，常分付左右：『吾梦中好杀人；凡吾睡着，汝等切勿近前。』一日，昼寝帐中，落被于地，一近侍慌取覆盖。操跃起拔剑斩之，复上床睡；半晌而起，佯惊问：『何人杀吾近侍？』众以实对。操痛哭，命厚葬之。人皆以为操果梦中杀人；惟修知其意，临葬时指而叹曰：『丞相非在梦中，君乃在梦中耳！』操闻而愈恶之。操第三子曹植，爱修之才，常邀修谈论，终夜不息。操与众商议，欲立植为世子。曹丕知之，密请朝歌长吴质入内府商议，因恐有人知觉，乃用大簏(lù)藏吴质于中，只说是绢匹在内，载入府中。修知其事，径来告操。操令人于丕府门伺察之。丕慌告吴质，质曰：『无忧也：明日用大簏装绢再入以惑之。』丕如其言，以大簏载绢入。使者搜看簏中，果绢也，回报曹操。操因疑修谮害曹丕，愈恶之。操欲试曹丕、曹植之才干。一日，令各出邺城门；却密使人分付门吏，令勿放出。曹丕先至，门吏阻之，丕只得退回。植闻之，问于修。修曰：『君奉王命而出，如有阻当者，竟斩之可也。』植然其言。及至门，门吏阻住。植叱曰：『吾奉王命，谁敢阻当！』立斩之。于是曹操以植为能。后有人告操曰：『此乃杨修之所教也。』操大怒，因此亦不喜植。修又尝为曹植作答教十余条，但操有问，植即依条答之。操每以军国之事问植，植对答如流。操心中甚疑。后曹丕暗买植左右，偷答教来告操。操见了大怒曰：『匹夫安敢欺我耶！』此时已有杀修之心；今乃借惑乱军心之罪杀之。修死年三十四岁。后人有诗曰：

聪明杨德祖，世代继簪缨。笔下龙蛇走，胸中锦绣成。开谈惊四座，捷对冠群英。身死因才误，非关欲退兵。

曹操既杀杨修，佯怒夏侯惇，亦欲斩之。众官告免。操乃叱退夏侯惇，下令来日进兵。次日，兵出斜谷界口，前面一军相迎，为首大将乃魏延也。操招魏延归降，延大骂。操令庞德出战。二将正斗间，曹寨内火起。人报马超劫了中后二寨。操拔剑在手曰：『诸将退后者斩！』众将努力向前。魏延诈败而走，操方麾军回战马超，自立马于高阜处，看两军争战。忽一彪军撞至面前，大叫：『魏延在此！』拈弓搭箭，射中曹操。操翻身落马。延弃弓绰刀，骤马上山坡来杀曹操。刺斜里闪出一将，大叫：『休伤吾主！』视之，乃庞德也。德奋力向前，战退魏延，保操前行。马超已退。操带伤归寨：原来被魏延射中人中，折却门牙两个，急令医士调治。方忆杨修之言，随将修尸收回厚葬，就令班师，却教庞德断后。操卧于毡车之中，左右虎贲军护卫而行。忽报斜谷山上两边火起，伏兵赶来。曹兵人人惊恐。正是：依稀昔日潼关厄，仿佛当年赤壁危。未知曹操性命如何，且看下文分解。

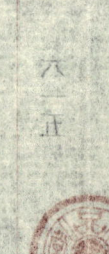

第七十三回　玄德进位汉中王　云长攻拔襄阳郡

却说曹操退兵至斜谷，孔明料他必弃汉中而走，故差马超等诸将，分兵十数路，不时攻劫。因此操不能久住；又被魏延射了一箭，急急班师。三军锐气堕尽。前队才行，两下火起，乃是马超伏兵追赶。曹兵人人丧胆。操令军士急行，晓夜奔走无停；直至京兆，方始安心。

且说玄德命刘封、孟达、王平等，攻取上庸诸郡。申耽等闻操已弃汉中而走，遂皆投降。玄德安民已定，大赏三军，人心大悦。于是众将皆有推尊玄德为帝之心；未敢径启，却来禀告诸葛军师。孔明曰：『吾意已有定夺了。』随引法正等入见玄德，曰：『今曹操专权，百姓无主；主公仁义著于天下，今已抚有两川之地，可以应天顺人，即皇帝位，名正言顺，以讨国贼。事不宜迟，便请择吉。』玄德大惊曰：『军师之言差矣。刘备虽然汉之宗室，乃臣子也；若为此事，是反汉矣。』孔明曰：『非也。方今天下分崩，英雄并起，各霸一方，四海才德之士，舍死亡生而事其上者，皆欲攀龙附凤，建立功名也。今主公避嫌守义，恐失众人之望。愿主公熟思之。』玄德曰：『要吾僭居尊位，吾必不敢。可再商议长策。』诸将齐言曰：『主公若只推却，众心解矣。』孔明曰：『主公平生以义为本，未肯便称尊号。今有荆襄、两川之地，可暂为汉中王。』玄德曰：『汝等虽欲尊吾为王，不得天子明诏，是僭也。』孔明曰：『今宜从权，不可拘执常理。』张飞大叫曰：『异姓之人，皆欲为君，何况哥哥乃汉朝宗派！莫说汉中王，就称皇帝，有何不可！』玄德叱曰：『汝勿多言！』孔明曰：『主公宜从权变，先进位汉中王，然后表奏天子，未为迟也。』

玄德再三推辞不过，只得依允。建安二十四年秋七月，筑坛于沔阳，方圆九里，分布五方，各设旌旗仪仗。群臣皆依次序排列，许靖、法正请玄德登坛，进冠冕玺绶讫，面南而坐，受文武官员拜贺为汉中王。子刘禅，立为王世子。封许靖为太傅，法正为尚书令；诸葛亮为军师，总理军国重事。封关羽、张飞、赵云、马超、黄忠为五虎大将；魏延为汉中太守。其余各拟功勋定爵。

玄德既为汉中王，遂修表一道，差人赍赴许都。表曰：

备以具臣之才，荷上将之任，总督三军，奉辞于外；不能扫除寇难，靖匡王室，久使陛下圣教陵迟，六合之内，否而未泰；惟忧反侧，疢(chén)如疾首。

曩(náng)者董卓，伪为乱阶。自是之后，群凶纵横，残剥海内。赖陛下圣德威临，人臣同应，或忠义奋讨，或上天降罚，暴逆并殪(yì)，以渐冰消。惟独曹操，久未枭除，侵擅国权，恣心极乱。臣昔与车骑将军董承，图谋讨操，机事不密，承见陷害。臣播越失据，忠义不果，遂得使操穷凶极逆：主后戮杀，皇子鸩害。虽纠

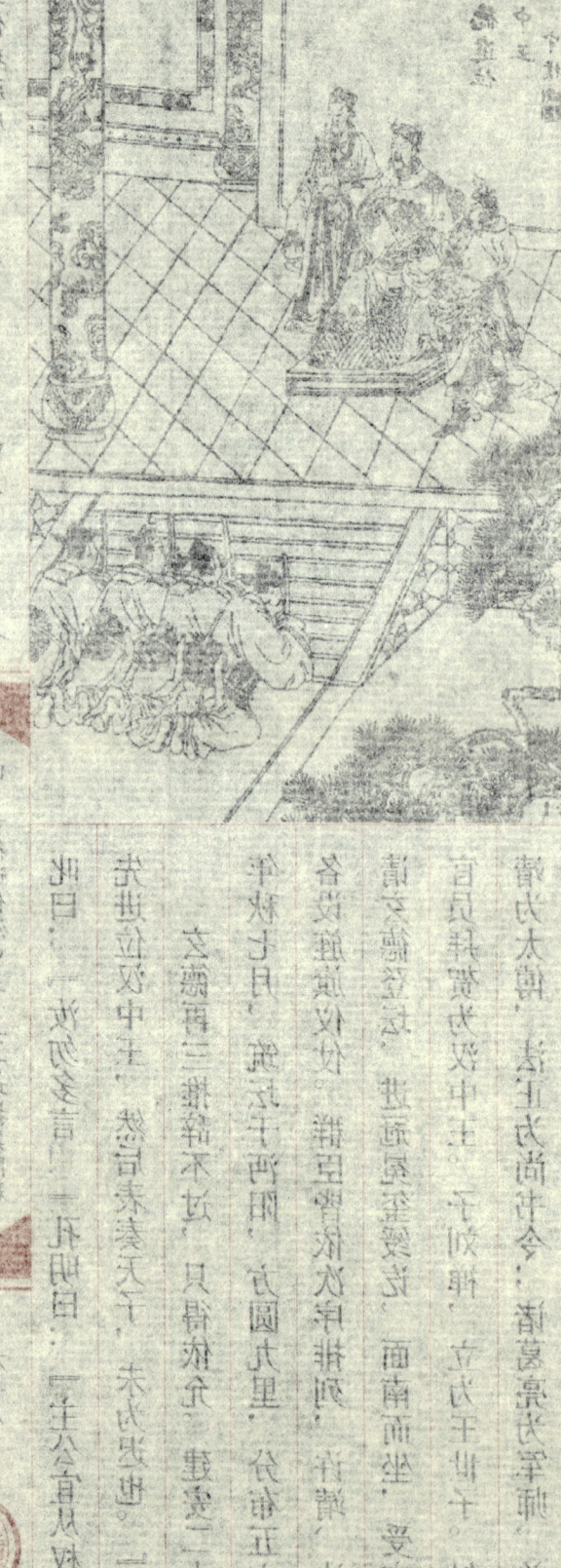

合同盟，念在奋力；懦弱不武，历年未效。常恐殒没，辜负国恩；寤寐永叹，夕惕若厉。

今臣群僚以为：在昔《虞书》，敦叙九族，庶明励翼；帝王相传，此道不废；周监二代，并建诸姬，实赖晋、郑，夹辅之力；高祖龙兴，尊王子弟，大启九国，卒斩诸吕，以安大宗。今操恶直丑正，实繁有徒，包藏祸心，篡盗已显；既宗室微弱，帝族无位，斟酌古式，依假权宜：上臣为大司马、汉中王。

臣伏自三省：受国厚恩，荷任一方，陈力未效，所获已过，不宜复忝高位，以重罪谤。群僚见逼，迫臣以义。臣退惟寇贼不枭，国难未已；宗庙倾危，社稷将坠：诚臣忧心碎首之日。若应权通变，以宁静圣朝，虽赴水火，所不得辞：辄顺众议，拜受印玺，以崇国威。

仰惟爵号，位高宠厚；俯思报效，忧深责重：惊怖惕息，如临于谷。敢不尽力输诚，奖励六师，率齐群义，应天顺时，以宁社稷。谨拜表以闻。

表到许都，曹操在邺郡闻知玄德自立汉中王，大怒曰：『织席小儿，安敢如此！吾誓灭之！』即时传令，尽起倾国之兵，赴两川与汉中王决雌雄。一人出班谏曰：『大王不可因一时之怒，亲劳车驾远征。臣有一计，不须张弓只箭，令刘备在蜀自受其祸；待其兵衰力尽，只须一将往征之，便可成功。』操视其人，乃司马懿也。操喜问曰：『仲达有何高见？』懿曰：『江东孙权，以妹嫁刘备，而又乘间窃取回去；刘备又据占荆州不还：彼此俱有切齿之恨。今可差一舌辩之士，赍书往说孙权，使兴兵取荆州；刘备必发两川之兵以救荆州。那时大王兴兵去取汉川，令刘备首尾不能相救，势必危矣。』

操大喜，即修书令满宠为使，星夜投江东来见孙权。权知满宠到，遂与谋士商议。张昭进曰：『魏与吴本无仇；前因听诸葛之说词，致两家连年征战不息，生灵遭其涂炭。今满伯宁来，必有讲和之意，可以礼接之。』权依其言，令众谋士接满宠入城相见。礼毕，权以宾礼待宠。宠呈上操书，曰：『吴、魏自来无仇，皆因刘备之故，致生衅隙。魏王差某到此，约将军攻取荆州，魏王以兵临汉川，首尾夹击。破刘之后，共分疆土，誓不相侵。』孙权览书毕，设筵相待满宠，送归馆舍安歇。

权与众谋士商议。顾雍曰：『虽是说词，其中有理。今可一面送满宠回，约会曹操，首尾相击；一面使人过江探云长动静，方可行事。』诸葛瑾曰：『某闻云长自到荆州，刘备娶与妻室，先生一子，次生一女。其女尚幼，未许字人。某愿往与主公世子求婚。若云长肯许，即与云长计议共破曹操；若云长不肯，然后助曹取荆州。』孙权用其谋，先送满宠回许都；却遣诸葛瑾为使，投荆州来。入城见云长，礼毕。云长曰：『子瑜此来何意？』瑾曰：『特来求结两家之好：吾主吴侯有一子，甚聪明；闻将军有一女，特来求亲。两家结好，并力破曹。此诚美事，请君侯思之。』云长勃然大怒曰：『吾虎女安肯嫁犬子乎！不看汝弟之面，

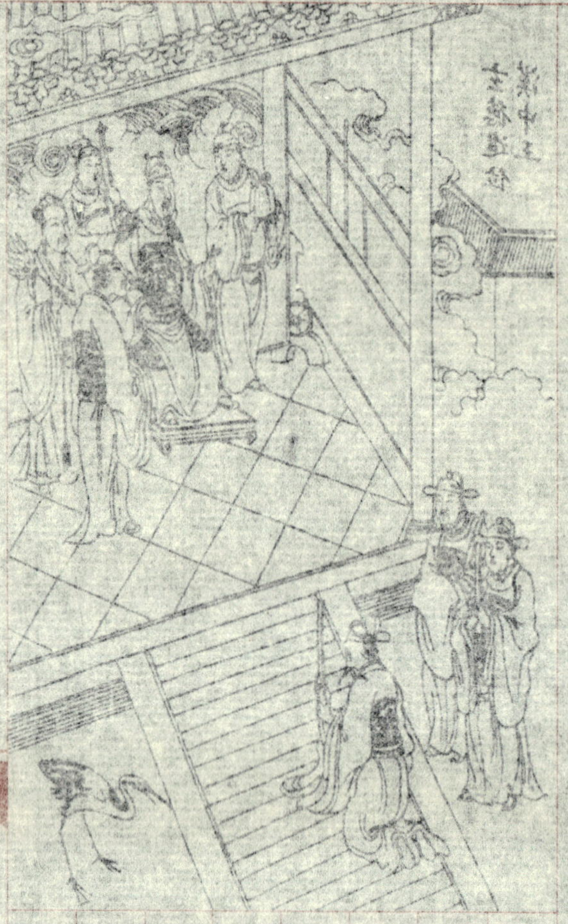

立斩汝首！再休多言！』遂唤左右逐出。瑾抱头鼠窜，回见吴侯，不敢隐匿，遂以实告。权大怒曰：『何太无礼耶！』便唤张昭等文武官员，商议取荆州之策。步骘曰：『曹操久欲篡汉，所惧者刘备也；今遣使来令吴兴兵吞蜀，此嫁祸于吴也。』权曰：『孤亦欲取荆州久矣。』骘曰：『今曹仁现屯兵于襄阳、樊城，又无长江之险，旱路可取荆州；如何不取，却令主公动兵？只此便见其心。主公可遣使去许都见操，令曹仁旱路先起兵取荆州，云长必掣荆州之兵而取樊城。若云长一动，主公可遣一将，暗取荆州，一举可得矣。』权从其议，即时遣使过江，上书曹操，陈说此事。操大喜，发付使者先回，随遣满宠往樊城助曹仁，为参谋官，商议动兵；一面驰檄东吴，令领兵水路接应，以取荆州。

却说汉中王令魏延总督军马，守御东川，遂引百官回成都。差官起造宫庭，又置馆舍，自成都至白水，共建四百余处馆舍亭邮。广积粮草，多造军器，以图进取中原。细作人探听得曹操结连东吴，欲取荆州，即飞报入蜀。汉中王忙请孔明商议。孔明曰：『某已料曹操必有此谋；然吴中谋士极多，必教操令曹仁先兴兵矣。』汉中王曰：『似此如之奈何？』孔明曰：『可差使命就送官诰与云长，令先起兵取樊城，使敌军胆寒，自然瓦解矣。』汉中王大喜，即差前部司马费诗为使，赍捧诰命投荆州来。云长出郭，迎接入城。至公廨礼毕，云长问曰：『汉中王封我何爵？』诗曰：『「五虎大将」之首。』云长问：『那五虎将？』诗曰：『关、张、赵、马、黄是也。』云长怒曰：『翼德吾弟也；孟起世代名家；子龙久随吾兄，即吾弟也；位与吾相并，可也。黄忠何等人，敢与吾同列？大丈夫终不与老卒为伍！』遂不肯受印。诗笑曰：『将

军差矣。昔萧何、曹参与高祖同举大事，最为亲近，而韩信乃楚之亡将也；然信位为王，居萧、曹之上，未闻萧、曹以此为怨。今汉中王虽有「五虎将」之封，而与将军有兄弟之义，视同一体。将军即汉中王，汉中王即将军也。岂与诸人等哉？将军受汉中王厚恩，当与同休戚，共祸福，不宜计较官号之高下。愿将军熟思之。』云长大悟，乃再拜曰：『某之不明，非足下见教，几误大事。』即拜受印绶。

费诗方出王旨，令云长领兵取樊城。云长领命，即时便差傅士仁、糜芳二人为先锋，先引一军于荆州城外屯扎；一面设宴城中，款待费诗。饮至二更，忽报城外寨中火起。云长急披挂上马，出城看时，乃是傅士仁、糜芳饮酒，帐后遗火，烧着火炮，满营撼动，把军器粮草，尽皆烧毁。云长引兵救扑，至四更方才火灭。云长入城，召傅士仁、糜芳责之曰：『吾令汝二人作先锋，不曾出师，先将许多军器粮草烧毁，火炮打死本部军人：如此误事，要你二人何用！』叱令斩之。费诗告曰：『未曾出师，先斩大将，于军不利。可暂免其罪。』云长怒气不息，叱二人曰：『吾不看费司马之面，必斩汝二人之首！』乃唤武士各杖四十，摘去先锋印绶，罚糜芳守南郡，傅士仁守公安；且曰：『若吾得胜回来之日，稍有差池，二罪俱罚！』二人满面羞惭，喏喏而去。云长便令廖化为先锋，关平为副将，自总中军，马良、伊籍为参谋，一同征进。先是，有胡华之子胡班，到荆州来投降关公；公念其旧日相救之情，甚爱之；令随费诗入川，见汉中王受爵。费诗辞别关公，带了胡班，自回蜀中去了。

且说关公是日祭了『帅』字大旗，假寐于帐中。忽见一猪，其大如牛，浑身黑色，奔入帐中，径咬云

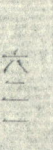

长之足。云长大怒，急拔剑斩之，声如裂帛。霎然惊觉，乃是一梦。便觉左足阴阴疼痛，心中大疑。唤关平至，以梦告之。平对曰：『猪亦有龙象。龙附足，乃升腾之意，不必疑忌。』云长聚多官于帐下，告以梦兆。或言吉祥者，或言不祥者，众论不一。云长曰：『吾大丈夫年近六旬，即死何憾！』正言间，蜀使至，传汉中王旨，拜云长为前将军，假节钺，都督荆襄九郡事。云长受命讫，众官拜贺曰：『此足见猪龙之瑞也。』于是云长坦然不疑，遂起兵奔襄阳大路而来。

曹仁正在城中，忽报云长自领兵来。仁大惊，欲坚守不出。副将翟元曰：『今魏王令将军约会东吴取荆州；今彼自来，是送死也，何故避之？』参谋满宠谏曰：『吾素知云长勇而有谋，未可轻敌。不如坚守，乃为上策。』骁将夏侯存曰：『此书生之言耳。岂不闻「水来土掩，将至兵迎」？我军以逸待劳，自可取胜。』曹仁从其言，令满宠守樊城，自领兵来迎云长。云长知曹兵来，唤关平、廖化二将，受计而往。与曹兵两阵对圆，廖化出马搦战。翟元出迎。二将战不多时，化诈败，拨马便走，翟元从后追杀，荆州兵退二十里。次日，又来搦战。夏侯存、翟元一齐出迎，荆州兵又败，又追杀二十余里。忽听得背后喊声大震，鼓角齐鸣。曹仁急命前军速回，背后关平、廖化杀来，曹兵大乱。曹仁知是中计，先掣一军飞奔襄阳；离城数里，前面绣旗招飐，云长勒马横刀，拦住去路。曹仁胆战心惊，不敢交锋，望襄阳斜路而走。云长不赶。须臾，夏侯存军至，见了云长，大怒，便与云长交锋，只一合，被云长砍死。翟元便走，被关平赶上，一刀斩之。乘势追杀，曹兵大半死于襄江之中。曹仁退守樊城。

云长得了襄阳，赏军抚民。随军司马王甫曰：『将军一鼓而下襄阳，曹兵虽然丧胆，然以愚意论之：今东吴吕蒙屯兵陆口，常有吞并荆州之意；倘率兵径取荆州，如之奈何？』云长曰：『吾亦念及此。汝便可提调此事：去沿江上下，或二十里，或三十里，选高阜处置一烽火台，每台用五十军守之；倘吴兵渡江，夜则明火，昼则举烟为号。吾当亲往击之。』王甫曰：『糜芳、傅士仁守二隘口，恐不竭力；必须再得一人以总督荆州。』云长曰：『吾已差治中潘濬守之，有何虑焉？』甫曰：『潘濬平生多忌而好利，不可任用。可差军前都督粮料官赵累代之。赵累为人忠诚廉直。若用此人，万无一失。』云长曰：『吾素知潘濬为人，今既差定，不必更改。赵累现掌粮料，亦是重事。汝勿多疑，只与我筑烽火台去。』王甫怏怏拜辞而行。云长令关平准备船只渡襄江，攻打樊城。

却说曹仁折了二将，退守樊城，谓满宠曰：『不听公言，兵败将亡，失却襄阳，如之奈何？』宠曰：『云长虎将，足智多谋，不可轻敌，只宜坚守。』正言间，人报云长渡江而来，攻打樊城。仁大惊。宠曰：『只宜坚守。』部将吕常奋然曰：『某乞兵数千，愿当来军于襄江之内。』宠谏曰：『不可。』吕常怒曰：

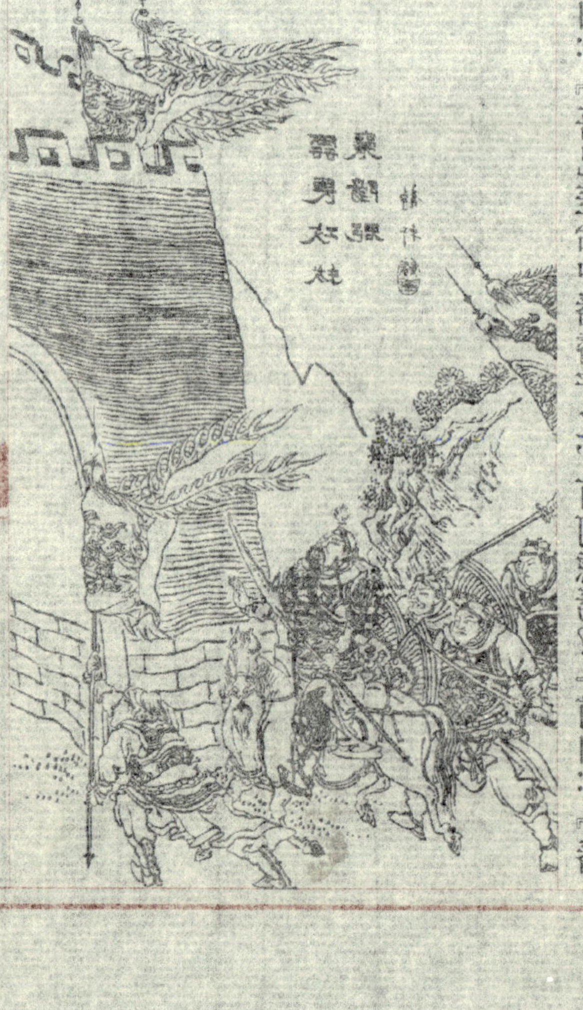

『据汝等文官之言，只宜坚守，何能退敌？岂不闻兵法云：「军半渡可击。」今云长军半渡襄江，何不击之？若兵临城下，将至壕边，急难抵当矣。』仁即与兵二千，令吕常出樊城迎战。吕常来至江口，只见前面绣旗开处，云长横刀出马。吕常却欲来迎，后面众军见云长神威凛凛，不战先走，吕常喝止不住。云长混杀过来，曹兵大败，马步军折其大半，残败军奔入樊城。曹仁急差人求救。使命星夜至长安，将书呈上曹操，言：『云长破了襄阳，现围樊城甚急。望拨大将前来救援。』曹操指班部内一人而言曰：『汝可去解樊城之围。』其人应声而出。众视之，乃于禁也。禁曰：『某求一将作先锋，领兵同去。』操又问众人曰：『谁敢作先锋？』一人奋然出曰：『某愿施犬马之劳，生擒关某，献于麾下。』操观之大喜。正是：未见东吴来伺隙，先看北魏又添兵。未知此人是谁，且看下文分解。

第七十四回 庞令明抬榇(chén)决死战 关云长放水淹七军

却说曹操欲使于禁赴樊城救援，问众将谁敢作先锋。一人应声愿往。操视之，乃庞德也。操大喜曰：『关某威震华夏，未逢对手；今遇令明，真劲敌也。』遂加于禁为征南将军，加庞德为征西都先锋，大起七军，前往樊城。这七军，皆北方强壮之士。两员领军将校：一名董衡，一名董超；当日引各头目参拜于禁。董衡曰：『今将军提七枝重兵，去解樊城之厄，期在必胜；乃用庞德为先锋，岂不误事？』禁惊问其故。衡曰：『庞德原系马超手下副将，不得已而降魏；今其故主在蜀，职居「五虎上将」；况其亲兄庞柔亦在西川为官：今使他为先锋，是泼油救火也。将军何不启知魏王，别换一人去？』

禁闻此语，遂连夜入府启知曹操。操省悟，即唤庞德至阶下，令纳下先锋印。德大惊曰：『某正欲与大王出力，何故不肯见用？』操曰：『孤本无猜疑；但今马超现在西川，汝兄庞柔亦在西川，俱佐刘备：孤纵不疑，奈众口何？』庞德闻之，免冠顿首，流血满面而告曰：『某自汉中投降大王，每感厚恩，虽肝脑涂地，不能补报；大王何疑于德也？德昔在故乡时，与兄同居，嫂甚不贤，德乘醉杀之；兄恨德入骨髓，誓不相见，恩已断矣。故主马超，有勇无谋，兵败地亡，孤身入川，今与德各事其主，旧义已绝。德感大王恩遇，安敢萌异志？惟大王察之。』操乃扶起庞德，抚慰曰：『孤素知卿忠义，前言特以安众人之心耳。卿可努力建功。卿不负孤，孤亦必不负卿也。』

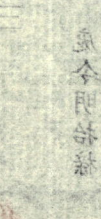

德拜谢回家，令匠人造一木榇。次日，请诸友赴席，列榇于堂。众亲友见之，皆惊问曰：『将军出师，何用此不祥之物？』德举杯谓亲友曰：『吾受魏王厚恩，誓以死报。今去樊城与关某决战，我若不能杀彼，必为彼所杀；即不为彼所杀，我亦当自杀：故先备此榇，以示无空回之理。』众皆嗟叹。德唤其妻李氏与其子庞会出，谓其妻曰：『吾今为先锋，义当效死疆场。我若死，汝好生看养吾儿，吾儿有异相，长大必当与吾报仇也。』妻子痛哭送别，德令扶榇而行。临行，谓部将曰：『吾今去与关某死战，我若被关某所杀，汝等即取吾尸置此榇中；我若杀了关某，吾亦即取其首，置此榇内，回献魏王。』部将五百人皆曰：『将军如此忠勇，某等敢不竭力相助！』于是引军前进。有人将此言报知曹操。操喜曰：『庞德忠勇如此，孤何忧焉！』贾诩曰：『庞德恃血气之勇，欲与关某决死战，臣窃虑之。』操然其言，急令人传旨戒庞德曰：『关某智勇双全，切不可轻敌。可取则取，不可取则宜谨守。』庞德闻命，谓众将曰：『大王何重视关某也？吾料此去，当挫关某三十年之声价。』禁曰：『魏王之言，不可不从。』德奋然趱军前至樊城，耀武扬威，鸣锣击鼓。

却说关公正坐帐中，忽探马飞报：『曹操差于禁为将，领七枝精壮兵到来。前部先锋庞德，军前抬一木榇，口出不逊之言，誓欲与将军决一死战。兵离城止三十里矣。』关公闻言，勃然变色，美髯飘动，大怒曰：『天下英雄，闻吾之名，无不畏服；庞德竖子，何敢藐视吾耶！关平一面攻打樊城，吾自去斩此匹夫，以雪吾恨！』平曰：『父亲不可以泰山之重，与顽石争高下。辱子愿代父去战庞德。』关公曰：『汝试一往，吾随后便来接应。』关平出帐，提刀上马，领兵来迎庞德。两阵对圆，魏营一面皂旗上大书『南安庞德』四

个白字。庞德青袍银铠，钢刀白马，立于阵前；背后五百军兵紧随，步卒数人肩抬木榇而出。关平大骂庞德：『背主之贼！』庞德问部卒曰：『此何人也？』或答曰：『此关公义子关平也。』德叫曰：『吾奉魏王旨，来取汝父之首！汝乃疥癞小儿，吾不杀汝！快唤汝父来！』平大怒，纵马舞刀，来取庞德。德横刀来迎。战三十合，不分胜负，两家各歇。

早有人报知关公。公大怒，令廖化去攻樊城，自己亲来迎敌庞德。关平接着，言与庞德交战，不分胜负。关公随即横刀出马，大叫曰：『关云长在此，庞德何不早来受死！』鼓声响处，庞德出马曰：『吾奉魏王旨，特来取汝首！恐汝不信，备榇在此。汝若怕死，早下马受降！』关公大骂曰：『量汝一匹夫，亦何能为！可惜我青龙刀斩汝鼠贼！』纵马舞刀，来取庞德。德轮刀来迎。二将战有百余合，精神倍长。两军各看得痴呆了。魏军恐庞德有失，急令鸣金收军。关平恐父年老，亦急鸣金。二将各退。庞德归寨，对众曰：『人言关公英雄，今日方信也。』正言间，于禁至。相见毕，禁曰：『闻将军战关公，百合之上，未得便宜，何不且退军避之？』德奋然曰：『魏王命将军为大将，何太弱也？吾来日与关某共决一死，誓不退避！』禁不敢阻而回。

却说关公回寨，谓关平曰：『庞德刀法惯熟，真吾敌手。』平曰：『俗云：「初生之犊不惧虎。」父亲纵然斩了此人，只是西羌一小卒耳；倘有疏虞，非所以重伯父之托也。』关公曰：『吾不杀此人，何以雪恨？吾意已决，再勿多言！』次日，上马引兵前进。庞德亦引兵来迎。两阵对圆，二将齐出，更不打话，出马交锋。斗至五十余合，庞德拨回马，拖刀而走。关公随后追赶，关平恐有疏失，亦随后赶去。关公口

中大骂：「庞贼！欲使拖刀计，吾岂惧汝？」原来庞德虚作拖刀势，却把刀就鞍鞒挂住，偷拽雕弓，搭上箭，射将来。关平眼快，见庞德拽弓，大叫：「贼将休放冷箭！」关公急睁眼看时，弓弦响处，箭早到来；躲闪不及，正中左臂。关平马到，救父回营。庞德勒回马轮刀赶来，忽听得本营锣声大震。德恐后军有失，急勒马回。原来于禁见庞德射中关公，恐他成了大功，灭己威风，故鸣金收军。庞德回马，问：「何故鸣金？」于禁曰：「魏王有戒：关公智勇双全。他虽中箭，只恐有诈，故鸣金收军。」德曰：「若不收军，吾已斩了此人也。」禁曰：「『紧行无好步』，当缓图之。」庞德不知于禁之意，只懊悔不已。

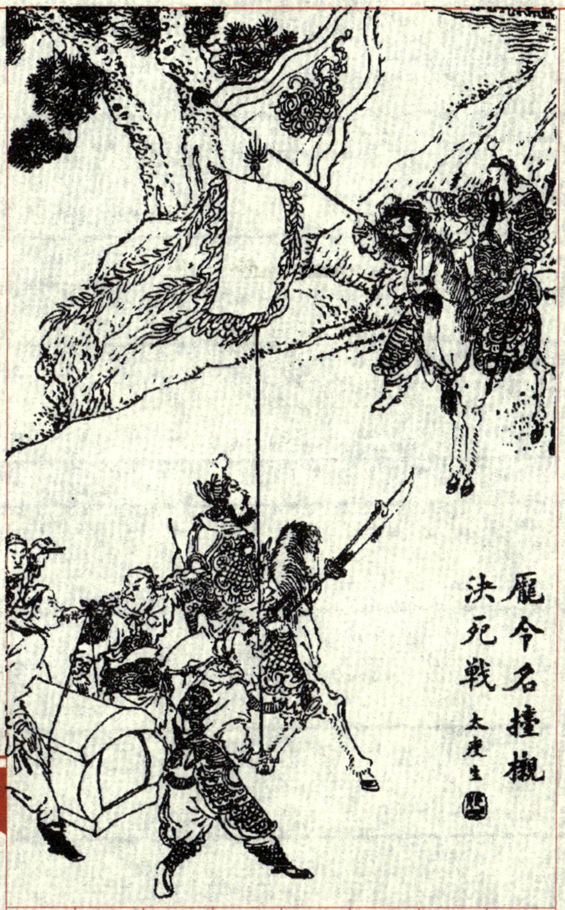

却说关公回营，拔了箭头。幸得箭射不深，用金疮药敷之。关公痛恨庞德，谓众将曰：「吾誓报此一箭之仇！」众将对曰：「将军且暂安息几日，然后与战未迟。」次日人报庞德引军搦战，关公就要出战。众将劝住。庞德令小军毁骂。关平把住隘口，分付众将休报知关公。庞德搦战十余日，无人出迎，乃与于禁商议曰：「眼见关公箭疮举发，不能动止；不若乘此机会，统七军一拥杀入寨中，可救樊城之围。」于禁恐庞德成功，只把魏王戒旨相推，不肯动兵。庞德累欲动兵，于禁只不允，乃移七军转过山口，离樊城北十里，依山下寨。禁自领兵截断大路，令庞德屯兵于谷后：使德不能进兵成功。

却说关平见关公箭疮已合，甚是喜悦。忽听得于禁移七军于樊城之北下寨，未知其谋，即报知关公。公遂上马，引数骑上高阜处望之，见樊城城上旗号不整，军士慌乱；城北十里山谷之内，屯着军马；又见襄江水势甚急。看了半晌，唤向导官问曰：「樊城北十里山谷，是何地名？」对曰：「罾(zēng)口川也。」关公喜曰：「于禁必为我擒矣。」将士问曰：「将军何以知之？」关公曰：「『鱼』入『罾口』，岂能久乎？」诸将未信。公回本寨。时值八月秋天，骤雨数日。公令人预备船筏，收拾水具。关平问曰：「陆地相持，何用水具？」公曰：「非汝所知也。于禁七军不屯于广易之地，而聚于罾口川险隘之处；方今秋雨连绵，襄江之水必然泛涨；吾已差人堰住各处水口，待水发时，乘高就船，放水一淹，樊城、罾口川之兵皆为鱼鳖矣。」关平拜服。

却说魏军屯于罾口川，连日大雨不止，督将成何来见于禁曰：「大军屯于川口，地势甚低；虽有土山，离营稍远。即今秋雨连绵，军士艰辛。近有人报说荆州兵移于高阜处，又于汉水口预备战筏；倘江水泛涨，我军危矣：宜早为计。」于禁叱曰：「匹夫惑吾军心耶！再有多言者斩之！」成何羞惭而退，却来见庞德，说此事。德曰：「汝所见甚当。于将军不肯移兵，吾明日自移军屯于他处。」

计议方定，是夜风雨大作。庞德坐于帐中，只听得万马争奔，征鼙震地。德大惊，急出帐上马看时，四面八方，大水骤至；七军乱窜，随波逐浪者，不计其数。平地水深丈余，于禁、庞德与诸将各登小山避水。比及平明，关公及众将皆摇旗鼓噪，乘大船而来。于禁见四下无路，左右止有五六十人，料不能逃，口称『愿降』。

关公令尽去衣甲，拘收入船，然后来擒庞德。时庞德并二董及成何，与步卒五百人，皆无衣甲，立在堤上。见关公来，庞德全无惧怯，奋然前来接战。关公将船四面围定，军士一齐放箭，射死魏兵大半。董衡、董超见势已危，乃告庞德曰：『军士折伤大半，四下无路，不如投降。』庞德大怒曰：『吾受魏王厚恩，岂肯屈节于人！』遂亲斩董衡、董超于前，厉声曰：『再说降者，以此二人为例！』于是众皆奋力御敌，自平明战至日中，勇力倍增。关公催四面急攻，矢石如雨。德令军士用短兵接战，德回顾成何曰：『吾闻「勇将不怯死以苟免，壮士不毁节而求生」。今日乃我死日也。汝可努力死战。』成何依令向前，被关公一箭射落水中。众军皆降，止有庞德一人力战。正遇荆州数十人，驾小船近堤来，德提刀飞身一跃，早上小船，立杀十余人，余皆弃船赴水逃命。庞德一手提刀，一手使短棹，欲向樊城而走。只见上流头，一将撑大筏而至，将小船撞翻，庞德落于水中。船上那将跳下水去，生擒庞德上船。众视之，擒庞德者，乃周仓也。仓素知水性，又在荆州住了数年，愈加惯熟；更兼力大，因此擒了庞德。于禁所领七军，皆死于水中。其会水者料无去路，亦皆投降。后人有诗曰：

夜半征鼙响震天，襄樊平地作深渊。

关公神算谁能及，华夏威名万古传。

关公回到高阜去处，升帐而坐，群刀手押过于禁来。禁拜伏于地，乞哀请命。关公曰：『汝怎敢抗吾？』禁曰：『上命差遣，身不由己，望君侯怜悯，誓以死报。』公绰髯笑曰：『吾杀汝，犹杀狗彘耳，空污刀斧！』令人缚送荆州大牢内监候：『待吾回，别作区处。』发落去讫。关公又令押过庞德。德睁眉怒目，立而不跪，关公曰：『汝兄现在汉中，汝故主马超，亦在蜀中为大将；汝如何不早降？』德大怒曰：『吾宁死于刀下，

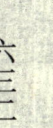

岂降汝耶！』骂不绝口。公大怒，喝令刀斧手推出斩之。德引颈受刑。关公怜而葬之。于是乘水势未退，复上战船，引大小将校来攻樊城。

却说樊城周围，白浪滔天，水势益甚，城垣渐渐浸塌，男女担土搬砖，填塞不住。曹军众将，无不丧胆，慌忙来告曹仁曰：『今日之危，非力可救；可趁敌军未至，乘舟夜走；虽然失城，尚可全身。』仁从其言。方欲备船出走，满宠谏曰：『不可。山水骤至，岂能长存？不旬日即当自退。关公虽未攻城，已遣别将在郏下。其所以不敢轻进者，虑吾军袭其后也。今若弃城而去，黄河以南，非国家之有矣。愿将军固守此城，以为保障。』仁拱手称谢曰：『非伯宁之教，几误大事。』乃骑白马上城，聚众将发誓曰：『吾受魏王命，保守此城；但有言弃城而去者斩！』诸将皆曰：『某等愿以死据守！』仁大喜，就城上设弓弩数百，军士昼夜防护，不敢懈怠。老幼居民，担土石填塞城垣。旬日之内，水势渐退。

关公自擒魏将于禁等，威震天下，无不惊骇。忽次子关兴来寨内省亲。公就令兴赍诸官立功文书去成都见汉中王，各求升迁。兴拜辞父亲，径投成都去讫。

却说关公分兵一半，直抵郏下。公自领兵四面攻打樊城。当日关公自到北门，立马扬鞭，指而问曰：『汝等鼠辈，不早来降，更待何时？』正言间，曹仁在敌楼上，见关公身上止披掩心甲，斜袒着绿袍，乃急招五百弓弩手，一齐放箭。公急勒马回时，右臂上中一弩箭，翻身落马。正是：水里七军方丧胆，城中一箭忽伤身。未知关公性命如何，且看下文分解。

第七十五回　关云长刮骨疗毒　吕子明白衣渡江

却说曹仁见关公落马，即引兵冲出城来；被关平一阵杀回，救关公归寨，拔出臂箭。原来箭头有药，毒已入骨，右臂青肿，不能运动。关平慌与众将商议曰：『父亲若损此臂，安能出敌？不如暂回荆州调理。』于是与众将入帐见关公。公问曰：『汝等来有何事？』众对曰：『某等因见君侯右臂损伤，恐临敌致怒，冲突不便。众议可暂班师回荆州调理。』公怒曰：『吾取樊城，只在目前；取了樊城，即当长驱大进，径到许都，剿灭操贼，以安汉室。岂可因小疮而误大事？汝等敢慢吾军心耶！』平等默然而退。

众将见公不肯退兵，疮又不痊，只得四方访问名医。忽一日，有人从江东驾小舟而来，直至寨前。小校引见关平。平视其人：方巾阔服，臂挽青囊；自言姓名，乃沛国谯郡人，姓华，名佗，字元化。因闻关将军乃天下英雄，今中毒箭，特来医治。平曰：『莫非昔日医东吴周泰者乎？』佗曰：『然。』平大喜，即与众将同引华佗入帐见关公。时关公本是臂疼，恐慢军心，无可消遣，正与马良弈棋；闻有医者至，即召入。礼毕，赐坐。茶罢，佗请臂视之。公袒下衣袍，伸臂令佗看视。佗曰：『此乃弩箭所伤，其中有乌头之药，直透入骨；若不早治，此臂无用矣。』公曰：『用何物治之？』佗曰：『某自有治法。但恐君侯惧耳。』公笑曰：『吾视死如归，有何惧哉？』佗曰：『当于静处立一标柱，上钉大环，请君侯将臂穿于环中，以绳系之，然后以被蒙其首。吾用尖刀割开皮肉，直至于骨，刮去骨上箭毒，用药敷之，以线缝其口，

方可无事。但恐君侯惧耳。』公笑曰：『如此，容易！何用柱环？』令设酒席相待。

公饮数杯酒毕，一面仍与马良弈棋，伸臂令佗割之。佗取尖刀在手，令一小校捧一大盆于臂下接血。佗曰：『某便下手，君侯勿惊。』公曰：『任汝医治。吾岂比世间俗子，惧痛者耶！』佗乃下刀，割开皮肉，直至于骨，骨上已青；佗用刀刮骨，悉悉有声。帐上帐下见者，皆掩面失色。公饮酒食肉，谈笑弈棋，全无痛苦之色。

须臾，血流盈盆。佗刮尽其毒，敷上药，以线缝之。公大笑而起，谓众将曰：『此臂伸舒如故，并无痛矣。先生真神医也！』佗曰：『某为医一生，未尝见此。君侯真天神也！』后人有诗曰：

治病须分内外科，世间妙艺苦无多。神威罕及惟关将，圣手能医说华佗。

关公箭疮既愈，设席款谢华佗。佗曰：『君侯箭疮虽治，然须爱护。切勿怒气伤触，过百日后，平复如旧矣。』关公以金百两酬之。佗曰：『某闻君侯高义，特来医治，岂望报乎！』坚辞不受，留药一帖，

以敷疮口，辞别而去。

却说关公擒了于禁，斩了庞德，威名大震，华夏皆惊。探马报到许都，曹操大惊，聚文武商议曰：『某素知云长智勇盖世，今据荆襄，如虎生翼。于禁被擒，庞德被斩，魏兵挫锐，倘彼率兵直至许都，如之奈何？孤欲迁都以避之。』司马懿谏曰：『不可。于禁等被水所淹，非战之故，于国家大计，本无所损。今孙、刘失好，云长得志，孙权必不喜，大王可遣使去东吴陈说利害，令孙权暗暗起兵蹑云长之后，许事平之日，割江南之地以封孙权：则樊城之危自解矣。』主簿蒋济曰：『仲达之言是也。今可即发使往东吴，不必迁都动众。』操依允，遂不迁都；因叹谓诸将曰：『于禁从孤三十年，何期临危反不如庞德也！今一面遣使致书东吴，一面必得一大将以当云长之锐……』言未毕，阶下一将应声而出曰：『某愿往。』操视之，乃徐晃也。操大喜，遂拨精兵五万，令徐晃为将，吕建副之，克日起兵，前到阳陵坡驻扎；看东南有应，然后征进。

却说孙权接得曹操书信，览毕，欣然应允，即修书发付使者先回，乃聚文武商议。张昭曰：『近闻云长擒于禁，斩庞德，威震华夏，操欲迁都以避其锋。今樊城危急，遣使求救，事定之后，恐有反覆。』权未及发言，忽报：『吕蒙乘小舟自陆口来，有事面禀。』权召入问之，蒙曰：『今云长提兵围樊城，可乘其远出，袭取荆州。』权曰：『孤欲北取徐州，如何？』蒙曰：『今操远在河北，未暇东顾，徐州守兵无多，往自可克；然其地势利于陆战，不利水战，纵然得之，亦难保守。不如先取荆州，全据长江，别作良图。』

权曰：『孤本欲取荆州，前言特以试卿耳。卿可速为孤图之。孤当随后便起兵也。』

吕蒙辞了孙权，回至陆口，早有哨马报说：『沿江上下，或二十里，或三十里，高阜处各有烽火台。』又闻荆州军马整肃，预有准备，蒙大惊曰：『若如此，急难图也。我一时在吴侯面前劝取荆州，今却如何处置？』寻思无计，乃托病不出，使人回报孙权。权闻吕蒙患病，心甚怏怏，陆逊进言曰：『吕子明之病，乃诈耳，非真病也。』权曰：『伯言既知其诈，可往视之。』陆逊领命，星夜至陆口寨中，来见吕蒙，果然面无病色。逊曰：『某奉吴侯命，敬探子明贵恙。』蒙曰：『贱躯偶病，何劳探问。』逊曰：『吴侯以重任付公，公不乘时而动，空怀郁结，何也？』蒙目视陆逊，良久不语。逊又曰：『愚有小方，能治将军之疾，未审可用否？』蒙乃屏退左右而问曰：『伯言良方，乞早赐教。』逊笑曰：『子明之疾，不过因荆州兵马整肃，沿江有烽火台之备耳。予有一计，令沿江守吏，不能举火；荆州之兵，束手归降，可乎？』蒙惊谢曰：『伯言之语，如见我肺腑。愿闻良策。』陆逊曰：『云长倚恃英雄，自料无敌，所虑者惟将军耳。将军乘此机会，托疾辞职，以陆口之任让之他人，使他人卑辞赞美关公，以骄其心，彼必尽撤荆州之兵，以向樊城。若荆州无备，用一旅之师，别出奇计以袭之，则荆州在掌握之中矣。』蒙大喜曰：『真良策也！』

由是吕蒙托病不起，上书辞职。陆逊回见孙权，具言前计。孙权乃召吕蒙还建业养病。蒙至，入见权，权问曰：『陆口之任，昔周公瑾荐鲁子敬以自代，后子敬又荐卿自代；今卿亦须荐一才望兼隆者，代卿为妙。』蒙曰：『若用望重之人，云长必然提备。陆逊意思深长，而未有远名，非云长所忌；若即用以代臣

之任，必有所济。』权大喜，即日拜陆逊为偏将军、右都督，代蒙守陆口。逊谢曰：『某年幼无学，恐不堪重任。』权曰：『子明保卿，必不差错。卿毋得推辞。』逊乃拜受印绶，连夜往陆口；交割马步水三军已毕，即修书一封，具名马、异锦、酒礼等物，遣使赍赴樊城见关公。

时公正将息箭疮，按兵不动。忽报：『江东陆口守将吕蒙病危，孙权取回调理，近拜陆逊为将，代吕蒙守陆口。今逊差人赍书具礼，特来拜见。』关公召入，指来使而言曰：『仲谋见识短浅，用此孺子为将！』来使伏地告曰：『陆将军呈书备礼：一来与君侯作贺，二来求两家和好。幸乞笑留。』公拆书视之，书词极其卑谨。关公览毕，仰面大笑，令左右收了礼物，发付使者回去。使者回见陆逊曰：『关公欣喜，无复有忧江东之意。』

逊大喜，密遣人探得关公果然撤荆州大半兵赴樊城听调，只待箭疮痊可，便欲进兵。逊察知备细，即差人星夜报知孙权。孙权召吕蒙商议曰：『今云长果撤荆州之兵，攻取樊城，便可设计袭取荆州。卿与吾弟孙皎同引大军前去，何如？』孙皎字叔明，乃孙权叔父孙静之次子也。蒙曰：『主公若以蒙可用则独用蒙；若以叔明可用则独用叔明。岂不闻昔日周瑜、程普为左右都督，事虽决于瑜，然普自以旧臣而居瑜下，颇不相睦；后因见瑜之才，方始敬服？今蒙之才不及瑜，而叔明之亲胜于普，恐未必能相济也。』

权大悟，遂拜吕蒙为大都督，总制江东诸路军马；令孙皎在后接应粮草。蒙拜谢，点兵三万，快船八十余只，选会水者扮作商人，皆穿白衣，在船上摇橹，却将精兵伏于𦪇(gōu)𦨴(lù)船中。次调韩当、蒋钦、朱然、潘璋、周泰、徐盛、丁奉等七员大将，相继而进。其余皆随吴侯为合后救应。一面遣使致书曹操，令进兵以袭云长之后；一面先传报陆逊，然后发白衣人，驾快船往浔阳江去。昼夜趱行，直抵北岸。江边烽火台上守台军盘问时，吴人答曰：『我等皆是客商；因江中阻风，到此一避。』随将财物送与守台军士。军士信之，遂任其停泊江边。约至二更，中精兵齐出，将烽火台上官军缚倒，

暗号一声，八十余船精兵俱起，将紧要去处墩台之军，尽行捉入船中，不曾走了一个。于是长驱大进，径取荆州，无人知觉。将至荆州，吕蒙将沿江墩台所获官军，用好言抚慰，各各重赏，令赚开城门，纵火为号。众军领命，吕蒙便教前导。比及半夜，到城下叫门。门吏认得是荆州之兵，开了城门。众军一声喊起，就城门里放起号火。吴兵齐入，袭了荆州。吕蒙便传令军中：『如有妄杀一人，妄取民间一物者，定按军法。』原任官吏，并依旧职。将关公家属另养别宅，不许闲人搅扰。一面遣人申报孙权。

一日大雨，蒙上马引数骑点看四门。忽见一人取民间箬笠以盖铠甲，蒙喝左右执下问之，乃蒙之乡人也。蒙曰：『汝虽系我同乡，但吾号令已出，汝故犯之，当按军法。』其人泣告曰：『某恐雨湿官铠，故取遮盖，

非为私用。乞将军念同乡之情！」蒙曰：「吾固知汝为覆官铠，然终是不应取民间之物。」叱左右推下斩之。枭首传示毕，然后收其尸首，泣而葬之。自是三军震肃。

不一日，孙权领众至。吕蒙出郭迎接入衙。权慰劳毕，仍命潘濬为治中，掌荆州事；监内放出于禁，遣归曹操；安民赏军，设宴庆贺。权谓吕蒙曰：「今荆州已得，但公安傅士仁、南郡糜芳，此二处如何收复？」言未毕，忽一人出曰：「不须张弓只箭，某凭三寸不烂之舌，说公安傅士仁来降，可乎？」众视之，乃虞翻也。权曰：「仲翔有何良策，可使傅士仁归降？」翻曰：「某自幼与士仁交厚；今若以利害说之，彼必归矣。」权大喜，遂令虞翻领五百军，径奔公安来。

却说傅士仁听知荆州有失，急令闭城坚守。虞翻至，见城门紧闭，遂写书拴于箭上，射入城中。军士拾得，献与傅士仁。士仁拆书视之，乃招降之意。览毕，想起「关公去日恨吾之意，不如早降」。即令大开城门，请虞翻入城。二人礼毕，各诉旧情。翻说吴侯宽洪大度，礼贤下士；士仁大喜，即同虞翻赍印绶来荆州投降。孙权大悦，仍令去守公安。吕蒙密谓权曰：「今云长未获，留士仁于公安，久必有变；不若使往南郡招糜芳归降。」权乃召傅士仁谓曰：「糜芳与卿交厚，卿可招来归降，孤自当有重赏。」傅士仁慨然领诺，遂引十余骑，径投南郡招安糜芳。正是：今日公安无守志，从前王甫是良言。未知此去如何，且看下文分解。

第七十六回　徐公明大战沔水　关云长败走麦城

却说糜芳闻荆州有失，正无计可施。忽报公安守将傅士仁至，芳忙接入城，问其事故。士仁曰：「吾非不忠。势危力困，不能支持，我今已降东吴。将军亦不如早降。」芳曰：「吾等受汉中王厚恩，安忍背之？」士仁曰：「关公去日，痛恨吾二人；倘一日得胜而回，必无轻恕。公细察之。」芳曰：「吾兄弟久事汉中王，岂可一朝相背？」正犹豫间，忽报关公遣使至，接入厅上。使者曰：「关公军中缺粮，特来南郡、公安二处取白米十万石，令二将军星夜解去军前交割。如迟立斩。」芳大惊，顾谓傅士仁曰：「今荆州已被东吴所取，此粮怎得过去？」士仁厉声曰：「不必多疑！」遂拔剑斩来使于堂上。芳惊曰：「公如何斩之？」士仁曰：「关公此意，正要斩我二人。我等安可束手受死？公今不早降东吴，必被关公所杀。」正说间，忽报吕蒙引兵杀至城下。芳大惊，乃同傅士仁出城投降。蒙大喜，引见孙权。权重赏二人。安民已毕，大犒三军。

时曹操在许都，正与众谋士议荆州之事，忽报东吴遣使奉书至。操召入，使者呈上书信。操拆视之，书中具言吴兵将袭荆州，求操夹攻云长，且嘱：「勿泄漏，使云长有备也。」操与众谋士商议，主簿董昭曰：「今樊城被困，引颈望救，不如令人将书射入樊城，以宽军心；且使关公知东吴将袭荆州。彼恐荆州有失，必速退兵，却令徐晃乘势掩杀，可获全功。」操从其谋，一面差人催徐晃急战；一面亲统大兵，径往洛阳之南阳陵坡驻扎，以救曹仁。

第七十六回 徐公明大战沔水 关云长败走麦城

却说徐晃正坐帐中，忽报魏王使至。晃接入问之，使曰：『今魏王引兵，已过洛阳，令将军急战关公，以解樊城之困。』正说间，探马报说：『关平屯兵在偃城，廖化屯兵在四冢；前后一十二个寨栅，连络不绝。』晃即差副将徐商、吕建假着徐晃旗号，前赴偃城与关平交战。晃却自引精兵五百，循沔水去袭偃城之后。

且说关平闻徐晃自引兵至，遂提本部兵迎敌。两阵对圆，关平出马，与徐商交锋，只三合，商大败而走；吕建出战，五六合亦败走。平乘胜追杀二十余里，忽报城中火起。平知中计，急勒兵回救偃城。正遇一彪军摆开，徐晃立马在门旗下，高叫曰：『关平贤侄，好不知死！汝荆州已被东吴夺了，犹然在此狂为！』平大怒，纵马轮刀，直取徐晃；不三四合，三军喊叫，偃城中火光大起。平不敢恋战，杀条大路，径奔四冢寨来。廖化接着。化曰：『人言荆州已被吕蒙袭了，军心惊慌，如之奈何？』平曰：『此必讹言也。军士再言者斩之。』忽流星马到，报说正北第一屯被徐晃领兵攻打。平曰：『若第一屯有失，诸营岂得安宁？此间皆靠沔水，贼兵不敢到此。吾与汝同去救第一屯。』廖化唤部将分付曰：『汝等坚守营寨，如有贼到，即便举火。』部将曰：『四冢寨鹿角十重，虽飞鸟亦不能入，何虑贼兵！』于是关平、廖化尽起四冢寨精兵，奔至第一屯住扎。关平看见魏兵屯于浅山之上，谓廖化曰：『徐晃屯兵，不得地利，今夜可引兵劫寨。』化曰：『将军可分兵一半前去，某当谨守本寨。』

是夜，关平引一枝兵杀入魏寨，不见一人。平知是计，火速退时，左边徐商，右边吕建，两下夹攻。平大败回营，魏兵乘势追杀前来，四面围住。关平、廖化支持不住，弃了第一屯，径投四冢寨来。早望见寨中火起。急到寨前，只见皆是魏兵旗号。关平等退兵，忙奔樊城大路而走。前面一军拦住，为首大将，乃是徐晃也。平、化二人奋力死战，夺路而走，回到大寨，来见关公曰：『今徐晃夺了偃城等处，又兼曹操自引大军，分三路来救樊城；多有人言荆州已被吕蒙袭了。』关公喝曰：『此敌人讹言，以乱我军心耳！东吴吕蒙病危，孺子陆逊代之，不足为虑！』

言未毕，忽报徐晃兵至。公令备马。平谏曰：『父体未痊，不可与敌。』公曰：『徐晃与吾有旧，深知其能；若彼不退，吾先斩之，以警魏将。』遂披挂提刀上马，奋然而出。魏军见之，无不惊惧。公勒马问曰：『徐公明安在？』魏营门旗开处，徐晃出马，欠身而言曰：『自别君侯，倏忽数载，不想君侯须发已苍白矣！忆昔壮年相从，多蒙教诲，感谢不忘。今君侯英风震于华夏，使故人闻之，不胜叹羡！兹幸得一见，深慰渴怀。』公曰：『吾与公明交契深厚，非比他人；今何故数穷吾儿耶？』晃回顾众将，厉声大叫曰：『若取得云长首级者，重赏千金！』公惊曰：『公明何出此言？』晃曰：『今日乃国家之事，某不敢以私废公。』言讫，挥大斧直取关公。公大怒，亦挥刀迎之。战八十余合，公虽武艺绝伦，终是右臂少力。关平恐公有失，火急鸣金，公拨马回寨。忽闻四下里喊声大震。原来是樊城曹仁闻曹操救兵至，引军杀出城来，与徐晃会合，两下夹攻，荆州兵大乱。关公上马，引众将急奔襄江上流头。背后魏兵追至。关公急渡过襄江，望襄阳而奔。忽流星马到，报说：『荆州已被吕蒙所夺，家眷被陷。』关公大惊，不敢奔襄阳，提兵投公安来。探马又报：『公安傅士仁已降东吴了。』关公大怒。忽催粮人到，报说：『公安傅士仁往南郡，杀了使命，

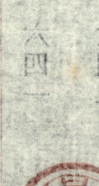

招縻芳都降东吴去了。』

关公闻言，怒气冲塞，疮口迸裂，昏绝于地。众将救醒，公顾谓司马王甫曰：『悔不听足下之言，今日果有此事！』因问：『沿江上下，何不举火？』探马答曰：『吕蒙使水手尽穿白衣，扮作客商渡江，将精兵伏于艨艟之中，先擒了守台士卒，因此不得举火。』公跌足叹曰：『吾中奸贼之谋矣！有何面目见兄长耶！』管粮都督赵累曰：『今事急矣，可一面差人往成都求救，一面从旱路去取荆州。』关公依言，差马良、伊籍赍文三道，星夜赴成都求救；一面引兵来取荆州，自领前队先行，留廖化、关平断后。

却说樊城围解，曹仁引众将来见曹操，泣拜请罪。操曰：『此乃天数，非汝等之罪也。』操重赏三军，亲至四冢寨周围阅视，顾谓众将曰：『荆州兵围堑鹿角数重，徐公明深入其中，竟获全功。孤用兵三十余年，未敢长驱径入敌围。公明真胆识兼优者也！』众皆叹服。操班师还于摩陂驻扎。徐晃兵至，操亲出寨迎之，见晃军皆按队伍而行，并无差乱。操大喜曰：『徐将军真有周亚夫之风矣！』遂封徐晃为平南将军，同夏侯尚守襄阳，以遏关公之师。操因荆州未定，就屯兵于摩陂，以候消息。

却说关公在荆州路上，进退无路，谓赵累曰：『目今前有吴兵，后有魏兵，吾在其中，救兵不至，如之奈何？』累曰：『昔吕蒙在陆口时，尝致书君侯，两家约好，共诛操贼，今却助操而袭我：是背盟也。君侯暂驻军于此，可差人遗书吕蒙责之，看彼如何对答。』关公从其言，遂修书遣使赴荆州来。

却说吕蒙在荆州，传下号令：凡荆州诸郡，有随关公出征将士之家，不许吴兵搅扰，按月给与粮米；

有患病者，遣医治疗。将士之家，感其恩惠，安堵不动。忽报关公使至，吕蒙出郭迎接入城，以宾礼相待。使者呈书与蒙。蒙看毕，谓来使曰：『蒙昔日与关将军结好，乃一己之私见；今日之事，乃上命差遣，不得自主。烦使者回报将军，善言致意。』遂设宴款待，送归馆驿安歇。于是随征将士之家，皆来问信；有附家书者，有口传音信者，皆言家门无恙，衣食不缺。

使者辞别吕蒙，蒙亲送出城。使者回见关公，具道吕蒙之语，并说：『荆州城中，君侯宝眷并诸将家属，俱各无恙，供给不缺。』公大怒曰：『此奸贼之计也！我生不能杀此贼，死必杀之，以雪吾恨！』喝退使者。使者出寨，众将皆来探问家中之事；使者具言各家安好，吕蒙极其恩恤，并将书信传送各将。各将欣喜，皆无战心。

关公率兵取荆州，军行之次，将士多有逃回荆州者。关公愈加恨怒，遂催军前进。忽然喊声大震，一彪军拦住，为首大将，乃蒋钦也，勒马挺枪大叫曰：『云长何不早降！』关公骂曰：『吾乃汉将，岂降贼乎！』拍马舞刀，直取蒋钦。不三合，钦败走。关公提刀追杀二十余里，喊声忽起，左边山谷中韩当领军冲出，右边山谷中周泰引军冲出，蒋钦回马复战：三路夹攻。关公急撤军回走。行无数里，只见南山冈上人烟聚集，一面白旗招飐，上写『荆州土人』四字，众人都叫：『本处人速速投降！』关公大怒，欲上冈杀之。山崦内又有两军撞出：左边丁奉，右边徐盛；——并合蒋钦等三路军马，喊声震地，鼓角喧天，将关公困在核心。手下将士，渐渐消疏。比及杀到黄昏，关公遥望四山之上，皆是荆州土兵，呼兄唤弟，觅子寻爷，

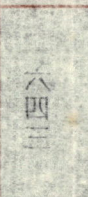

喊声不住。军心尽变，皆应声而去。关公止喝不住，部从止有三百余人。杀至三更，正东上喊声连天，乃是关平、廖化分两路兵杀入重围，救出关公。关平告曰：『军心乱矣，必得城池暂屯，以待援兵。麦城虽小，足可屯扎。』关公从之，催促残军前至麦城，分兵紧守四门，聚将士商议。赵累曰：『此处相近上庸，现有刘封、孟达在彼把守，可速差人往求救兵。若得这枝军马接济，以待川兵大至，军心自安矣。』

正议间，忽报吴兵已至，将城四面围定。公问曰：『谁敢突围而出，往上庸求救？』廖化曰：『某愿往。』关平曰：『我护送汝出重围。』关公即修书付廖化藏于身畔，饱食上马，开门出城。正遇吴将丁奉截住。被关平奋力冲杀，奉败走，廖化乘势杀出重围，投上庸去了。关平入城，坚守不出。

且说刘封、孟达自取上庸，太守申耽率众归降，因此汉中王加刘封为副将军，与孟达同守上庸。当日探知关公兵败，二人正议间，忽报廖化至。封令请入问之。化曰：『关公兵败，现困于麦城，被围至急，蜀中援兵，不能旦夕即至。特命某突围而出，来此求救。望二将军速起上庸之兵，以救此危。倘稍迟延，公必陷矣。』封曰：『将军且歇，容某计议。』

化乃至馆驿安歇，专候发兵。刘封谓孟达曰：『叔父被困，如之奈何？』达曰：『东吴兵精将勇；且荆州九郡，俱已属彼，止有麦城，乃弹丸之地；又闻曹操亲督大军四五十万，屯于摩陂：量我等山城之众，安能敌得两家之强兵？不可轻敌。』封曰：『吾亦知之。奈关公是吾叔父，安忍坐视而不救乎？』达笑曰：『将军以关公为叔，恐关公未必以将军为侄也。某闻汉中王初嗣将军之时，关公即不悦。后汉中王登位之后，

欲立后嗣，问于孔明，孔明曰：「此家事也，问关、张可矣。」汉中王遂遣人至荆州问关公，关公以将军乃螟蛉之子，不可僭立，劝汉中王远置将军于上庸山城之地，以杜后患。此事人人知之，将军岂反不知耶？何今日犹沾沾以叔侄之义，而欲冒险轻动乎？』封曰：『君言虽是，但以何词却之？』达曰：『但言山城初附，民心未定，不敢造次兴兵，恐失所守。』封从其言。次日，请廖化至，言：『此山城初附之所，未能分兵相救。』化大惊，以头叩地曰：『若如此，则关公休矣！』达曰：『我今即往，一杯之水，安能救一车薪之火乎？将军速回，静候蜀兵至可也。』化大恸告求，刘封、孟达皆拂袖而入。廖化知事不谐，寻思须告汉中王求救，遂上马大骂出城，望成都而去。

却说关公在麦城盼望上庸兵到，却不见动静；手下止有五六百人，多半带伤；城中无粮，甚是苦楚。忽报城下一人教休放箭，有话来见君侯。公令放入，问之，乃诸葛瑾也。礼毕茶罢，瑾曰：『今奉吴侯命，特来劝谕将军。自古道：「识时务者为俊杰。」今将军所统汉上九郡，皆已属他人矣；止有孤城一区，内无粮草，外无救兵，危在旦夕。将军何不从瑾之言：归顺吴侯，复镇荆襄，可以保全家眷。幸君侯熟思之。』关公正色而言曰：『吾乃解良一武夫，蒙吾主以手足相待，安肯背义投敌国乎？城若破，有死而已。玉可碎而不可改其白，竹可焚而不可毁其节：身虽殒，名可垂于竹帛也。汝勿多言，速请出城，吾欲与孙权决一死战！』瑾曰：『吴侯欲与君侯结秦、晋之好，同力破曹，共扶汉室，别无他意。君侯何执迷如是？』言未毕，关平拔剑而前，欲斩诸葛瑾。公止之曰：『彼弟孔明在蜀，佐汝伯父，今若杀彼，伤其兄弟之情也。』

遂令左右逐出诸葛瑾。瑾满面羞惭，上马出城，回见吴侯曰：「关公心如铁石，不可说也。」孙权曰：「真忠臣也！似此如之奈何？」吕范曰：「某请卜其休咎。」权即令卜之。范揲(dié)蓍(shī)成象，乃「地水师卦」，更有玄武临应，主敌人远奔。权问吕蒙曰：「卦主敌人远奔，卿以何策擒之？」蒙笑曰：「卦象正合某之机也。关公虽有冲天之翼，飞不出吾罗网矣！」正是：龙游沟壑遭虾戏，凤入牢笼被鸟欺。毕竟吕蒙之计若何，且看下文分解。

第七十七回 玉泉山关公显圣 洛阳城曹操感神

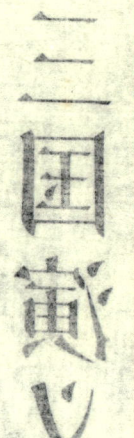

却说孙权求计于吕蒙。蒙曰：「吾料关某兵少，必不从大路而逃，麦城正北有险峻小路，必从此路而去。可令朱然引精兵五千，伏于麦城之北二十里；彼军至，不可与敌，只可随后掩杀。彼军定无战心，必奔临沮。却令潘璋引精兵五百，伏于临沮山僻小路，关某可擒矣。今遣将士各门攻打，只空北门，待其出走。」权闻计，令吕范再卜之。卦成，范告曰：「此卦主敌人投西北而走，今夜亥时必然就擒。」权大喜，遂令朱然、潘璋领两枝精兵，各依军令埋伏去讫。

且说关公在麦城，计点马步军兵，止剩三百余人；粮草又尽。是夜，城外吴兵招唤各军姓名，越城而去者甚多。救兵又不见到。心中无计，谓王甫曰：「吾悔昔日不用公言！今日危急，将复何如？」甫哭告曰：「今日之事，虽子牙复生，亦无计可施也。」赵累曰：「上庸救兵不至，乃刘封、孟达按兵不动之故。何不弃此孤城，奔入西川，再整兵来，以图恢复？」公曰：「吾亦欲如此。」遂上城观之。见北门外敌军不多，因问本城居民：「此去往北，地势若何？」答曰：「此去皆是山僻小路，可通西川。」公曰：「今夜可走此路。」王甫谏曰：「小路有埋伏，可走大路。」公曰：「虽有埋伏，吾何惧哉！」即下令：马步官军，严整装束，准备出城。甫哭曰：「君侯于路，小心保重！某与部卒百余人，死据此城；城虽破，身不降也！专望君侯速来救援！」

公亦与泣别。遂留周仓与王甫同守麦城，关公自与关平、赵累引残卒二百余人，突出北门。关公横刀前进，行至初更以后，约走二十余里，只见山凹处，金鼓齐鸣，喊声大震，一彪军到，为首大将朱然，骤马挺枪叫曰：『云长休走！趁早投降，免得一死！』公大怒，拍马轮刀来战。朱然便走，公乘势追杀。一棒鼓响，四下伏兵皆起。公不敢战，望临沮小路而走，朱然率兵掩杀。关公所随之兵，渐渐稀少。走不得四五里，前面喊声又震，火光大起，潘璋骤马舞刀杀来。公大怒，轮刀相迎，只三合，潘璋败走。公不敢恋战，急望山路而走。背后关平赶来，报说赵累已死于乱军中。关公不胜悲惶，遂令关平断后，公自在前开路，随行止剩得十余人。行至决石，两下是山，山边皆芦苇败草，树木丛杂。时已五更将尽。正走之间，一声喊起，两下伏兵尽出，长钩套索，一齐并举，先把关公坐下马绊倒。关公翻身落马，被潘璋部将马忠所获。关平知父被擒，火速来救，背后潘璋、朱然率兵齐至，把关平四下围住。平孤身独战，力尽亦被执。至天明，孙权闻关公父子已被擒获，大喜，聚众将于帐中。

少时，马忠簇拥关公至前。权曰：『孤久慕将军盛德，欲结秦、晋之好，何相弃耶？公平昔自以为天下无敌，今日何由被吾所擒？将军今日还服孙权否？』关公厉声骂曰：『碧眼小儿，紫髯鼠辈！吾与刘皇叔桃园结义，誓扶汉室，岂与汝叛汉之贼为伍耶！我今误中奸计，有死而已，何必多言！』权回顾众官曰：『云长世之豪杰，孤深爱之。今欲以礼相待，劝使归降，何如？』主簿左咸曰：『不可。昔曹操得此人时，封侯赐爵，三日一小宴，五日一大宴，上马一提金，下马一提银：如此恩礼，毕竟留之不住，听其斩关杀将而去，致使今日反为所逼，几欲迁都以避其锋。今主公既已擒之，若不即除，恐贻后患。』孙权沉吟半晌，曰：『斯言是也。』遂命推出。于是关公父子皆遇害。时建安二十四年冬十二月也。关公亡年五十八岁。后人有诗叹曰：

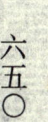

汉末才无敌，云长独出群：神威能奋武，儒雅更知文。
天日心如镜，《春秋》义薄云。昭然垂万古，不止冠三分。

又有诗曰：

人杰惟追古解良，士民争拜汉云长。桃园一日兄和弟，俎(zú)豆千秋帝与王。
气挟风雷无匹敌，志垂日月有光芒。至今庙貌盈天下，古木寒鸦几夕阳。

关公既殁，坐下赤兔马被马忠所获，献与孙权。权即赐马忠骑坐。其马数日不食草料而死。

却说王甫在麦城中，骨颤肉惊，乃问周仓曰：『昨夜梦见主公浑身血污，立于前；急问之，忽然惊觉。不知主何吉凶？』正说间，忽报吴兵在城下，将关公父子首级招安。王甫、周仓大惊，急登城视之，果关公父子首级也。王甫大叫一声，堕城而死。周仓自刎而亡。于是麦城亦属东吴。

却说关公一魂不散，荡荡悠悠，直至一处：乃荆门州当阳县一座山，名为玉泉山。山上有一老僧，法名普净，原是汜水关镇国寺中长老，后因云游天下，来到此处，见山明水秀，就此结草为庵，每日坐禅参道；身边只有一小行者，化饭度日。是夜月白风清，三更已后，普净正在庵中默坐，忽闻空中有人大呼曰：『还

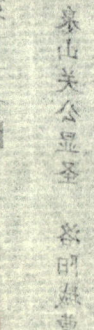

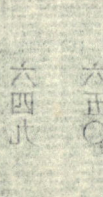

我头来！』普净仰面谛视，只见空中一人，骑赤兔马，提青龙刀，左有一白面将军，右有一黑脸虬髯之人相随，一齐按落云头，至玉泉山顶。普净认得是关公，遂以手中麈(zhǔ)尾击其户曰：『云长安在？』关公英魂顿悟，即下马乘风落于庵前，叉手问曰：『吾师何人？愿求法号。』普净曰：『老僧普净，昔日汜水关前镇国寺中，曾与君侯相会，今日岂遂忘之耶？』公曰：『向蒙相救，铭感不忘。今某已遇祸而死，愿求清诲，指点迷途。』普净曰：『昔非今是，一切休论；后果前因，彼此不爽。今将军为吕蒙所害，大呼「还我头来」，然则颜良、文丑、五关六将等众人之头，又将向谁索耶？』于是关公恍然大悟，稽首皈依而去。后往往于玉泉山显圣护民，乡人感其德，就于山顶上建庙，四时致祭。后人题一联于其庙云：

赤面秉赤心，骑赤兔追风，驰驱时、无忘赤帝。青灯观青史，仗青龙偃月，隐微处、不愧青天。

却说孙权既害了关公，遂尽收荆襄之地，赏犒三军，设宴大会诸将庆功；置吕蒙于上位，顾谓众将曰：『孤久不得荆州，今唾手而得，皆子明之功也。』蒙再三逊谢。权曰：『昔周郎雄略过人，破曹操于赤壁；不幸早夭。鲁子敬代之：子敬初见孤时，便及帝王大略，此一快也；曹操东下，诸人皆劝孤降，子敬独劝孤召公瑾逆而击之，此二快也；惟劝吾借荆州与刘备，是其一短。今子明设计定谋，立取荆州，胜子敬、周郎多矣！』

于是亲酌酒赐吕蒙。吕蒙接酒欲饮，忽然掷杯于地，一手揪住孙权，厉声大骂曰：『碧眼小儿！紫髯鼠辈！还识我否？』众将大惊，急救时，蒙推倒孙权，大步前进，坐于孙权位上，两眉倒竖，双眼圆睁，

大喝曰：『我自破黄巾以来，纵横天下三十余年，今被汝一旦以奸计图我，我生不能啖汝之肉，死当追吕贼之魂！我乃汉寿亭侯关云长也。』权大惊，慌忙率大小将士，皆下拜。只见吕蒙倒于地上，七窍流血而死。众将见之，无不恐惧。权将吕蒙尸首，具棺安葬，赠南郡太守、孱陵侯；命其子吕霸袭爵。孙权自此感关公之事，惊讶不已。

忽报张昭自建业而来。权召入问之。昭曰：『今主公损了关公父子，江东祸不远矣！此人与刘备桃园结义之时，誓同生死。今刘备已有两川之兵，更兼诸葛亮之谋，张、黄、马、赵之勇。备若知云长父子遇害，必起倾国之兵，奋力报仇：恐东吴难与敌也。』权闻之大惊，跌足曰：『孤失计较也！似此如之奈何？』

昭曰：『主公勿忧。某有一计，令西蜀之兵不犯东吴，荆州如磐石之安。』权问何计。昭曰：『今曹操拥百万之众，虎视华夏，刘备急欲报仇，必与操约和：若二处连兵而来，东吴危矣。不如先遣人将关公首级，转送与曹操，明教刘备知是操之所使，必痛恨于操，西蜀之兵，不向吴而向魏矣。吾乃观其胜负，于中取事：此为上策。』

权从其言，随遣使者以木匣盛关公首级，星

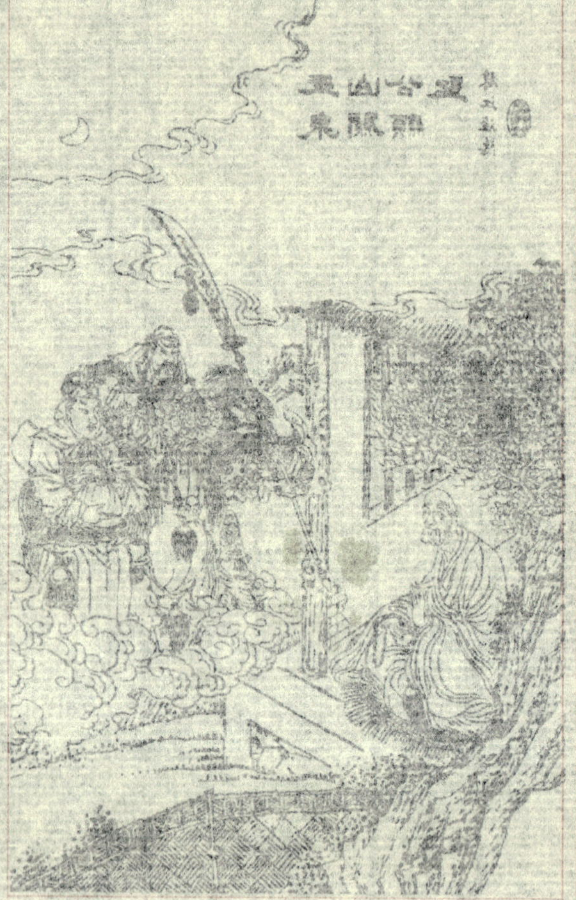

夜送与曹操。时操从摩陂班师回洛阳，闻东吴送关公首级至，喜曰：『云长已死，吾夜眠贴席矣。』阶下一人出曰：『此乃东吴移祸之计也。』操视之，乃主簿司马懿也。操问其故，懿曰：『昔刘、关、张三人桃园结义之时，誓同生死。今东吴害了关公，惧其复仇，故将首级献与大王，使刘备迁怒大王，不攻吴而攻魏，他却于中乘便而图事耳。』操曰：『仲达之言是也。孤以何策解之？』懿曰：『此事极易。大王可将关公首级，刻一香木之躯以配之，葬以大臣之礼；刘备知之，必深恨孙权，尽力南征。我却观其胜负：蜀胜则击吴，吴胜则击蜀。二处若得一处，那一处亦不久也。』操大喜，从其计，遂召吴使入。呈上木匣，操开匣视之，见关公面如生日。操笑曰：『云长公别来无恙！』言未讫，只见关公口开目动，须发皆张，操惊倒。众官急救，良久方醒，顾谓众官曰：『关将军真天神也！』吴使又将关公显圣附体、骂孙权追吕蒙之事告操。操愈加恐惧，遂设牲醴祭祀，刻沉香木为躯，以王侯之礼，葬于洛阳南门外，令大小官员送殡，操自拜祭，赠为荆王，差官守墓；即遣吴使回江东去讫。

却说汉中王自东川回成都，法正奏曰：『王上先夫人去世；孙夫人又南归，未必再来。人伦之道，不可废也，必纳王妃，以襄内政。』汉中王从之。法正复奏曰：『吴懿有一妹，美而且贤。尝闻有相者，相此女后必大贵。先曾许刘焉之子刘瑁，瑁早夭。其女至今寡居，大王可纳之为妃。』汉中王曰：『刘瑁与我同宗，于理不可。』法正曰：『论其亲疏，何异晋文之与怀嬴乎？』汉中王乃依允，遂纳吴氏为王妃。后生二子：长刘永，字公寿；次刘理，字奉孝。

且说东西两川，民安国富，田禾大成。忽有人自荆州来，言东吴求婚于关公，关公力拒之。孔明曰：『荆州危矣！可使人替关公回。』正商议间，荆州捷报使命，络绎而至。不一日，关兴到，具言水淹七军之事。忽又报马到来，报说关公于江边多设墩台，提防甚密，万无一失。因此玄德放心。

忽一日，玄德自觉浑身肉颤，行坐不安；至夜，不能宁睡，起坐内室，秉烛看书，觉神思昏迷，伏几而卧，就室中起一阵冷风，灯灭复明，抬头见一人立于灯下。玄德问曰：『汝何人，夤夜至吾内室？』其人不答。玄德疑怪，自起视之，乃是关公，于灯影下往来躲避。玄德曰：『贤弟别来无恙！夜深至此，必有大故。吾与汝情同骨肉，因何回避？』关公泣告曰：『愿兄起兵，以雪弟恨！』言讫，冷风骤起，关公不见。玄德忽然惊觉，乃是一梦；时正三鼓。玄德大疑，急出前殿，使人请孔明来。孔明入见，玄德细言梦警。孔明曰：『此乃王上心思关公，故有此梦。何必多疑？』玄德再三疑虑，孔明以善言解之。

孔明辞出，至中门外，迎见许靖。靖曰：『某才赴军师府下报一机密，听知军师入宫，特来至此。』孔明曰：『有何机密？』靖曰：『某适闻外人传说，东吴吕蒙已袭荆州，关公已遇害！故特来密报军师。』孔明曰：『吾夜观天象，见将星落于荆楚之地，已知云长必然被祸；但恐王上忧虑，故未敢言。』二人正说之间，忽然殿内转出一人，扯住孔明衣袖而言曰：『如此凶信，公何瞒我！』孔明视之，乃玄德也。孔明、许靖奏曰：『适来所言，皆传闻之事，未足深信。愿王上宽怀，勿生忧虑。』玄德曰：『孤与云长，誓同生死；彼若有失，孤岂能独生耶！』

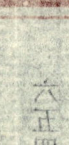

孔明、许靖正劝解之间，忽近侍奏曰：『马良、伊籍至。』玄德急召入问之。二人具说荆州已失，关公兵败求救，呈上表章。未及拆观，侍臣又奏荆州廖化至。玄德急召入。化哭拜于地，细奏刘封、孟达不发救兵之事。玄德大惊曰：『若如此，吾弟休矣！』孔明曰：『刘封、孟达如此无礼，罪不容诛！王上宽心，亮亲提一旅之师，去救荆襄之急。』玄德泣曰：『云长有失，孤断不独生！孤来日自提一军去救云长！』遂一面差人赴阆中报知翼德，一面差人会集人马。未及天明，一连数次，报说关公夜走临沮，为吴将所获，义不屈节，父子归神。玄德听罢，大叫一声，昏绝于地。正是：为念当年同誓死，忍教今日独捐生！未知玄德性命如何，且看下文分解。

第七十八回 治风疾神医身死 传遗命奸雄数终

却说汉中王闻关公父子遇害，哭倒于地，众文武急救，半晌方醒，扶入内殿。孔明劝曰：『王上少忧。自古道「死生有命」；关公平日刚而自矜，故今日有此祸。王上且宜保养尊体，徐图报仇。』玄德曰：『孤与关、张二弟桃园结义时，誓同生死。今云长已亡，孤岂能独享富贵乎！』言未已，只见关兴号恸而来。玄德见了，大叫一声，又哭绝于地。众官救醒。一日哭绝三五次，三日水浆不进，只是痛哭，泪湿衣襟，斑斑成血。孔明与众官再三劝解。玄德曰：『孤与东吴，誓不同日月也！』孔明曰：『闻东吴将关公首级献与曹操，操以王侯礼祭葬之。』玄德曰：『此何意也？』孔明曰：『此是东吴欲移祸于曹操，操知其谋，故以厚礼葬关公，令王上归怨于吴也。』玄德曰：『吾今即提兵问罪于吴，以雪吾恨！』孔明谏曰：『不可。方今吴欲令我伐魏，魏亦欲令我伐吴：各怀谲计，伺隙而乘。王上只宜按兵不动，且与关公发丧。待吴、魏不和，乘时而伐之，可也。』众官又再三劝谏，玄德方才进膳，传旨川中大小将士，尽皆挂孝。汉中王亲出南门招魂祭奠，号哭终日。

却说曹操在洛阳，自葬关公后，每夜合眼便见关公。操甚惊惧，问于众官。众官曰：『洛阳行宫旧殿多妖，可造新殿居之。』操曰：『吾欲起一殿，名建始殿。恨无良工。』贾诩曰：『洛阳良工有苏越者，最有巧思。』操召入，令画图像。苏越画成九间大殿，前后廊庑楼阁，呈与操。操视之曰：『汝画甚合孤意，

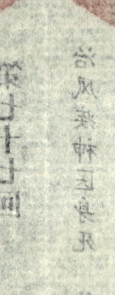

但恐无栋梁之材。」苏越曰：「此去离城三十里，有一潭，名跃龙潭；前有一祠，名跃龙祠。祠傍有一株大梨树，高十余丈，堪作建始殿之梁。」

操大喜，即令人工到彼砍伐。次日，回报此树锯解不开，斧砍不入，不能斩伐。操不信，自领数百骑，直至跃龙祠前下马，仰观那树，亭亭如华盖，直侵云汉，并无曲节。操命砍之，乡老数人前来谏曰：「此树已数百年矣，常有神人居其上，恐未可伐。」操大怒曰：「吾平生游历，普天之下，四十余年，上至天子，下及庶人，无不惧孤；是何妖神，敢违孤意！」言讫，拔所佩剑亲自砍之，铮然有声，血溅满身。操愕然大惊，掷剑上马，回至宫内。是夜二更，操睡卧不安，坐于殿中，隐几而寐。忽见一人披发仗剑，身穿皂衣，直至面前，指操喝曰：「吾乃梨树之神也。汝盖建始殿，意欲篡逆，却来伐吾神木！吾知汝数尽，特来杀汝！」操大惊，急呼：「武士安在？」皂衣人仗剑砍操。操大叫一声，忽然惊觉，头脑疼痛不可忍。急传旨遍求良医治疗，不能痊可。众官皆忧。

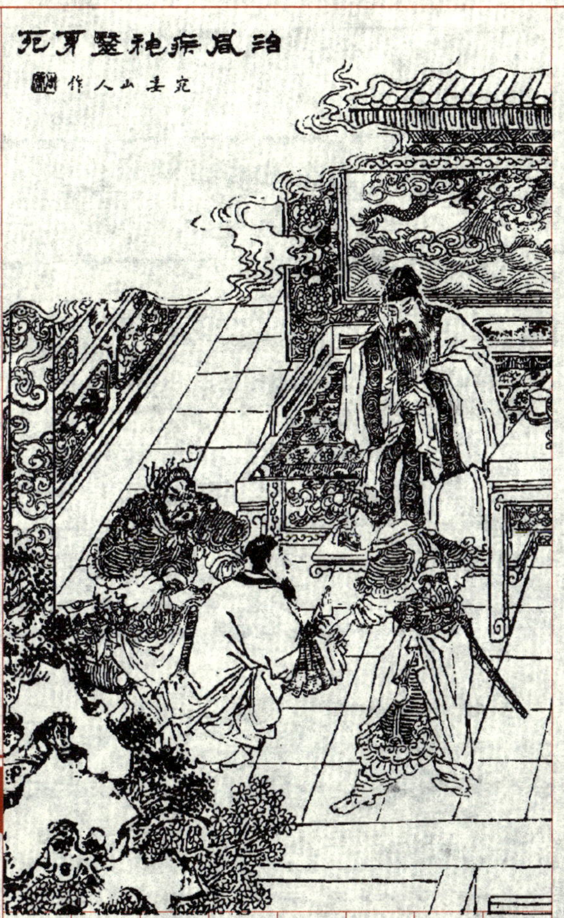

华歆入奏曰：「大王知有神医华佗否？」操曰：「即江东医周泰者乎？」歆曰：「是也。」操曰：「虽闻其名，未知其术。」歆曰：「华佗字元化，沛国谯郡人也，其医术之妙，世所罕有：但有患者，或用药，或用针，或用灸，随手而愈。若患五脏六腑之疾，药不能效者，以麻肺汤饮之，令病者如醉死，却用尖刀剖开其腹，以药汤洗其脏腑，病人略无疼痛。洗毕，然后以药线缝口，用药敷之；或一月，或二十日，即平复矣：其神妙如此！一日，佗行于道上，闻一人呻吟之声。佗曰：「此饮食不下之病。」问之果然。佗令取蒜汁三升饮之，吐蛇一条，长二三尺，饮食即下。广陵太守陈登，心中烦懑，面赤，不能饮食，求佗医治。佗以药饮之，吐虫三升，皆赤头，首尾动摇。登问其故，佗曰：「此因多食鱼腥，故有此毒。今日虽可，三年之后，必将复发，不可救也。」后陈登果三年而死。又有一人眉间生一瘤，痒不可当，令佗视之。佗曰：「内有飞物。」人皆笑之。佗以刀割开，一黄雀飞去，病者即愈。有一人被犬咬足指，随长肉二块，一痛一痒，俱不可忍。佗曰：「痛者内有针十个，痒者内有黑白棋子二枚。」人皆不信。佗以刀割开，果应其言。此人真扁鹊、仓公之流也！现居金城，离此不远，大王何不召之？」操即差人星夜请华佗入内，令诊脉视疾。佗曰：「大王头脑疼痛，因患风而起。病根在

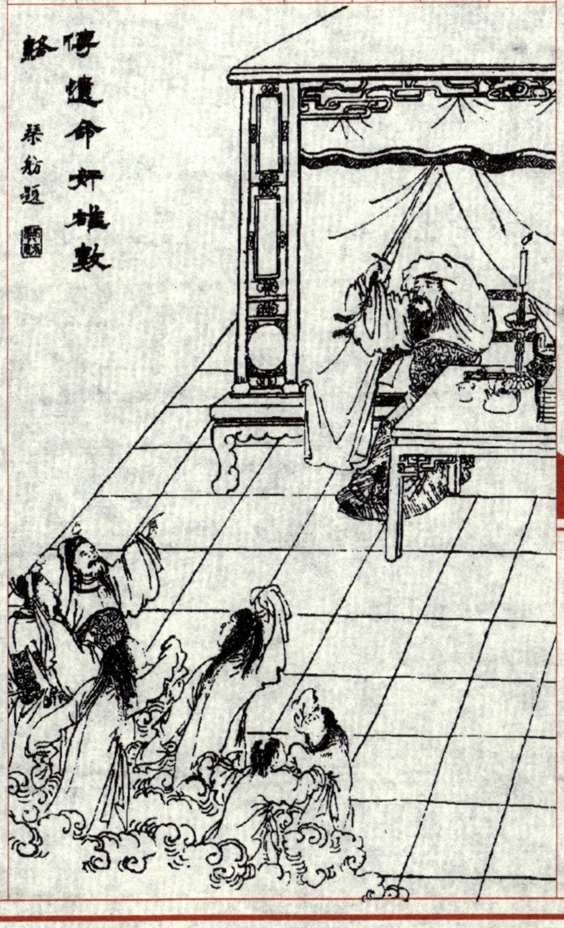

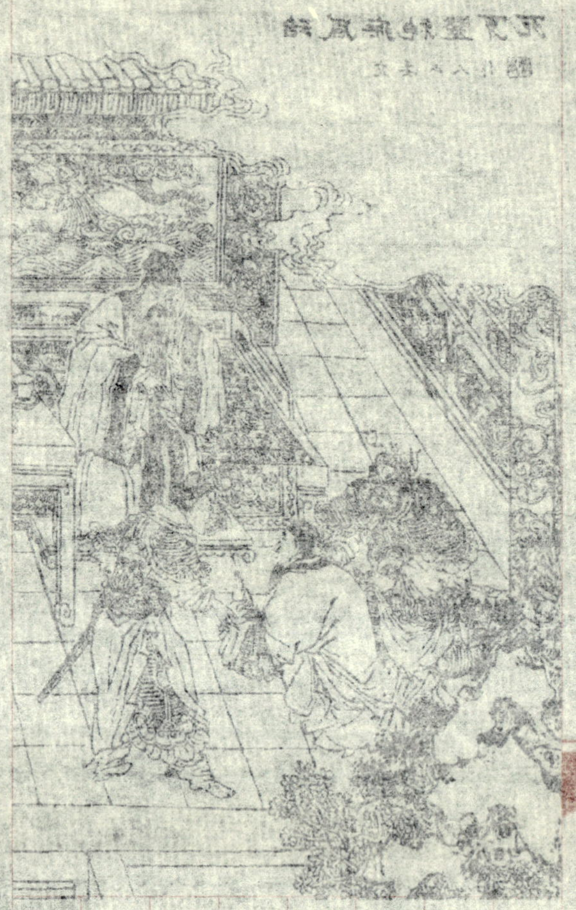
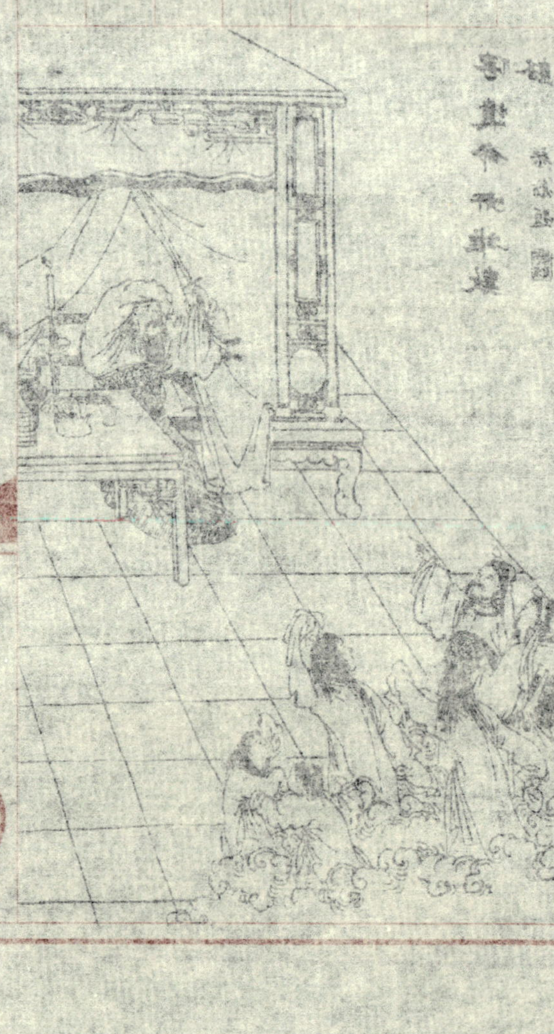

脑袋中，风涎不能出，枉服汤药，不可治疗。某有一法：先饮麻肺汤，然后用利斧砍开脑袋，取出风涎，方可除根。」操大怒曰：「汝要杀孤耶！」佗曰：「大王曾闻关公中毒箭，伤其右臂，某刮骨疗毒，关公略无惧色；今大王小可之疾，何多疑焉？」操曰：「臂痛可刮，脑袋安可砍开？汝必与关公情熟，乘此机会，欲报仇耳！」呼左右拿下狱中，拷问其情。贾诩谏曰：「似此良医，世罕其匹，未可废也。」操叱曰：「此人欲乘机害我，正与吉平无异！」急令追拷。

华佗在狱，有一狱卒，姓吴，人皆称为「吴押狱」。此人每日以酒食供奉华佗。佗感其恩，乃告曰：「我今将死，恨有《青囊书》未传于世。感公厚意，无可为报，我修一书，公可遣人送与我家，取《青囊书》来赠公，以继吾术。」吴押狱大喜曰：「我若得此书，弃了此役，医治天下病人，以传先生之德。」佗即修书付吴押狱，吴押狱直至金城，问佗之妻取了《青囊书》；回至狱中，付与华佗检看毕，佗即将书赠与吴押狱。吴押狱持回家中藏之。旬日之后，华佗竟死于狱中。吴押狱买棺殡殓讫，脱了差役回家，欲取《青囊书》看习，只见其妻正将书在那里焚烧。吴押狱大惊，连忙抢夺，全卷已被烧毁，只剩得一两叶。吴押狱怒骂其妻。妻曰：「纵然学得与华佗一般神妙，只落得死于牢中，要他何用！」吴押狱嗟叹而止。因此《青囊书》不曾传于世，所传者止阉鸡猪等小法，乃烧剩一两叶中所载也。后人有诗叹曰：

华佗仙术比长桑，神识如窥垣一方。惆怅人亡书亦绝，后人无复见《青囊》！

却说曹操自杀华佗之后，病势愈重，又忧吴、蜀之事。正虑间，近臣忽奏东吴遣使上书。操取书拆视之，略曰：

臣孙权久知天命已归王上，伏望早正大位，遣将剿灭刘备，扫平两川，臣即率群下纳土归降矣。

操观毕大笑，出示群臣曰：「是儿欲使吾居炉火上耶！」侍中陈群等奏曰：「汉室久已衰微，殿下功德巍巍，生灵仰望。今孙权称臣归命，此天人之应，异气齐声。殿下宜应天顺人，早正大位。」操笑曰：「吾事汉多年，虽有功德及民，然位至于王，名爵已极，何敢更有他望？苟天命在孤，孤为周文王矣。」司马懿曰：「今孙权既称臣归附，王上可封官赐爵，令拒刘备。」操从之，表封孙权为骠骑将军、南昌侯，领荆州牧。即日遣使赍诰敕赴东吴去讫。

操病势转加。忽一夜梦三马同槽而食，及晓，问贾诩曰：「孤向日曾梦三马同槽，疑是马腾父子为祸；今腾已死，昨宵复梦三马同槽。主何吉凶？」诩曰：「禄马，吉兆也。禄马归于曹，王上何必疑乎？」操因此不疑。后人有诗曰：

三马同槽事可疑，不知已植晋根基。曹瞒空有奸雄略，岂识朝中司马师？

是夜，操卧寝室，至三更，觉头目昏眩，乃起，伏几而卧。忽闻殿中声如裂帛，操惊视之，忽见伏皇后、董贵人、二皇子，并伏完、董承等二十余人，浑身血污，立于愁云之内，隐隐闻索命之声。操急拔剑望空砍去，忽然一声响亮，震塌殿宇西南一角。操惊倒于地，近侍救出，迁于别宫养病。次夜，又闻殿外男女哭声不绝。至晓，操召群臣入曰：「孤在戎马之中，三十余年，未尝信怪异之事。今日为何如此？」群臣奏曰：「大王

当命道士设醮修禳。』操叹曰：『圣人云：「获罪于天，无所祷也。」孤天命已尽，安可救乎？』遂不允设醮。

次日，觉气冲上焦，目不见物，急召夏侯惇商议。惇至殿门前，忽见伏皇后、董贵人、二皇子、伏完、董承等，立在阴云之中。惇大惊昏倒，左右扶出，自此得病。操召曹洪、陈群、贾诩、司马懿等，同至卧榻前，嘱以后事。曹洪等顿首曰：『大王善保玉体，不日定当霍然。』操曰：『孤纵横天下三十余年，群雄皆灭，止有江东孙权，西蜀刘备，未曾剿除。孤今病危，不能再与卿等相叙，特以家事相托。孤长子曹昂，刘氏所生，不幸早年殁于宛城；今卞氏生四子：丕、彰、植、熊。孤平生所爱第三子植，为人虚华少诚实，嗜酒放纵，因此不立。次子曹彰，勇而无谋；四子曹熊，多病难保。惟长子曹丕，笃厚恭谨，可继我业。卿等宜辅佐之。』

曹洪等涕泣领命而出。操令近侍取平日所藏名香，分赐诸侍妾，且嘱曰：『吾死之后，汝等须勤习女工，多造丝履，卖之可以得钱自给。』又命诸妾多居于铜雀台中，每日设祭，必令女伎奏乐上食。又遗命于彰德府讲武城外，设立疑冢七十二：『勿令后人知吾葬处，恐为人所发掘故也。』嘱毕，长叹一声，泪如雨下。须臾，气绝而死。寿六十六岁。时建安二十五年春正月也。后人有《邺中歌》一篇，叹曹操云：

邺则邺城水漳水，定有异人从此起：雄谋韵事与文心，君臣兄弟而父子；英雄未有俗胸中，出没岂随人眼底？功首罪魁非两人，遗臭流芳本一身；文章有神霸有气，岂能苟尔化为群？横流筑台距太行，气与理势相低昂；安有斯人不作逆，小不为霸大不王？霸王降作儿女鸣，无可奈何中不平；向帐明知非有益，分香未可谓无情。呜呼！古人作事无巨细，寂寞豪华皆有意；书生轻议冢中人，冢中笑尔书生气！

却说曹操身亡，文武百官尽皆举哀；一面遣人赴世子曹丕、鄢陵侯曹彰、临淄侯曹植、萧怀侯曹熊处报丧。众官用金棺银椁将操入殓，星夜举灵榇赴邺郡来。曹丕闻知父丧，放声痛哭，率大小官员出城十里，伏道迎榇入城，停于偏殿。官僚挂孝，聚哭于殿上。忽一人挺身而出曰：『请世子息哀，且议大事。』众视之，乃中庶子司马孚也。孚曰：『魏王既薨(hōng)，天下震动；当早立嗣王，以安众心。何但哭泣耶？』群臣曰：『世子宜嗣位；但未得天子诏命，岂可造次而行？』兵部尚书陈矫曰：『王薨于外，爱子私立，彼此生变，则社稷危矣。』遂拔剑割下袍袖，厉声曰：『即今日便请世子嗣位。众官有异议者，以此袍为例！』百官悚惧。忽报华歆自许昌飞马而至，众皆大惊。须臾华歆入，众问其来意，歆曰：『今魏王薨逝，天下震动，何不早请世子嗣位？』众官曰：『正因不及候诏命，方议欲以王后卞氏慈旨立世子为王。』歆曰：『吾已于汉帝处索得诏命在此。』众皆踊跃称贺。歆于怀中取出诏命开读。原来华歆谄事魏，故草此诏，威逼献帝降之；帝只得听从，故下诏即封曹丕为魏王、丞相、冀州牧。丕即日登位，受大小官僚拜舞起居。

正宴会庆贺间，忽报鄢陵侯曹彰，自长安领十万大军来到。丕大惊，遂问群臣曰：『黄须小弟，平日性刚，深通武艺。今提兵远来，必与孤争王位也。如之奈何？』忽阶下一人应声出曰：『臣请往见鄢陵侯，以片言折之。』众皆曰：『非大夫莫能解此祸也。』正是：试看曹氏丕彰事，几作袁家谭尚争。未知此人是谁，且看下文分解。

第七十九回　兄逼弟曹植赋诗　侄陷叔刘封伏法

却说曹丕闻曹彰提兵而来，惊问众官；一人挺身而出，愿往折服之。众视其人，乃谏议大夫贾逵也。曹丕大喜，即命贾逵前往。逵领命出城，迎见曹彰。彰问曰：『先王玺绶安在？』逵正色而言曰：『家有长子，国有储君。先王玺绶，非君侯之所宜问也。』彰默然无语，乃与贾逵同入城。至宫门前，逵问曰：『君侯此来，欲奔丧耶？欲争位耶？』彰曰：『吾来奔丧，别无异心。』逵曰：『既无异心，何故带兵入城？』彰即时叱退左右将士，只身入内，拜见曹丕。兄弟二人，相抱大哭。曹彰将本部军马尽交与曹丕。丕令彰回鄢陵自守，彰拜辞而去。

于是曹丕安居王位，改建安二十五年为延康元年；封贾诩为太尉，华歆为相国，王朗为御史大夫；大小官僚，尽皆升赏。谥曹操曰武王，葬于邺郡高陵，令于禁董治陵事。禁奉命到彼，只见陵屋中白粉壁上，图画关云长水淹七军擒获于禁之事：画云长严然上坐，庞德愤怒不屈，于禁拜伏于地，哀求乞命之状。原来曹丕以于禁兵败被擒，不能死节，既降敌而复归，心鄙其为人，故先令人图画陵屋粉壁，故意使之往见以愧之。当下于禁见此画像，又羞又恼，气愤成病，不久而死。后人有诗叹曰：

三十年来说旧交，可怜临难不忠曹。知人未向心中识，画虎今从骨里描。

却说华歆奏曹丕曰：『鄢陵侯已交割军马，赶本国去了；临淄侯植，萧怀侯熊，二人竟不来奔丧，理

当问罪。』丕从之，即分遣二使往二处问罪。不一日，萧怀使者回报：『萧怀侯曹熊惧罪，自缢身死。』丕令厚葬之，追赠萧怀王。又过了一日，临淄使者回报，说：『临淄侯日与丁仪、丁廙(yì)兄弟二人酣饮，悖慢无礼；闻使命至，临淄侯端坐不动，丁仪骂曰：「昔者先王本欲立吾主为世子，被谗臣所阻；今王丧未远，便问罪于骨肉，何也？」丁廙又曰：「据吾主聪明冠世，自当承嗣大位，今反不得立。汝那庙堂之臣，何不识人才若此！」临淄侯因怒，叱武士将臣乱棒打出。』

丕闻之，大怒，即令许褚领虎卫军三千，火速至临淄擒曹植等一干人来。褚奉命，引军至临淄城。守将拦阻，褚立斩之，直入城中，无一人敢当锋锐，径到府堂。只见曹植与丁仪、丁廙等尽皆醉倒。褚皆缚之，载于车上，并将府下大小属官，尽行拿解邺郡，听候曹丕发落。丕下令，先将丁仪、丁廙等尽行诛戮。丁仪字正礼，丁廙字敬礼，沛郡人，乃一时文士；及其被杀，人多惜之。

却说曹丕之母卞氏，听得曹熊缢死，心甚悲伤；忽又闻曹植被擒，其党丁仪等已杀，大惊。急出殿，召曹丕相见。丕见母出殿，慌来拜谒。卞氏哭谓丕曰：『汝弟植平生嗜酒疏狂，盖因自恃胸中之才，故尔放纵。

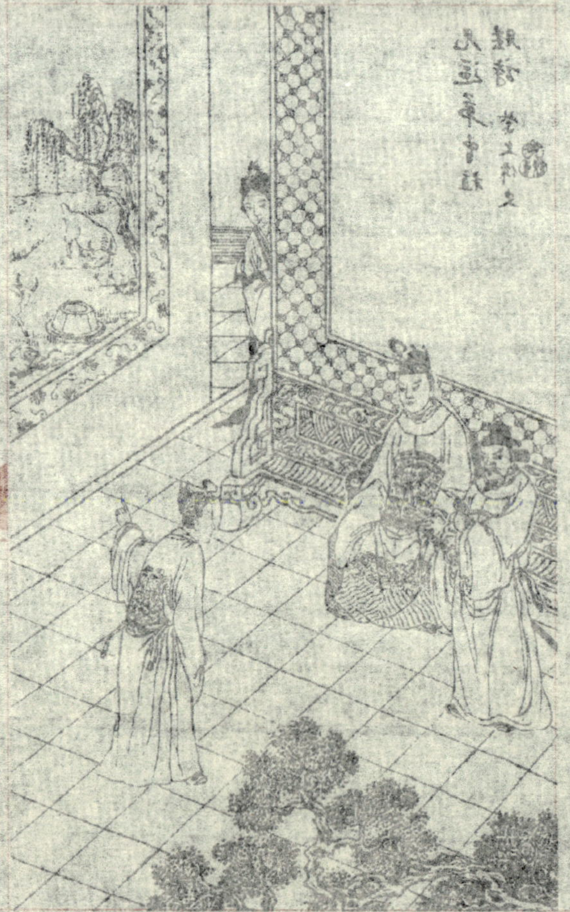

汝可念同胞之情，存其性命。吾至九泉亦瞑目也。』丕曰：『儿亦深爱其才，安肯害他？今正欲戒其性耳。母亲勿忧。』

卞氏洒泪而入。丕出偏殿，召曹植入见，华歆问曰：『适来莫非太后劝殿下勿杀子建乎？』丕曰：『然。』歆曰：『子建怀才抱智，终非池中物；若不早除，必为后患。』丕曰：『母命不可违。』歆曰：『人皆言子建出口成章，臣未深信。主上可召入，以才试之。若不能，即杀之；若果能，则贬之，以绝天下文人之口。』丕从之。须臾，曹植入见，惶恐伏拜请罪。丕曰：『吾与汝情虽兄弟，义属君臣，汝安敢恃才蔑礼？昔先君在日，汝常以文章夸示于人，吾深疑汝必用他人代笔。吾今限汝行七步吟诗一首。若果能，则免一死；若不能，则从重治罪，决不姑恕！』植曰：『愿乞题目。』时殿上悬一水墨画，画着两只牛，斗于土墙之下，一牛坠井而亡。丕指画曰：『即以此画为题。诗中不许犯着「二牛斗墙下，一牛坠井死」字样。』植行七步，其诗已成。诗曰：

两肉齐道行，头上带凹骨。相遇块山下，郯起相搪突。二敌不俱刚，一肉卧土窟。非是力不如，盛气不泄毕。

曹丕及群臣皆惊。丕又曰：『七步成章，吾犹以为迟。汝能应声而作诗一首否？』植曰：『愿即命题。』丕曰：『吾与汝乃兄弟也。以此为题。亦不许犯着「兄弟」字样。』植略不思索，即口占一首曰：

煮豆燃豆萁，豆在釜中泣。本是同根生，相煎何太急！

曹丕闻之，潸然泪下。其母卞氏，从殿后出曰：『兄何逼弟之甚耶？』丕慌忙离坐告曰：『国法不可废耳。』于是贬曹植为安乡侯。植拜辞上马而去。

曹丕自继位之后，法令一新，威逼汉帝，甚于其父。早有细作报入成都。汉中王闻之，大惊，即与文武商议曰：『曹操已死，曹丕继位，威逼天子，更甚于操。东吴孙权，拱手称臣。孤欲先伐东吴，以报云长之仇；次讨中原，以除乱贼。』言未毕，廖化出班，哭拜于地曰：『关公父子遇害，实刘封、孟达之罪。乞诛此二贼。』玄德便欲遣人擒之。孔明谏曰：『不可。且宜缓图之，急则生变矣。可升此二人为郡守，分调开去，然后可擒。』

玄德从之，遂遣使升刘封去守绵竹。原来彭羕与孟达甚厚，听知此事，急回家作书，遣心腹人驰报孟达。使者方出南门外，被马超巡视军捉获，解见马超。超审知此事，即往见彭羕。羕接入，置酒相待。酒至数巡，超以言挑之曰：『昔汉中王待公甚厚，今何渐薄也？』羕因酒醉，恨骂曰：『老革荒悖，吾必有以报之！』超又探曰：『某亦怀怨心久矣。』羕曰：『公起本部军，结连孟达为外合，某领川兵为内应，大事可图也。』超曰：『先生之言甚当。来日再议。』超辞了彭羕，即将人与书解见汉中王，细言其事。玄德大怒，即令擒彭羕下狱，拷问其情。羕在狱中，悔之无及。玄德问孔明曰：『彭羕有谋反之意，当何以治之？』孔明曰：『羕虽狂士，然留之久必生祸。』于是玄德赐彭羕死于狱。

羕既死，有人报知孟达。达大惊，举止失措，忽使命至，调刘封回守绵竹去讫。孟达慌请上庸、房陵都尉申耽、申仪弟兄二人商议曰：『我与法孝直同有功于汉中王；今孝直已死，而汉中王忘我前功，乃欲

三国演义

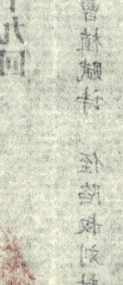

见害，为之奈何？』耽曰：『某有一计，使汉中王不能加害于公。』达大喜，急问何计。耽曰：『吾弟兄欲投魏久矣，公可作一表，辞了汉中王，投魏王曹丕，丕必重用。吾二人亦随后来降也。』达猛然省悟，即写表一通，付与来使，当晚引五十余骑投魏去了。使命持表回成都，奏汉中王，言孟达投魏之事。先主大怒。览其表曰：

臣达伏惟殿下：将建伊、吕之业，追桓、文之功，大事草创，假势吴、楚，是以有为之士，望风归顺。臣委质以来，愆戾山积；臣犹自知，况于君乎？今王朝英俊鳞集，臣内无辅佐之器，外无将领之才，列次功臣，诚足自愧！

臣闻范蠡识微，浮于五湖；舅犯谢罪，逡巡河上。夫际会之间，请命乞身，何哉？欲洁去就之分也。况臣卑鄙，无元功巨勋，自系于时，窃慕前贤，早思远耻。昔申生至孝，见疑于亲；子胥至忠，见诛于君；蒙恬拓境而被大刑，乐毅破齐而遭谗佞。臣每读其书，未尝不感慨流涕；而亲当其事，益用伤悼！

迩者，荆州覆败，大臣失节，百无一还；惟臣寻事，自致房陵、上庸，而复乞身，自放于外。伏想殿下圣恩感悟，愍臣之心，悼臣之举。臣诚小人，不能始终。知而为之，敢谓非罪？臣每闻『交绝无恶声，去臣无怨辞』。臣过奉教于君子，愿君王勉之。臣不胜惶恐之至！

玄德看毕，大怒曰：『匹夫叛吾，安敢以文辞相戏耶！』即欲起兵擒之。孔明曰：『可就遣刘封进兵，令二虎相并，刘封或有功，或败绩，必归成都，就而除之，可绝两害。』玄德从之，遂遣使到绵竹，传谕刘封。封受命，率兵来擒孟达。

却说曹丕正聚文武议事，忽近臣奏曰：『蜀将孟达来降。』丕召入问曰：『汝此来，莫非诈降乎？』达曰：『臣为不救关公之危，汉中王欲杀臣，因此惧罪来降，别无他意。』曹丕尚未准信，忽报刘封引五万兵来取襄阳，单搦孟达厮杀。丕曰：『汝既是真心，便可去襄阳取刘封首级来，孤方准信。』达曰：『臣以利害说之，不必动兵，令刘封亦来降也。』丕大喜，遂加孟达为散骑常侍、建武将军、平阳亭侯，领新城太守，去守襄阳、樊城。原来夏侯尚、徐晃已先在襄阳，正将收取上庸诸部。孟达到了襄阳，与二将礼毕，探得刘封离城五十里下寨。达即修书一封，使人赍赴蜀寨招降刘封。刘封览书大怒曰：『此贼误吾叔侄之义，又间吾父子之亲，使吾为不忠不孝之人也！』遂扯碎来书，斩其使。次日，引军前来搦战。

孟达知刘封扯书斩使，勃然大怒，亦领兵出迎。两阵对圆，封立马于门旗下，以刀指骂曰：『背国反贼，安敢乱言！』孟达曰：『汝死已临头上，还自执迷不省！』封大怒，拍马轮刀，直奔孟达。战不三合，达败走，封乘虚追杀二十余里，一声喊起，伏兵尽出，左边夏侯尚杀来，右边徐晃杀来，孟达回身复战。三军夹攻，刘封大败而走，连夜奔回上庸，背后魏兵赶来。刘封到城下叫门，城上乱箭射下。申耽在敌楼上叫曰：『吾已降了魏也！』封大怒，欲要攻城，背后追军将至。封立脚不住，只得望房陵而奔，见城上已尽插魏旗，申仪在敌楼上将旗一飐，城后一彪军出，旗上大书『右将军徐晃』。封抵敌不住，急望西川而走。晃乘势追杀。刘封部下只剩得百余骑，到了成都，入见汉中王，哭拜于地，细奏前事。玄德怒曰：『辱子有何面

目复来见吾！』封曰：『叔父之难，非儿不救，因孟达谏阻故耳。』玄德转怒曰：『汝须食人食、穿人衣，非土木偶人！安可听谗贼所阻！』命左右推出斩之。汉中王既斩刘封，后闻孟达招之，毁书斩使之事，心中颇悔；又哀痛关公，以致染病。因此按兵不动。

且说魏王曹丕，自即王位，将文武官僚，尽皆升赏；遂统甲兵三十万，南巡沛国谯县，大飨先茔。乡中父老，扬尘遮道，奉觞进酒，效汉高祖还沛之事。人报大将军夏侯惇病危，丕即还邺郡。时惇已卒，丕为挂孝，以厚礼殡葬。

是岁八月间，报称石邑县凤凰来仪，临淄城麒麟出现，黄龙现于邺郡。于是中郎将李伏、太史丞许芝商议：种种瑞征，乃魏当代汉之兆，可安排受禅之礼，令汉帝将天下让于魏王。遂同华歆、王朗、辛毗、贾诩、刘廙、刘晔、陈矫、陈群、桓阶等一班文武官僚，四十余人，直入内殿，来奏汉献帝，请禅位于魏王曹丕。

正是：魏家社稷今将建，汉代江山忽已移。未知献帝如何回答，且看下文分解。

第八十回　曹丕废帝篡炎刘　汉王正位续大统

却说华歆等一班文武，入见献帝。歆奏曰：『伏睹魏王，自登位以来，德布四方，仁及万物，越古超今，虽唐、虞无以过此。群臣会议，言汉祚已终，望陛下效尧、舜之道，以山川社稷，禅与魏王：上合天心，下合民意，则陛下安享清闲之福，祖宗幸甚！生灵幸甚！臣等议定，特来奏请。』帝闻奏大惊，半晌无言，觑百官而哭曰：『朕想高祖提三尺剑，斩蛇起义，平秦灭楚，创造基业，世统相传，四百年矣。朕虽不才，初无过恶，安忍将祖宗大业，等闲弃了？汝百官再从公计议。』

华歆引李伏、许芝近前奏曰：『陛下若不信，可问此二人。』李伏奏曰：『自魏王即位以来，麒麟降生，凤凰来仪，黄龙出现，嘉禾蔚生，甘露下降：此是上天示瑞，魏当代汉之象也。』许芝又奏曰：『臣等职掌司天，夜观乾象，见炎汉气数已终，陛下帝星隐匿不明；魏国乾象，极天际地，言之难尽。更兼上应图谶，其谶曰：「鬼在边，委相连，当代汉，无可言。言在东，午在西，两日并光上下移。」以此论之，陛下可早禅位。「鬼在边」，「委相连」，是「魏」字也；「言在东，午在西」，乃「许」字也；「两日并光上下移」，乃「昌」字也：此是魏在许昌应受汉禅也。愿陛下察之。』帝曰：『祥瑞图谶，皆虚妄之事；奈何以虚妄之事，而遽欲朕舍祖宗之基业乎？』王朗奏曰：『自古以来，有兴必有废，有盛必有衰，岂有不亡之国、不败之家乎？汉室相传四百余年，延至陛下，气数已尽，宜早退避，不可迟疑；迟则生变矣。』

帝大哭，入后殿去了。百官哂笑而退。

次日，官僚又集于大殿，令宦官入请献帝。帝忧惧不敢出。曹后曰：『百官请陛下设朝，陛下何故推阻？』帝泣曰：『汝兄欲篡位，令百官相逼，朕故不出。』曹后大怒曰：『吾兄奈何为此乱逆之事耶！』言未已，只见曹洪、曹休带剑而入，请帝出殿。曹后大骂曰：『俱是汝等乱贼，希图富贵，共造逆谋！吾父功盖寰区，威震天下，然且不敢篡窃神器。今吾兄嗣位未几，辄思篡汉，皇天必不祚尔！』言罢，痛哭入宫。左右侍者皆歔欷流涕。

曹洪、曹休力请献帝出殿。帝被逼不过，只得更衣出前殿。华歆奏曰：『陛下可依臣等昨日之议，免遭大祸。』帝痛哭曰：『卿等皆食汉禄久矣；中间多有汉朝功臣子孙，何忍作此不臣之事？』歆曰：『陛下若不从众议，恐旦夕萧墙祸起，非臣等不忠于陛下也。』帝曰：『谁敢弑朕耶？』歆厉声曰：『天下之人，皆知陛下无人君之福，以致四方大乱！若非魏王在朝，弑陛下者，何止一人？陛下尚不知恩报德，直欲令天下人共伐陛下耶？』帝大惊，拂袖而起。王朗以目视华歆。歆纵步向前，扯住龙袍，变色而言曰：『许与不许，早发一言！』帝战栗不能答。曹洪、曹休拔剑大呼曰：『符宝郎何在？』祖弼应声出曰：『符宝郎在此！』曹洪索要玉玺。祖弼叱曰：『玉玺乃天子之宝，安得擅索！』洪喝令武士推出斩之。祖弼大骂不绝口而死。后人有诗赞曰：

奸宄(guǐ)专权汉室亡，诈称禅位效虞唐。满朝百辟皆尊魏，仅见忠臣符宝郎。

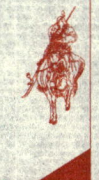

帝颤慄不已。只见阶下披甲持戈数百余人，皆是魏兵。帝泣谓群臣曰：『朕愿将天下禅于魏王，幸留残喘，以终天年。』贾诩曰：『魏王必不负陛下。陛下可急降诏，以安众心。』帝只得令陈群草禅国之诏，令华歆赍捧诏玺，引百官直至魏王宫献纳。曹丕大喜。开读诏曰：

朕在位三十二年，遭天下荡覆，幸赖祖宗之灵，危而复存。然今仰瞻天象，俯察民心，炎精之数既终，行运在乎曹氏。是以前王既树神武之迹，今王又光耀明德，以应其期。历数昭明，信可知矣。夫『大道之行，天下为公』；唐尧不私于厥子，而名播于无穷：朕窃慕焉。今其追踵尧典，禅位于丞相魏王。王其毋辞！

曹丕听毕，便欲受诏。司马懿谏曰：『不可。虽然诏玺已至，殿下宜且上表谦辞，以绝天下之谤。』丕从之，令王朗作表，自称德薄，请别求大贤以嗣天位。帝览表，心甚惊疑，谓群臣曰：『魏王谦逊，如之奈何？』华歆曰：『昔魏武王受王爵之时，三辞而诏不许，然后受之。今陛下可再降诏，魏王自当允从。』帝不得已，又令桓阶草诏，遣高庙使张音，持节奉玺至魏王宫。曹丕开读诏曰：

咨尔魏王，上书谦让。朕窃为汉道陵迟，为日已久；幸赖武王操，德膺符运，奋扬神武，芟除凶暴，清定区夏。今王丕缵承前绪，至德光昭，声教被四海，仁风扇八区；天之历数，实在尔躬。昔虞舜有大功二十，而放勋禅以天下；大禹有疏导之绩，而重华禅以帝位。汉承尧运，有传圣之义，加顺灵祇，绍天明命，使行御史大夫张音，持节奉皇帝玺绶。王其受之！

曹丕接诏欣喜，谓贾诩曰：『虽二次有诏，然终恐天下后世，不免篡窃之名也。』诩曰：『此事极易：可再命张音赍回玺绶，却教华歆令汉帝筑一坛，名「受禅坛」；择吉日良辰，集大小公卿，尽到坛下，令

天子亲奉玺绶，禅天下与王，便可以释群疑而绝众议矣。』

丕大喜，即令张音赍回玺绶，仍作表谦辞。音回奏献帝。帝问群臣曰：『魏王又让，其意若何？』华歆奏曰：『陛下可筑一坛，名曰「受禅坛」，集公卿庶民，明白禅位；则陛下子子孙孙，必蒙魏恩矣。』帝从之，乃遣太常院官，卜地于繁阳，筑起三层高坛，择于十月庚午日寅时禅让。

至期，献帝请魏王曹丕登坛受禅，坛下集大小官僚四百余员，御林虎贲禁军三十余万，帝亲捧玉玺奉曹丕。丕受之。坛下群臣跪听册曰：

咨尔魏王！昔者唐尧禅位于虞舜，舜亦以命禹：天命不于常，惟归有德。汉道陵迟，世失其序；降及朕躬，大乱滋昏：群凶恣逆，宇内颠覆。赖武王神武，拯兹难于四方，惟清区夏，以保绥我宗庙；岂予一人获乂(yì)，俾九服实受其赐。今王钦承前绪，光于乃德，恢文武之大业，昭尔考之弘烈。皇灵降瑞，人神告徵；诞惟亮采，师锡朕命。佥曰：尔度克协于虞舜，用率我唐典，敬逊尔位。于戏！『天之历数在尔躬』，君其祗顺大礼，飨万国以肃承天命！

读册已毕，魏王曹丕即受八般大礼，登了帝位。贾诩引大小官僚朝于坛下。改延康元年为黄初元年。国号大魏。丕即传旨，大赦天下。谥父曹操为太祖武皇帝。华歆奏曰：『「天无二日，民无二王」。汉帝既禅天下，理宜退就藩服。乞降明旨，安置刘氏于何地？』言讫，扶献帝跪于坛下听旨。丕降旨封帝为山阳公，即日便行。华歆按剑指帝，厉声而言曰：『立一帝，废一帝，古之常道！今上仁慈，不忍加害，封

汝为山阳公。今日便行，非宣召不许入朝！』献帝含泪拜谢，上马而去。坛下军民人等见之，伤感不已。丕谓群臣曰：『舜、禹之事，朕知之矣！』群臣皆呼『万岁』。后人观此受禅坛，有诗叹曰：

两汉经营事颇难，一朝失却旧江山。黄初欲学唐虞事，司马将来作样看。

百官请曹丕答谢天地。丕方下拜，忽然坛前卷起一阵怪风，飞砂走石，急如骤雨，对面不见；坛上火烛，尽皆吹灭。丕惊倒于坛上，百官急救下坛，半晌方醒。侍臣扶入宫中，数日不能设朝。后病稍可，方出殿受群臣朝贺。封华歆为司徒，王朗为司空；大小官僚，一一升赏。丕疾未痊，疑许昌宫室多妖，乃自许昌幸洛阳，大建宫室。

早有人到成都，报说曹丕自立为大魏皇帝，于洛阳盖造宫殿；且传言汉帝已遇害。汉中王闻知，痛哭终日，下令百官挂孝，遥望设祭，上尊谥曰『孝愍皇帝』。玄德因此忧虑，致染成疾，不能理事，政务皆托与孔明。孔明与太傅许靖、光禄大夫谯周商议，言天下不可一日无君，欲尊汉中王为帝。谯周曰：『近有祥风庆云之瑞；成都西北角有黄气数十丈，冲霄而起；帝星见于毕、胃、昴之分，煌煌如月：此正应汉中王当即帝位，以继汉统，更复何疑？』

于是孔明与许靖，引大小官僚上表，请汉中王即皇帝位。汉中王览表，大惊曰：『卿等欲陷孤为不忠不义之人耶？』孔明奏曰：『非也。曹丕篡汉自立，王上乃汉室苗裔，理合继统以延汉祀。』汉中王勃然变色曰：『孤岂效逆贼所为！』拂袖而起，入于后宫。众官皆散。三日后，孔明又引众官入朝，请汉中王

出。众皆拜伏于前。许靖奏曰：『今汉天子已被曹丕所弑，王上不即帝位，兴师讨逆，不得为忠义也，今天下无不欲王上为君，为孝愍皇帝雪恨。若不从臣等所议，是失民望矣。』汉中王曰：『孤虽是景帝之孙，并未有德泽以布于民；今一旦自立为帝，与篡窃何异！』孔明苦劝数次，汉中王坚执不从。孔明乃设一计，谓众官曰：如此如此。于是孔明托病不出。

汉中王闻孔明病笃，亲到府中，直入卧榻边，问曰：『军师所感何疾？』孔明答曰：『忧心如焚，命不久矣！』汉中王曰：『军师所忧何事？』连问数次，孔明只推病重，瞑目不答。汉中王再三请问。孔明喟然叹曰：『臣自出茅庐，得遇大王，相随至今，言听计从；今幸大王有两川之地，不负臣夙昔之言。目今曹丕篡位，汉祀将斩，文武官僚，咸欲奉大王为帝，灭魏兴刘，共图功名；不想大王坚执不肯，众官皆有怨心，不久必尽散矣。若文武皆散，吴、魏来攻，两川难保。臣安得不忧乎？』汉中王曰：『吾非推阻，恐天下人议论耳。』孔明曰：『圣人云：「名不正，则言不顺。」今大王名正言顺，有何可议？岂不闻「天与弗取，反受其咎」？』汉中王曰：『待军师病可，行之未迟。』孔明听罢，从榻上跃然而起，将屏风一击，外面文武众官皆入，拜伏于地曰：『王上既允，便请择日以行大礼。』汉中王视之，乃是太傅许靖、安汉将军糜竺、青衣侯向举、阳泉侯刘豹、别驾赵祚、治中杨洪、议曹杜琼、从事张爽、太常卿赖恭、光禄卿黄权、祭酒何宗、学士尹默、司业谯周、大司马殷纯、偏将军张裔、少府王谋、昭文博士伊籍、从事郎秦宓等众也。

汉中王惊曰：『陷孤于不义，皆卿等也！』孔明曰：『王上既允所请，便可筑坛择吉，恭行大礼。』即时送汉中王还宫，一面令博士许慈、谏议郎孟光掌礼，筑坛于成都武担之南。诸事齐备，多官整设銮驾，迎请汉中王登坛致祭。谯周在坛上，高声朗读祭文曰：

惟建安二十六年四月丙午朔，越十二日丁巳，皇帝备，敢昭告于皇天后土：汉有天下，历数无疆。曩者，王莽篡盗，光武皇帝震怒致诛，社稷复存。今曹操阻兵残忍，戮杀主后，罪恶滔天；操子丕，载肆凶逆，窃据神器。群下将士，以为汉祀堕废，备宜延之，嗣武二祖，躬行天罚。备惧无德忝帝位，询于庶民，外及遐荒君长，佥曰：天命不可以不答，祖业不可以久替，四海不可以无主。率土式望，在备一人。备畏天明命，又惧高、光之业，将坠于地，谨择吉日，登坛告祭，受皇帝玺绶，抚临四方。惟神飨祚汉家，永绥历服！

读罢祭文，孔明率众官恭上玉玺。汉中王受了，捧于坛上，再三推辞曰：『备无才德，请择有才德者受之。』孔明奏曰：『王上平定四海，功德昭于天下，况是大汉宗派，宜即正位。已祭告天神，复何让焉！』文武各官，皆呼『万岁』。拜舞礼毕，改元章武元年。立妃吴氏为皇后，长子刘禅为太子；封次子刘永为鲁王，三子刘理为梁王；封诸葛亮为丞相，许靖为司徒；大小官僚，一一升赏。大赦天下。两川军民，无不欣跃。

次日设朝，文武官僚拜毕，列为两班。先主降诏曰：『朕自桃园与关、张结义，誓同生死。不幸二弟云长，被东吴孙权所害；若不报仇，是负盟也。朕欲起倾国之兵，剪伐东吴，生擒逆贼，以雪此恨！』言未毕，班内一人，拜伏于阶下，谏曰：『不可。』先主视之，乃虎威将军赵云也。正是：

君王未及行天讨，臣下曾闻进直言。

未知子龙所谏若何，且看下文分解。

第八十一回　急兄仇张飞遇害　雪弟恨先主兴兵

却说先主欲起兵东征，赵云谏曰：『国贼乃曹操，非孙权也。今曹丕篡汉，神人共怒。陛下可早图关中，屯兵渭河上流，以讨凶逆，则关东义士，必裹粮策马以迎王师；若舍魏以伐吴，兵势一交，岂能骤解。愿陛下察之。』先主曰：『孙权害了朕弟；又兼傅士仁、糜芳、潘璋、马忠皆有切齿之仇：啖其肉而灭其族，方雪朕恨！卿何阻耶？』云曰：『汉贼之仇，公也；兄弟之仇，私也。愿以天下为重。』先主答曰：『朕不为弟报仇，虽有万里江山，何足为贵？』遂不听赵云之谏，下令起兵伐吴；且发使往五谿（xī），借番兵五万，共相策应；一面差使往阆中，迁张飞为车骑将军，领司隶校尉，封西乡侯，兼阆中牧。使命赍诏而去。

却说张飞在阆中，闻知关公被东吴所害，旦夕号泣，血湿衣襟。诸将以酒解劝，酒醉，怒气愈加。帐上帐下，但有犯者即鞭挞之；多有鞭死者。每日望南切齿睁目怒恨，放声痛哭不已。忽报使至，慌忙接入，开读诏旨。飞受爵望北拜毕，设酒款待来使。飞曰：『吾兄被害，仇深似海；庙堂之臣，何不早奏兴兵？』使者曰：『多有劝先灭魏而后伐吴者。』飞怒曰：『是何言也！昔我三人桃园结义，誓同生死；今不幸二兄半途而逝，吾安得独享富贵耶！吾当面见天子，愿为前部先锋，挂孝伐吴，生擒逆贼，祭告二兄，以践前盟！』言讫，就同使命望成都而来。

却说先主每日自下教场操演军马，克日兴师，御驾亲征。于是公卿都至丞相府中见孔明，曰：『今天子初临大位，亲统军伍，非所以重社稷也。丞相秉钧衡之职，何不规谏？』孔明曰：『吾苦谏数次，只是不听。今日公等随我入教场谏去。』当下孔明引百官来奏先主曰：『陛下初登宝位，若欲北讨汉贼，以伸大义于天下，方可亲统六师；若只欲伐吴，命一上将统军伐之可也，何必亲劳圣驾？』先主见孔明苦谏，心中稍回。忽报张飞到来，先主急召入。飞至演武厅拜伏于地，抱先主足而哭。先主亦哭。飞曰：『陛下今日为君，早忘了桃园之誓！二兄之仇，如何不报？』先主曰：『多官谏阻，未敢轻举。』飞曰：『他人岂知昔日之盟？若陛下不去，臣舍此躯与二兄报仇！若不能报时，臣宁死不见陛下也！』先主曰：『朕与卿同往：卿提本部兵自阆州而出，朕统精兵会于江州，共伐东吴，以雪此恨！』飞临行，先主嘱曰：『朕素知卿酒后暴怒，鞭挞健儿，而复令在左右：此取祸之道也。今后务宜宽容。不可如前。』飞拜辞而去。

次日，先主整兵要行。学士秦宓奏曰：『陛下舍万乘之躯，而徇小义，古人所不取也。愿陛下思之。』

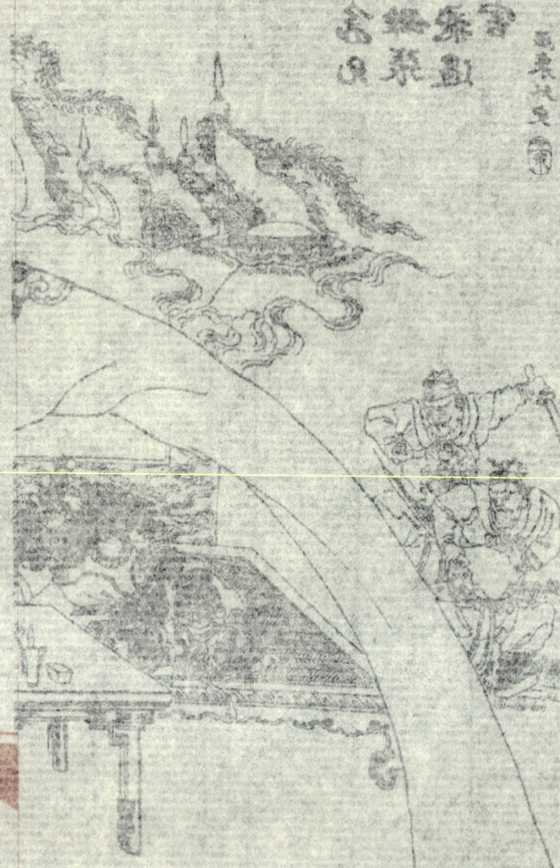

先主曰：『云长与朕，犹一体也。大义尚在，岂可忘耶？』宓伏地不起曰：『陛下不从臣言，诚恐有失。』先主大怒曰：『朕欲兴兵，尔何出此不利之言！』叱武士推出斩之。宓面不改色，回顾先主而笑曰：『臣死无恨，但可惜新创之业，又将颠覆耳！』众官皆为秦宓告免。先主曰：『暂且囚下，待朕报仇回时发落。』孔明闻知，即上表救秦宓。其略曰：

臣亮等切以吴贼逞奸诡之计，致荆州有覆亡之祸；陨将星于斗牛，折天柱于楚地：此情哀痛，诚不可忘。但念迁汉鼎者，罪由曹操，移刘祚者，过非孙权。窃谓魏贼若除，则吴自宾服。愿陛下纳秦宓金石之言，以养士卒之力，别作良图，则社稷幸甚！天下幸甚！

先主看毕，掷表于地曰：『朕意已决，无得再谏！』遂命丞相诸葛亮保太子守两川；骠骑将军马超并弟马岱，助镇北将军魏延守汉中，以当魏兵；虎威将军赵云为后应，兼督粮草；黄权、程畿为参谋；马良、陈震掌理文书；黄忠为前部先锋；冯习、张南为副将；傅彤、张翼为中军护尉；赵融、廖淳为合后。川将数百员，并五谿番将等，共兵七十五万，择定章武元年七月丙寅日出师。

却说张飞回到阆中，下令军中：限三日内制办白旗白甲，三军挂孝伐吴。次日，帐下两员末将范疆、张达，入帐告曰：『白旗白甲，一时无措，须宽限方可。』飞大怒曰：『吾急欲报仇，恨不明日便到逆贼之境，汝安敢违我将令！』叱武士缚于树上，各鞭背五十。鞭毕，以手指之曰：『来日俱要完备！若违了限，即杀汝二人示众！』打得二人满口出血。回到营中商议，范疆曰：『今日受了刑责，着我等如何办得？

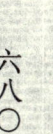

其人性暴如火，倘来日不完，你我皆被杀矣！』张达曰：『比如他杀我，不如我杀他。』疆曰：『怎奈不得近前。』达曰：『我两个若不当死，则他醉于床上；若是当死，则他不醉。』二人商议停当。

却说张飞在帐中，神思昏乱，动止恍惚，乃问部将曰：『吾今心惊肉颤，坐卧不安，此何意也？』部将答曰：『此是君侯思念关公，以致如此。』飞令人将酒来，与部将同饮，不觉大醉，卧于帐中。范、张二贼，探知消息，初更时分，各藏短刀，密入账中，诈言欲禀机密重事，直至床前。原来张飞每睡不合眼；当夜寝于帐中，二贼见他须竖目张，本不敢动手。因闻鼻息如雷，方敢近前，以短刀刺入飞腹。飞大叫一声而亡。时年五十五岁。后人有诗叹曰：

安喜曾闻鞭督邮，黄巾扫尽佐炎刘。虎牢关上声先震，长坂桥边水逆流。
义释严颜安蜀境，智欺张郃定中州。伐吴未克身先死，秋草长遗阆地愁。

却说二贼当夜割了张飞首级，便引数十人连夜投东吴去了。次日，军中闻知，起兵追之不及。时有张飞部将吴班，向自荆州来见先主，先主用为牙门将，使佐张飞守阆中。当下吴班先发表章，奏知天子；然后令长子张苞具棺椁盛贮，令弟张绍守阆中，苞自来报先主。时先主已择期出师。大小官僚，皆随孔明送十里方回。孔明回至成都，怏怏不乐，顾谓众官曰：『法孝直若在，必能制主上东行也。』

却说先主是夜心惊肉颤，寝卧不安。出帐仰观天文，见西北一星，其大如斗，忽然坠地。先主大疑，连夜令人求问孔明。孔明回奏曰：『合损一上将。三日之内，必有惊报。』先主因此按兵不动。忽侍臣奏曰：『阆

中张车骑部将吴班，差人赍表至。』先主顿足曰：『噫！三弟休矣！』及至览表，果报张飞凶信。先主放声大哭，昏绝于地。众官救醒。次日，人报一队军马骤风而至。先主出营观之。良久，见一员小将，白袍银铠，滚鞍下马，伏地而哭，乃张苞也。苞曰：『范疆、张达杀了臣父，将首级投吴去了！』先主哀痛至甚，饮食不进。群臣苦谏曰：『陛下方欲为二弟报仇，何可先自摧残龙体？』先主方才进膳；遂谓张苞曰：『卿与吴班，敢引本部军作先锋，为卿父报仇否？』苞曰：『为国为父，万死不辞！』先主正欲遣苞起兵，又报一彪军风拥而至。先主令侍臣探之。须臾，侍臣引一小将军，白袍银铠，入营伏地而哭。先主视之，乃关兴也。先主见了关兴，想起关公，又放声大哭。众官苦劝。先主曰：『朕想布衣时，与关、张结义，誓同生死；今朕为天子，正欲与两弟同享富贵，不幸俱死于非命！见此二侄，能不断肠！』言讫又哭。

众官曰：『二小将军且退。容圣上将息龙体。』侍臣奏曰：『陛下年过六旬，不宜过于哀痛。』先主曰：『二弟俱亡，朕安忍独生！』言讫，以头顿地而哭。多官商议曰：『今天子如此烦恼，将何解劝？』马良曰：『主上亲统大兵伐吴，终

日号位，于军不利。』陈震曰：『吾闻成都青城山之西，有一隐者，姓李，名意。世人传说此老已三百余岁，能知人之生死吉凶，乃当世之神仙也。何不奏知天子，召此老来，问他吉凶，胜如吾等之言。』遂入奏先主。先主从之，即遣陈震赍诏，往青城山宣召。震星夜到了青城，令乡人引入山谷深处，遥望仙庄，清云隐隐，瑞气非凡。忽见一小童来迎曰：『来者莫非陈孝起乎？』震大惊曰：『仙童如何知我姓字？』童子曰：『吾师昨者有言：「今日必有皇帝诏命至，使者必是陈孝起。」』震曰：『真神仙也！人言信不诬矣！』遂与小童同入仙庄，拜见李意，宣天子诏命。李意推老不行。震曰：『天子急欲见仙翁一面，幸勿吝鹤驾。』再三敦请，李意方行。既至御营，入见先主。先主见李意鹤发童颜，碧眼方瞳，灼灼有光，身如古柏之状，知是异人，优礼相待。李意曰：『老夫乃荒山村叟，无学无识，辱陛下宣召，不知有何见谕？』先主曰：『朕与关、张二弟结生死之交，三十余年矣。今二弟被害，亲统大军报仇，未知休咎如何。久闻仙翁通晓玄机，望乞赐教。』李意曰：『此乃天数，非老夫所知也。』先主再三求问，意乃索纸笔画兵马器械四十余张，画毕便一一扯碎。又画一大人仰卧于地上，傍边一人掘土埋之，上写一大『白』字，遂稽首而去。先主不悦，谓群臣曰：『此狂叟也！不足为信。』即以火焚之，便催军前进。

张苞入奏曰：『吴班军马已至。小臣乞为先锋。』先主壮其志，即取先锋印赐张苞。苞方欲挂印，又一少年将奋然出曰：『留下印与我！』视之，乃关兴也。苞曰：『我已奉诏矣。』兴曰：『汝有何能，敢当此任？』苞曰：『我自幼习学武艺，箭无虚发。』先主曰：『朕正要观贤侄武艺，以定优劣。』苞令军

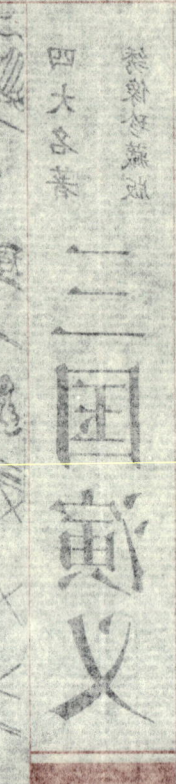

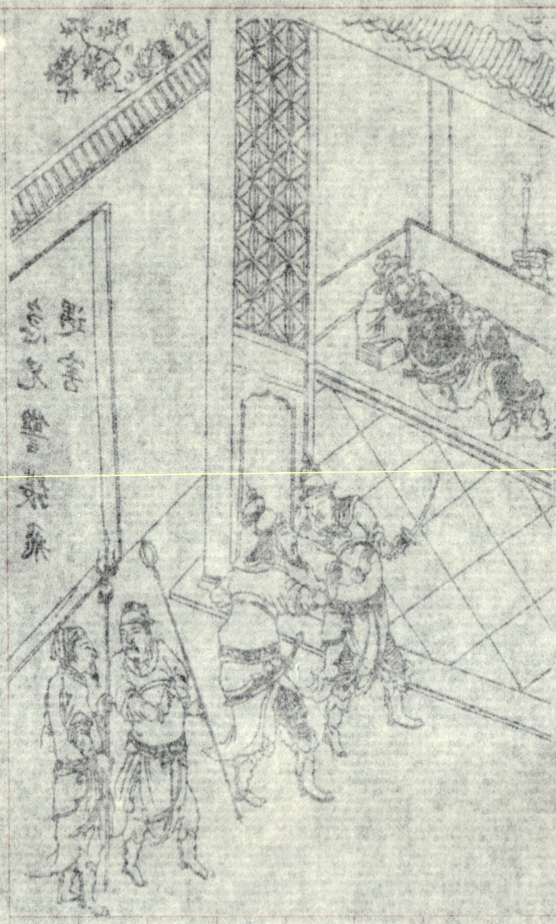

士于百步之外，立一面旗，旗上画一红心。苞拈弓取箭，连射三箭，皆中红心；众皆称善。关兴挽弓在手曰：『射中红心何足为奇？』正言间，忽值头上一行雁过。兴指曰：『吾射这飞雁第三只。』一箭射去，那只雁应弦而落。文武官僚，齐声喝采。苞大怒，飞身上马，手挺父所使丈八点钢矛，大叫曰：『你敢与我比试武艺否？』兴亦上马，绰家传大砍刀纵马而出曰：『偏你能使矛！吾岂不能使刀！』

二将方欲交锋，先主喝曰：『二子休得无礼！』兴、苞二人慌忙下马，各弃兵器，拜伏请罪。先主曰：『朕自涿郡与卿等之父结异姓之交，亲如骨肉；今汝二人亦是昆仲之分，正当同心协力，共报父仇；奈何自相争竞，失其大义！父丧未远而犹如此，况日后乎？』二人再拜伏罪。先主问曰：『卿二人谁年长？』苞曰：『臣长关兴一岁。』先主即命兴拜苞为兄。二人就帐前折箭为誓，永相救护。先主下诏使吴班为先锋，令张苞、关兴护驾。水陆并进，船骑双行，浩浩荡荡，杀奔吴国来。

却说范疆、张达将张飞首级，投献吴侯，细告前事。孙权听罢，收了二人，乃谓百官曰：『今刘玄德即了帝位，统精兵七十余万，御驾亲征，其势甚大，如之奈何？』百官尽皆失色，面面相觑。诸葛谨出曰：『某食君侯之禄久矣，无可报效，愿舍残生，去见蜀主，以利害说之，使两国相和，共讨曹丕之罪。』权大喜，即遣诸葛瑾为使，来说先主罢兵。正是：两国相争通使命，一言解难赖行人。未知诸葛瑾此去如何，且看下文分解。

第八十二回　孙权降魏受九锡　先主征吴赏六军

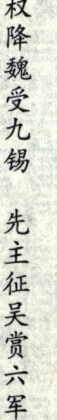

却说章武元年秋八月，先主起大军至夔关，驾屯白帝城。前队军马已出川口。近臣奏曰：『吴使诸葛瑾至。』先主传旨教休放入。黄权奏曰：『瑾弟在蜀为相，必有事而来。陛下何故绝之？当召入，看他言语。可从则从；如不可，则就借彼口说与孙权，令知问罪有名也。』先主从之，召瑾入城。瑾拜伏于地。先主问曰：『子瑜远来，有何事故？』瑾曰：『臣弟久事陛下，臣故不避斧钺，特来奏荆州之事。前者，关公在荆州时，吴侯数次求亲，关公不允。后关公取襄阳，曹操屡次致书吴侯，使袭荆州；吴侯本不肯许，因吕蒙与关公不睦，故擅自兴兵，误成大事。今吴侯悔之不及。此乃吕蒙之罪，非吴侯之过也。今吕蒙已死，冤仇已息。孙夫人一向思归。今吴侯令臣为使，愿送归夫人，缚还降将，并将荆州仍旧交还，永结盟好，共灭曹丕，以正篡逆之罪。』先主怒曰：『汝东吴害了朕弟，今日敢以巧言来说乎！』瑾曰：『臣请以轻重大小之事，与陛下论之：陛下乃汉朝皇叔，今汉帝已被曹丕篡夺，不思剿除；却为异姓之亲，而屈万乘之尊：是舍大义而就小义也。中原乃海内之地，两都皆大汉创业之方，陛下不取，而但争荆州：是弃重而取轻也。天下皆知陛下即位，必兴汉室，恢复山河；今陛下置魏不问，反欲伐吴：窃为陛下不取。』先主大怒曰：『杀吾弟之仇，不共戴天！欲朕罢兵，除死方休！不看丞相之面，先斩汝首！今且放汝回去，说与孙权：洗颈就戮！』诸葛谨见先主不听，只得自回江南。

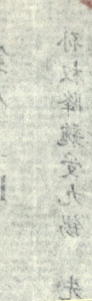

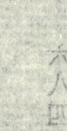

却说张昭见孙权曰：『诸葛子瑜知蜀兵势大，故假以请和为辞，欲背吴入蜀。此去必不回矣。』权曰：『孤与子瑜，有生死不易之盟；孤不负子瑜，子瑜亦不负孤。昔子瑜在柴桑时，孔明来吴，孤欲使子瑜留之。子瑜曰：「弟已事玄德，义无二心；弟之不留，犹谨之不往。」其言足贯神明。今日岂肯降蜀乎？孤与子瑜可谓神交，非外言所得间也。』正言间，忽报诸葛谨回，权曰：『孤言若何？』张昭满面羞惭而退。瑾见孙权，言先主不肯通和之意。权大惊曰：『若如此，则江南危矣！』阶下一人进曰：『某有一计，可解此危。』视之，乃中大夫赵咨也。权曰：『德度有何良策？』咨曰：『主公可作一表，某愿为使，往见魏帝曹丕，陈说利害，使袭汉中，则蜀兵自危矣。』权曰：『此计最善。但卿此去，休失了东吴气象。』咨曰：『若有些小差失，即投江而死，安有面目见江南人物乎！』

权大喜，即写表称臣，令赵咨为使。星夜到了许都，先见太尉贾诩等，并大小官僚。次日早朝，贾诩出班奏曰：『东吴遣中大夫赵咨上表。』曹丕笑曰：『此欲退蜀兵故也。』即令召入。咨拜伏于丹墀。丕览表毕，遂问咨曰：『吴侯乃何如主也？』咨曰：『聪明、仁智、雄略之主也。』丕笑曰：『卿褒奖毋乃太甚？』咨曰：『臣非过誉也。吴侯纳鲁肃于凡品，是其聪也；拔吕蒙于行阵，是其明也；获于禁而不害，是其仁也；取荆州兵不血刃，是其智也；据三江虎视天下，是其雄也；屈身于陛下，是其略也：以此论之，岂不为聪明、仁智、雄略之主乎？』丕又问曰：『吴主颇知学乎？』咨曰：『吴主浮江万艘，带甲百万，任贤使能，志存经略；少有余闲，博览书传，历观史籍，采其大旨，不效书生寻章摘句而已。』丕曰：『朕欲伐吴，可乎？』咨曰：『大国有征伐之兵，小国有御备之策。』丕曰：『吴畏魏乎？』咨曰：『带甲百万，江汉为池，何畏之有？』丕曰：『东吴如大夫者几人？』咨曰：『聪明特达者八九十人，如臣之辈，车载斗量，不可胜数。』丕叹曰：『「使于四方，不辱君命」，卿可以当之矣。』于是即降诏，命太常卿邢贞赍册封孙权为吴王，加九锡。赵咨谢恩出城。大夫刘晔谏曰：『今孙权惧蜀兵之势，故来请降。以臣愚见：蜀、吴交兵，乃天亡之也；今若遣上将提数万之兵，渡江袭之，蜀攻其外，魏攻其内，吴国之亡，不出旬日。吴亡则蜀孤矣。陛下何不早图之？』丕曰：『孙权既以礼服朕，朕若攻之，是沮天下欲降者之心；不若纳之为是。』刘晔又曰：『孙权虽有雄才，乃残汉骠骑将军、南昌侯之职。官轻则势微，尚有畏中原之心；若加以王位，则去陛下一阶耳。今陛下信其诈降，崇其位号以封殖之，是与虎添翼也。』丕曰：『不然。朕不助吴，亦不助蜀。待看吴、蜀交兵，若灭一国，止存一国，那时除之，有何难哉？朕意已决，卿勿复言。』遂命太常卿邢贞同赵咨捧执册锡，径至东吴。

先主征吴賞六軍

却说孙权聚集百官，商议御蜀兵之策。忽报：『魏帝封主公为王，礼当远接。』顾雍谏曰：『主公宜

自称上将军、九州伯之位，不当受魏帝封爵。』权曰：『当日沛公受项羽之封，盖因时也；何故却之？』遂率百官出城迎接。邢贞自恃上国天使，入门不下车。张昭大怒，厉声曰：『礼无不敬，法无不肃，而君敢自尊大，岂以江南无方寸之刃耶？』邢贞慌忙下车，与孙权相见，并车入城。忽车后一人放声哭曰：『吾等不能奋身舍命，为主并魏吞蜀，乃令主公受人封爵，不亦辱乎！』众视之，乃徐盛也。邢贞闻之，叹曰：『江东将相如此，终非久在人下者也！』

却说孙权受了封爵，众文武官僚拜贺已毕，命收拾美玉明珠等物，遣人赍进谢恩。早有细作报说：『蜀主引本国大兵，及蛮王沙摩柯番兵数万，又有洞溪汉将杜路、刘宁二枝兵，水陆并进，声势震天。水路军已出巫口，旱路军已到秭归。』时孙权虽登王位，奈魏主不肯接应，乃问文武曰：『蜀兵势大，当复如何？』众皆默然。权叹曰：『周郎之后有鲁肃，鲁肃之后有吕蒙；今吕蒙已亡，无人与孤分忧也！』言未毕，忽班部中一少年将，奋然而出，伏地奏曰：『臣虽年幼，颇习兵书。愿乞数万之兵，以破蜀兵。』权视之，乃孙桓也。桓字叔武，其父名河，本姓俞氏，孙策爱之，赐姓孙，因此亦系吴王宗族。河生四子，桓居其长，弓马熟娴，常从吴王征讨，累立奇功，官授武卫都尉，时年二十五岁。权曰：『汝有何策胜之？』桓曰：『臣有大将二员：一名李异，一名谢旌，俱有万夫不当之勇。乞数万之众，往擒刘备。』权曰：『侄虽英勇，争奈年幼；必得一人相助，方可。』虎威将军朱然出曰：『臣愿与小将军同擒刘备。』权许之，遂点水陆军五万，封孙桓为左都督，朱然为右都督，即日起兵。哨马探得蜀兵已至宜都下寨，孙桓引二万五千军马，屯于宜都界口，前后分作三营，以拒蜀兵。

却说蜀将吴班领先锋之印，自出川以来，所到之处，望风而降，兵不血刃，直到宜都；探知孙桓在彼下寨，飞奏先主。时先主已到秭归，闻奏怒曰：『量此小儿，安敢与朕抗耶！』关兴奏曰：『既孙权令此子为将，不劳陛下遣大将，臣愿往擒之。』先主曰：『朕正欲观汝壮气。』即命关兴前往。兴拜辞欲行，张苞出曰：『既关兴前去讨贼，臣愿同行。』先主曰：『二侄同行甚妙。但须谨慎，不可造次。』

二人拜辞先主，会合先锋，一同进兵，列成阵势。孙桓听知蜀兵大至，合寨多起。两阵对圆，桓领李异、谢旌立马于门旗之下，见蜀营中，拥出二员大将，皆银盔银铠，白马白旗：上首张苞挺丈八点钢矛，下首关兴横着大砍刀。苞大骂曰：『孙桓竖子！死在临时，尚敢抗拒天兵乎！』桓亦骂曰：『汝父已作无头之鬼；今汝又来讨死，好生不智！』张苞大怒，挺枪直取孙桓，桓背后谢旌，骤马来迎。两将战有三十余合，旌败走，苞乘胜赶来。李异见谢旌败了，慌忙拍马轮蘸金斧接战。张苞与战二十余合，不分胜负。吴军中裨将谭雄，见张苞英勇，李异不能胜，却放一冷箭，正射中张苞所骑之马。那马负痛奔回本阵，未到门旗边，扑地便倒，将张苞掀在地上。李异急向前轮起大斧，望张苞脑袋便砍。忽一道红光闪处，李异头早落地。原来关兴见张苞马回，正待接应，忽见张苞马倒，李异赶来，兴大喝一声，劈李异于马下，救了张苞。乘势掩杀，孙桓大败。各自鸣金收军。

次日，孙桓又引军来。张苞、关兴齐出。关兴立马于阵前，单搦孙桓交锋。桓大怒，拍马轮刀，与关兴战三十余合，气力不加，大败回阵。二小将追杀入营，吴班引着张南、冯习驱兵掩杀。张苞奋勇当先，

杀入吴军，正遇谢旌，被苞一矛刺死。吴军四散奔走。蜀将得胜收兵，只不见了关兴。张苞大惊曰：『安国有失，吾不独生！』言讫，绰枪上马。寻不数里，只见关兴左手提刀，右手活挟一将。苞问曰：『此是何人？』兴笑答曰：『吾在乱军中，正遇仇人，故生擒来。』苞视之，乃昨日放冷箭的谭雄也。苞大喜，同回本营，斩首沥血，祭了死马。遂写表差人赴先主处报捷。

孙桓折了李异、谢旌、谭雄等许多将士，力穷势孤，不能抵敌，即差人回吴求救。蜀将张南、冯习谓吴班曰：『目今吴兵势败，正好乘虚劫寨。』班曰：『孙桓虽然折了许多将士，朱然水军现今结营江上，未曾损折。今日若去劫寨，倘水军上岸，断我归路，如之奈何？』南曰：『此事至易：可教关、张二将军，各引五千军伏于山谷中；如朱然来救，左右两军齐出夹攻，必然取胜。』班曰：『不如先使小卒诈作降兵，却将劫寨事告与朱然；然见火起，必来救应，却令伏兵击之，则大事济矣。』冯习等大喜，遂依计而行。

却说朱然听知孙桓损兵折将，正欲来救，忽伏路军引几个小卒上船投降，然问之，小卒曰：『我等是冯习帐下士卒，因赏罚不明，特来投降，就报机密。』然曰：『所报何事？』小卒曰：『今晚冯习乘虚要劫孙将军营寨，约定举火为号。』朱然听毕，即使人报知孙桓。报事人行至半途，被关兴杀了。朱然一面商议，欲引兵去救应孙桓。部将崔禹曰：『小卒之言，未可深信。倘有疏虞，水陆二军尽皆休矣。将军只宜稳守水寨，某愿替将军一行。』然从之，遂令崔禹引一万军前去。是夜，冯习、张南、吴班分兵三路，直杀入孙桓寨中，四面火起，吴兵大乱，寻路奔走。

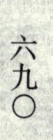

且说崔禹正行之间，忽见火起，急催兵前进。刚才转过山来，忽山谷中鼓声大震：左边关兴，右边张苞，两路夹攻。崔禹大惊，方欲奔走，正遇张苞；交马只一合，被苞生擒而回。朱然听知危急，将船往下水退五六十里去了。孙桓引败军逃走，问部将曰：『前去何处城坚粮广？』部将曰：『此去正北彝陵城，可以屯兵。』桓引败军急望彝陵而走。方进得城，吴班等追至，将城四面围定。关兴、张苞等解崔禹到秭归来。先主大喜，传旨将崔禹斩却，大赏三军。自此威风震动，江南诸将无不胆寒。

却说孙桓令人求救于吴王，吴王大惊，即召文武商议曰：『今孙桓受困于彝陵，朱然大败于江中：蜀兵势大，如之奈何？』张昭奏曰：『今诸将虽多物故，然尚有十余人，何虑于刘备？可命韩当为正将，周泰为副将，潘璋为先锋，凌统为合后，甘宁为救应，起兵十万拒之。』权依所奏，即命诸将速行。此时甘宁已患痢疾，带病从征。

却说先主从巫峡建平起，直接彝陵界分，七百余里，连结四十余寨；见关兴、张苞屡立大功，叹曰：『昔日从朕诸将，皆老迈无用矣；复有二侄如此英雄，朕何虑孙权乎！』正言间，忽报韩当、周泰领兵来到。先主方欲遣将迎敌，近臣奏曰：『老将黄忠，引五六人投东吴去了。』先主笑曰：『黄汉升非反叛之人也；因朕失口误言老者无用，彼必不服老，故奋力去相持矣。』即召关兴、张苞曰：『黄汉升此去必然有失。贤侄休辞劳苦，可去相助。略有微功，便可令回，勿使有失。』二小将拜辞先主，引本部军来助黄忠。正是：

老臣素矢忠君志，年少能成报国功。

未知黄忠此去如何，且看下文分解。

第八十三回　战猇亭先主得仇人　守江口书生拜大将

却说章武二年春正月，武威后将军黄忠随先主伐吴，忽闻先主言老将无用，即提刀上马，引亲随五六人，径到彝陵营中。吴班与张南、冯习接入，问曰：『老将军此来，有何事故？』忠曰：『吾自长沙跟天子到今，多负勤劳。今虽七旬有余，尚食肉十斤，臂开二石之弓，能乘千里之马，未足为老。昨日主上言吾等老迈无用，故来此与东吴交锋，看吾斩将，老也不老！』

正言间，忽报吴兵前部已到，哨马临营。忠奋然而起，出帐上马。冯习等劝曰：『老将军且休轻进。』忠不听，纵马而去。吴班令冯习引兵助战。忠在吴军阵前，勒马横刀，单搦先锋潘璋交战。璋引部将史迹出马。迹欺忠年老，挺枪出战；斗不三合，被忠一刀斩于马下。潘璋大怒，挥关公使的青龙刀，来战黄忠。交马数合，不分胜负。忠奋力恶战，璋料敌不过，拨马便走。忠乘势追杀，全胜而回。路逢关兴、张苞。兴曰：『我等奉圣旨来助老将军；既已立了功，速请回营。』忠不听。

次日，潘璋又来搦战。黄忠奋然上马。兴、苞二人要助战，忠不从；吴班要助战，忠亦不从；只自引五千军出迎。战不数合，璋拖刀便走。忠纵马追之，厉声大叫曰：『贼将休走！吾今为关公报仇！』追至三十余里，四面喊声大震，伏兵齐出：右边周泰，左边韩当，前有潘璋，后有凌统，把黄忠困在核心。忽然狂风大起，忠急退时，山坡上马忠引一军出，一箭射中黄忠肩窝，险些儿落马。吴兵见忠中箭，一齐来攻。忽后面喊声大起，两路军杀来，吴兵溃散，救出黄忠——乃关兴、张苞也。二小将保送黄忠径到御前营中。忠年老血衰，箭疮痛裂，病甚沉重。先主御驾自来看视，抚其背曰：『令老将军中伤，朕之过也！』忠曰：『臣乃一武夫耳，幸遇陛下。臣今年七十有五，寿亦足矣。望陛下善保龙体，以图中原！』言讫，不省人事。是夜殒于御营。后人有诗叹曰：

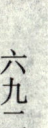

老将说黄忠，收川立大功。重披金锁甲，双挽铁胎弓。胆气惊河北，威名镇蜀中。临亡头似雪，犹自显英雄。

先主见黄忠气绝，哀伤不已，敕具棺椁，葬于成都。先主叹曰：『五虎大将，已亡三人。朕尚不能复仇，深可痛哉！』乃引御林军直至猇亭，大会诸将，分军八路，水陆俱进。水路令黄权领兵，先主自率大军于旱路进发：时章武二年二月中旬也。

韩当、周泰听知先主御驾来征，引兵出迎。两阵对圆，韩当、周泰出马，只见蜀营门旗开处，先主自出，黄罗销金伞盖，左右白旄黄钺，金银旌节，前后围绕。当大叫曰：『陛下今为蜀主，何自轻出？倘有疏虞，悔之何及！』先主遥指骂曰：『汝等吴狗，伤朕手足，誓不与立于天地之间！』当回顾众将曰：『谁敢冲突蜀兵？』部将夏恂，挺枪出马。先主背后张苞挺丈八矛，纵马而出，大喝一声，直取夏恂。恂见苞声若巨雷，心中惊惧；恰待要走，周泰弟周平见恂抵敌不住，挥刀纵马而来。关兴见了，跃马提刀来迎。张苞大喝一声，一矛刺中夏恂，倒撞下马。周平大惊，措手不及，被关兴一刀斩了。二小将便取韩当、周泰。韩、周二人，慌退入阵。先主视之，叹曰：『虎父无犬子也！』用御鞭一指，蜀兵一齐掩杀过去，吴兵大败。

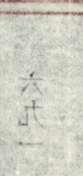

那八路兵，势如泉涌，杀的那吴军尸横遍野，血流成河。

却说甘宁正在船中养病，听知蜀兵大至，火急上马，正遇一彪蛮兵，人皆披发跣足，皆使弓弩长枪，搪牌刀斧；为首乃是番王沙摩柯，生得面如血，碧眼突出，使一个铁蒺藜骨朵，腰带两张弓，威风抖擞。甘宁见其势大，不敢交锋，拨马而走；被沙摩柯一箭射中头颅。宁带箭而走，到于富池口，坐于大树之下而死。树上群鸦数百，围绕其尸。吴王闻之，哀痛不已，具礼厚葬，立庙祭祀。后人有诗叹曰：

吴郡甘兴霸，长江锦幔舟。酬君重知己，报友化仇雠。劫寨将轻骑，驱兵饮巨瓯。神鸦能显圣，香火永千秋。

却说先主乘势追杀，遂得猇亭。吴兵四散逃走。先主收兵，只不见关兴。先主慌令张苞等四面跟寻。原来关兴杀入吴阵，正遇仇人潘璋，骤马追之。璋大惊，奔入山谷内，不知所往。兴寻思只在山里，往来寻觅不见。看看天晚，迷踪失路。幸得星月有光，追至山僻之间，时已二更，到一庄上，下马叩门。一老者出问何人，兴曰：『吾是战将，迷路到此，求一饭充饥。』老人引入，兴见堂内点着明烛，中堂绘画关公神像。兴大哭而拜。老人问曰：『将军何故哭拜？』兴曰：『此吾父也。』老人闻言，即便下拜。兴曰：『何故供养吾父？』老人答曰：『此间皆是尊神地方。在生之日，家家侍奉，何况今日为神乎？老夫只望蜀兵早早报仇。今将军到此，百姓有福矣。』遂置酒食待之，卸鞍喂马。

三更已后，忽门外又一人击户。老人出而问之，乃吴将潘璋亦来投宿。恰入草堂，关兴见了，按剑大喝曰：『歹贼休走！』璋回身便出。忽门外一人，面如重枣，丹凤眼，卧蚕眉，飘三缕美髯，绿袍金铠，按剑而入。璋见是关公显圣，大叫一声，神魂惊散；欲待转身，早被关兴手起剑落，斩于地上，取心沥血，就关

公神像前祭祀。兴得了父亲的青龙偃月刀，却将潘璋首级，擐(huán)于马项之下，辞了老人，就骑了潘璋的马，望本营而来。老人自将潘璋之尸拖出烧化。

且说关兴行无数里，忽听得人言马嘶，一彪军来到；为首一将，乃潘璋部将马忠也。忠见兴杀了主将潘璋，将首级擐于马项之下，青龙刀又被兴得了，勃然大怒，纵马来取关兴。兴见马忠是害父仇人，气冲牛斗，举青龙刀望忠便砍。忠部下三百军并力上前，一声喊起，将关兴围在核心。兴力孤势危。忽见西北上一彪军杀来，乃是张苞。马忠见救兵到来，慌忙引军自退。关兴、张苞一处赶来。赶不数里，前面糜芳、傅士仁引兵来寻马忠。两军相合，混战一处。苞、兴二人兵少，慌忙撤退，回至猇亭，来见先主，献上首级，具言此事。先主惊异，赏犒三军。

却说马忠回见韩当、周泰，收聚败军，各分头守把。军士中伤者不计其数。马忠引傅士仁、糜芳于江渚屯扎。当夜三更，军士皆哭声不止。糜芳暗听之，有一伙军言曰：『我等皆是荆州之兵，被吕蒙诡计送了主公性命，今刘皇叔御驾亲征，东吴早晚休矣。所恨者，糜芳、傅士仁也。我等何不杀此二贼，去蜀营投降？功劳不小。』又一伙军言曰：『不要性急，等个空儿，便就下手。』

糜芳听毕，大惊，遂与傅士仁商议曰：『军心变动，我二人性命难保。今蜀主所恨者马忠耳；何不杀了他，将首级去献蜀主，告称：「我等不得已而降吴，今知御驾前来，特地诣营请罪。」』仁曰：『不可。

去必有祸。』芳曰：『蜀主宽仁厚德，目今阿斗太子是我外甥，彼但念我国戚之情，必不肯加害。』二人计较已定，先备了马。三更时分，入帐刺杀马忠，将首级割了，二人带数十骑，径投猇亭而来。伏路军人先引见张南、冯习，具说其事。次日，到御营中来见先主，献上马忠首级，哭告于前曰：『臣等实无反心，被吕蒙诡计，称言关公已亡，赚开城门，臣等不得已而降。今闻圣驾前来，特杀此贼，以雪陛下之恨。伏乞陛下恕臣等之罪。』先主大怒曰：『朕自离成都许多时，你两个如何不来请罪？今日势危，故来巧言，欲全性命！朕若饶你，至九泉之下，有何面目见关公乎！』言讫，令关兴在御营中，设关公灵位。先主亲捧马忠首级，诣前祭祀。又令关兴将糜芳、傅士仁剥去衣服，跪于灵前，亲自用刀剐之，以祭关公。忽张苞上帐哭拜于前曰：『二伯父仇人皆已诛戮；臣父冤仇，何日可报？』先主曰：『贤侄勿忧。朕当削平江南，杀尽吴狗，务擒二贼，与汝亲自醢（hǎi）之，以祭汝父。』苞泣谢而退。

此时先主威声大震，江南之人尽皆胆裂，日夜号哭。韩当、周泰大惊，急奏吴王，具言糜芳、傅士仁杀了马忠，去归蜀帝，亦被蜀帝杀了。孙权心怯，遂聚文武商议。步骘奏曰：『蜀主所恨者，

乃吕蒙、潘璋、马忠、糜芳、傅士仁也。今此数人皆亡，独有范疆、张达二人，现在东吴。何不擒此二人，并张飞首级，遣使送还，交与荆州，送归夫人，上表求和，再会前情，共图灭魏，则蜀兵自退矣。』权从其言，遂具沉香木匣，盛贮飞首，绑缚范疆、张达，囚于槛车之内，令程秉为使，赍国书，望猇亭而来。

却说先主欲发兵前进。忽近臣奏曰：『东吴遣使送张车骑之首，并囚范疆、张达二贼至。』先主两手加额曰：『此天之所赐，亦由三弟之灵也！』即令张苞设飞灵位。先主见张飞首级在匣中面不改色，放声大哭。张苞自仗利刀，将范疆、张达万剐凌迟，祭父之灵。

祭毕，先主怒气不息，定要灭吴。马良奏曰：『仇人尽戮，其恨可雪矣。吴大夫程秉到此，欲还荆州，送回夫人，永结盟好，共图灭魏，伏候圣旨。』先主怒曰：『朕切齿仇人，乃孙权也。今若与之连和，是负二弟当日之盟矣。今先灭吴，次灭魏。』便欲斩来使，以绝吴情。多官苦告方免。程秉抱头鼠窜，回奏吴主曰：『蜀不从讲和，誓欲先灭东吴，然后伐魏。众臣苦谏不听，如之奈何？』

权大惊，举止失措。阚泽出班奏曰：『现有擎天之柱，如何不用耶？』权急问何人。泽曰：『昔日东吴大事，全任周郎；后鲁子敬代之；子敬亡后，决于吕子明；今子明虽丧，现有陆伯言在荆州。此人名虽儒生，实有雄才大略，以臣论之，不在周郎之下；前破关公，其谋皆出于伯言。主上若能用之，破蜀必矣。如或有失，臣愿与同罪。』权曰：『非德润之言，孤几误大事。』张昭曰：『陆逊乃一书生耳，非刘备敌手，恐不可用。』顾雍亦曰：『陆逊年幼望轻，恐诸公不服；若不服则生祸乱，必误大事。』步骘亦曰：『逊

才堪治郡耳，若托以大事，非其宜也。』阚泽大呼曰：『若不用陆伯言，则东吴休矣！臣愿以全家保之！』权曰：『孤亦素知陆伯言乃奇才也！孤意已决，卿等勿言。』

于是命召陆逊。逊本名陆议，后改名逊，字伯言，乃吴郡吴人也；汉城门校尉陆纡之孙，九江都尉陆骏之子；身长八尺，面如美玉；官领镇西将军。当下奉召而至，参拜毕，权曰：『今蜀兵临境，孤特命卿总督军马，以破刘备。』逊曰：『江东文武，皆大王故旧之臣；臣年幼无才，安能制之？』权曰：『阚德润以全家保卿，孤亦素知卿才。今拜卿为大都督，卿勿推辞。』逊曰：『倘文武不服，何如？』权取所佩剑与之曰：『如有不听号令者，先斩后奏。』逊曰：『荷蒙重托，敢不拜命；但乞大王于来日会聚众官，然后赐臣。』阚泽曰：『古之命将，必筑坛会众，赐白旄黄钺、印绶兵符，然后威行令肃。今大王宜遵此礼，择日筑坛，拜伯言为大都督，假节钺，则众人自无不服矣。』权从之，命人连夜筑坛完备，大会百官，请陆逊登坛，拜为大都督、右护军镇西将军，进封娄侯，赐以宝剑印绶，令掌六郡八十一州兼荆楚诸路军马。吴王嘱之曰：『阃(kǔn)以内，孤主之；阃以外，将军制之。』

逊领命下坛，令徐盛、丁奉为护卫，即日出师；一面调诸路军马，水陆并进。文书到猇亭，韩当、周泰大惊曰：『主上如何以一书生总兵耶？』比及逊至，众皆不服。逊升帐议事，众人勉强参贺。逊曰：『主上命吾为大将，督军破蜀。军有常法，公等各宜遵守。违者王法无亲，勿致后悔。』众皆默然。周泰曰：『目今安东将军孙桓，乃主上之侄，现困于彝陵城中，内无粮草，外无救兵；请都督早施良策，救出孙桓，以安主上之心。』逊曰：『吾素知孙安东深得军心，必能坚守，不必救之。待吾破蜀后，彼自出矣。』众皆暗笑而退。韩当谓周泰曰：『命此孺子为将，东吴休矣！公见彼所行乎？』泰曰：『吾聊以言试之，早无一计，安能破蜀也！』

次日，陆逊传下号令，教诸将各处关防，牢守隘口，不许轻敌。众皆笑其懦，不肯坚守。次日，陆逊升帐唤诸将曰：『吾钦承王命，总督诸军，昨已三令五申，令汝等各处坚守；俱不遵吾令，何也？』韩当曰：『吾自从孙将军平定江南，经数百战；其余诸将，或从讨逆将军，或从当今大王，皆披坚执锐、出生入死之士。今主上命公为大都督，令退蜀兵，宜早定计，调拨军马，分头征进，以图大事；乃只令坚守勿战，岂欲待天自杀贼耶？吾非贪生怕死之人，奈何使吾等堕其锐气？』于是帐下诸将，皆应声而言曰：『韩将军之言是也。吾等情愿决一死战！』陆逊听毕，掣剑在手，厉声曰：『仆虽一介书生，今蒙主上托以重任者，以吾有尺寸可取，能忍辱负重故也。汝等只各守隘口，牢把险要，不许妄动。如违令者皆斩！』众皆愤愤而退。

却说先主自猇亭布列军马，直至川口，接连七百里，前后四十营寨，昼则旌旗蔽日，夜则火光耀天。忽细作报说：『东吴用陆逊为大都督，总制军马。逊令诸将各守险要不出。』先主问曰：『陆逊何如人也？』马良奏曰：『逊虽东吴一书生，然年幼多才，深有谋略；前袭荆州，皆系此人之诡计。』先主大怒曰：『竖子诡计，损朕二弟，今当擒之！』便传令进兵。马良谏曰：『陆逊之才，不亚周郎，未可轻敌。』先主曰：

『朕用兵老矣，岂反不如一黄口孺子耶！』遂亲领前军，攻打诸处关津隘口。

韩当见先主兵来，差人报知陆逊。逊恐韩当妄动，急飞马自来观看，正见韩当立马于山上，远望蜀兵，漫山遍野而来，军中隐隐有黄罗盖伞。韩当接着陆逊，并马而观。当指曰：『军中必有刘备，吾欲击之。』逊曰：『刘备举兵东下，连胜十余阵，锐气正盛；今只乘高守险，不可轻出，出则不利。但宜奖励将士，广布守御之策，以观其变。今彼驰骋于平原广野之间，正自得志；我坚守不出，彼求战不得，必移屯于山林树木间。吾当以奇计胜之。』

韩当口虽应诺，心中只是不服。先主使前队搦战，辱骂百端。逊令塞耳休听，不许出迎，亲自遍历诸关隘口，抚慰将士，皆令坚守。先主见吴军不出，心中焦躁。马良曰：『陆逊深有谋略。今陛下远来攻战，自春历夏；彼之不出，欲待我军之变也。愿陛下察之。』先主曰：『彼有何谋？但怯敌耳。向者数败，今安敢再出！』先锋冯习奏曰：『即今天气炎热，军屯于赤火之中，取水深为不便。』先主遂命各营，皆移于山林茂盛之地，近溪傍涧；待过夏到秋，并力进兵。冯习遂奉旨，将诸寨皆移于林木阴密之处。马良奏曰：『我军若动，倘吴兵骤至，如之奈何？』先主曰：『朕令吴班引万余弱兵，近吴寨平地屯住；朕亲选八千精兵，伏于山谷之中。若陆逊知朕移营，必乘势来击，却令吴班诈败；逊若追来，朕引兵突出，断其归路，小子可擒矣。』文武皆贺曰：『陛下神机妙算，诸臣不及也！』

马良曰：『近闻诸葛丞相在东川点看各处隘口，恐魏兵入寇。陛下何不将各营移居之地，画成图本，

问于丞相？』先主曰：『朕亦颇知兵法，何必又问丞相？』良曰：『古云：「兼听则明，偏听则蔽。」望陛下察之。』先主曰：『卿可自去各营，画成四至八道图本，亲到东川去问丞相。如有不便，可急来报知。』马良领命而去。于是先主移兵于林木阴密处避暑。早有细作报知韩当、周泰。二人听得此事，大喜，来见陆逊曰：『目今蜀兵四十余营，皆移于山林密处，依溪傍涧，就水歇凉。都督可乘虚击之。』正是：蜀主有谋能设伏，吴兵好勇定遭擒。未知陆逊可听其言否，且看下文分解。

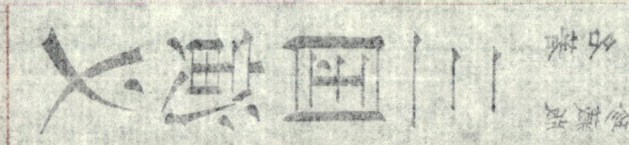

第八十四回　陆逊营烧七百里　孔明巧布八阵图

却说韩当、周泰探知先主移营就凉，急来报知陆逊。逊大喜，遂引兵自来观看动静：只见平地一屯，不满万余人，大半皆是老弱之众，大书『先锋吴班』旗号。周泰曰：『吾视此等兵如儿戏耳。愿同韩将军分两路击之。如其不胜，甘当军令。』陆逊看了良久，以鞭指曰：『前面山谷中，隐隐有杀气起；其下必有伏兵，故于平地设此弱兵，以诱我耳。诸公切不可出。』众将听了，皆以为懦。

次日，吴班引兵到关前搦战，耀武扬威，辱骂不绝；多有解衣卸甲，赤身裸体，或睡或坐。徐盛、丁奉入帐禀陆逊曰：『蜀兵欺我太甚！某等愿出击之！』逊笑曰：『公等但恃血气之勇，未知孙、吴妙法。此彼诱敌之计也：三日后必见其诈矣。』徐盛曰：『三日后，彼移营已定，安能击之乎？』逊曰：『吾正欲令彼移营也。』诸将哂笑而退。过三日后，会诸将于关上观望，见吴班兵已退去。逊指曰：『杀气起矣。刘备必从山谷中出也。』言未毕，见蜀兵皆全装束，拥先主而过。吴兵见了，尽皆胆裂。逊曰：『吾之不听诸公击班者，正为此也。今伏兵已出，旬日之内，必破蜀矣。』诸将皆曰：『破蜀当在初时；今连营五六百里，相守经七八月，其诸要害，皆已固守，安能破乎？』逊曰：『诸公不知兵法。备乃世之枭雄，更多智谋，其兵始集，法度精专；今守之久矣，不得我便，兵疲意阻，取之正在今日。』诸将方才叹服。后人有诗赞曰：

虎帐谈兵按《六韬》，安排香饵钓鲸鳌。三分自是多英俊，又显江南陆逊高。

却说陆逊已定了破蜀之策，遂修笺遣使奏闻孙权，言指日可以破蜀之意。权览毕，大喜曰：『江东复有此异人，孤何忧哉！诸将皆上书言其懦，孤独不信。今观其言，果非懦也。』于是大起吴兵来接应。

却说先主于猇亭尽驱水军，顺流而下，沿江屯扎水寨，深入吴境。黄权谏曰：『水军沿江而下，进则易，退则难。臣愿为前驱。陛下宜在后阵，庶万无一失。』先主曰：『吴贼胆落，朕长驱大进，有何碍乎？』众官苦谏，先主不从。遂分兵两路：命黄权督江北之兵，以防魏寇；先主自督江南诸军，夹江分立营寨，以图进取。细作探知，连夜报知魏主，言『蜀兵伐吴，树栅连营，纵横七百余里，分四十余屯，皆傍山林下寨；今黄权督兵在江北岸，每日出哨百余里，不知何意。』

魏主闻之，仰面笑曰：『刘备将败矣！』群臣请问其故。魏主曰：『刘玄德不晓兵法：岂有连营七百里，而可以拒敌者乎？包原隰（xí）险阻屯兵者，此兵法大忌也。玄德必败于东吴陆逊之手。旬日之内，消息必至矣。』群臣犹未信，皆请拨兵备之。魏主曰：『陆逊若胜，必尽举吴兵去取

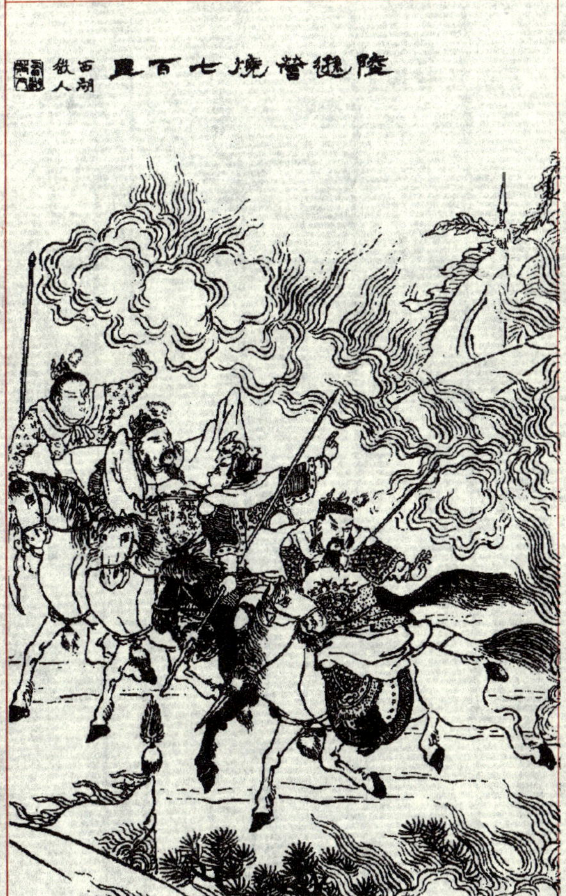

西川，吴兵远去，国中空虚，朕虚托以兵助战，令三路一齐进兵，东吴唾手可取也。」众皆拜服。魏主下令，使曹仁督一军出濡须，曹休督一军出洞口，曹真督一军出南郡：「三路军马会合日期，暗袭东吴。朕随后自来接应。」调遣已定。

不说魏兵袭吴。且说马良至川，入见孔明，呈上图本而言曰：「今移营夹江，横占七百里，下四十余屯，皆依溪傍涧，林木茂盛之处。皇上令良将图本来与丞相观之。」孔明看讫，拍案叫苦曰：「是何人教主上如此下寨？可斩此人！」马良曰：「皆主上自为，非他人之谋。」孔明叹曰：「汉朝气数休矣！」良问其故。孔明曰：「包原隰险阻而结营，此兵家之大忌。倘彼用火攻，何以解救？又，岂有连营七百里而可拒敌乎？祸不远矣！陆逊拒守不出，正为此也。汝当速去见天子，改屯诸营，不可如此。」良曰：「倘今吴兵已胜，如之奈何？」孔明曰：「陆逊不敢来追，成都可保无虞。」良曰：「逊何故不追？」孔明曰：「恐魏兵袭其后也。主上若有失，当投白帝城避之。吾入川时，已伏下十万兵在鱼腹浦矣。」良大惊曰：「某于鱼腹浦往来数次，未尝见一卒，丞相何作此诈语？」孔明曰：「后来必见，不劳多问。」马良求了表章，火速投御营来。孔明自回成都，调拨军马救应。

却说陆逊见蜀兵懈怠，不复提防，升帐聚大小将士听令曰：「吾自受命以来，未尝出战。今观蜀兵，足知动静，故欲先取江南岸一营。谁敢去取？」言未毕，韩当、周泰、凌统等应声而出曰：「某等愿往。」逊教皆退不用，独唤阶下末将淳于丹曰：「吾与汝五千军，去取江南第四营，蜀将傅彤所守。今晚就要成功。吾自提兵接应。」淳于丹引兵去了，又唤徐盛、丁奉曰：「汝等各领兵三千，屯于寨外五里。如淳于丹败回，有兵赶来，当出救之，却不可追去。」二将自引军去了。

却说淳于丹于黄昏时分，领兵前进，到蜀寨时，已三更之后。丹令众军鼓噪而入。蜀营内傅彤引军杀出，挺枪直取淳于丹；丹敌不住，拨马便回。忽然喊声大震，一彪军拦住去路：为首大将赵融。丹夺路而走，折兵大半。正走之间，山后一彪蛮兵拦住：为首番将沙摩柯。丹死战得脱，背后三路军赶来。比及离营五里，吴兵徐盛、丁奉二人两下杀来，蜀兵退去，救了淳于丹回营。丹带箭入见陆逊请罪。逊曰：「非汝之过也。吾欲试敌人之虚实耳。破蜀之计，吾已定矣。」徐盛、丁奉曰：「蜀兵势大，难以破之，空自损兵折将耳。」逊笑曰：「吾这条计，但瞒不过诸葛亮耳。天幸此人不在，使我成大功也。」

遂集大小将士听令：使朱然于水路进兵，来日午后东南风大作，用船装载茅草，依计而行；韩当引一军攻江北岸，周泰引一军攻江南岸，每人手执茅草一把，内藏硫黄焰硝，各带火种，各执枪刀，一齐而上，但到蜀营，顺风举火；蜀兵四十屯，只烧二十屯，每间一屯烧一屯。各军预带干粮，不许暂退，昼夜追袭，

只擒了刘备方止。众将听了军令，各受计而去。

却说先主正在御营寻思破吴之计，忽见帐前中军旗幡，无风自倒。乃问程畿曰：『此为何兆？』畿曰：『今夜莫非吴兵来劫营？』先主曰：『昨夜杀尽，安敢再来？』畿曰：『倘是陆逊试敌，奈何？』正言间，人报山上远远望见吴兵尽沿山望东去了。先主曰：『此是疑兵。』令众休动，命关兴、张苞各引五百骑出巡。黄昏时分，关兴回奏曰：『江北营中火起。』先主急令关兴往江北，张苞往江南，探看虚实：『倘吴兵到时，可急回报。』

二将领命去了。初更时分，东南风骤起。只见御营左屯火发。方欲救时，御营右屯又火起。风紧火急，树木皆着，喊声大震。两屯军马齐出，奔离御营中，御营军自相践踏，死者不知其数。后面吴兵杀到，又不知多少军马。先主急上马，奔冯习营时，习营中火光连天而起。江南、江北，照耀如同白日。冯习慌上马引数十骑而走，正逢吴将徐盛军到，敌住厮杀。先主见了，拨马投西便走。徐盛舍了冯习，引兵追来。先主正慌，前面又一军拦住，乃是吴将丁奉，两下夹攻。先主大惊，四面无路。忽然喊声大震，一彪军杀入重围，乃是张苞，救了先主，引御林军奔走。正行之间，前面一军又到，乃蜀将傅彤也，合兵一处而行。背后吴兵追至。先主前到一山，名马鞍山。张苞、傅彤请先主上的山时，山下喊声又起：陆逊大队人马，将马鞍山围住。张苞、傅彤死据山口。先主遥望遍野火光不绝，死尸重叠，塞江而下。

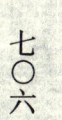

次日，吴兵又四下放火烧山，军士乱窜，先主惊慌。忽然火光中一将引数骑杀上山来，视之，乃关兴也。兴伏地请曰：『四下火光逼近，不可久停。陛下速奔白帝城，再收军马可也。』先主曰：『谁敢断后？』傅彤奏曰：『臣愿以死当之！』当日黄昏，关兴在前，张苞在中，留傅彤断后，保着先主，杀下山来。吴兵见先主奔走，皆要争功，各引大军，遮天盖地，往西追赶。先主令军士尽脱袍铠，塞道而焚，以断后军。正奔走间，喊声大震，吴将朱然引一军从江岸边杀来，截住去路。先主叫曰：『朕死于此矣！』关兴、张苞纵马冲突，被乱箭射回，各带重伤，不能杀出。背后喊声又起，陆逊引大军从山谷中杀来。

先主正慌急之间，此时天色已微明，只见前面喊声震天，朱然军纷纷落涧，滚滚投岩：一彪军杀入，前来救驾。先主大喜，视之，乃常山赵子龙也。时赵云在川中江州，闻吴、蜀交兵，遂引军出；忽见东南一带火光冲天，云心惊，远远探视，不想先主被困，云奋勇冲杀而来。陆逊闻是赵云，急令军退。云正杀之间，忽遇朱然，便与交锋；不一合，一枪刺朱然于马下，杀散吴兵，救出先主，望白帝城而走。先主曰：『朕虽得脱，诸将士将奈何？』云曰：『敌军在后，不可久迟。陛下且入白帝城歇息，臣再引兵去救应诸将。』此时先主仅存百余人入白帝城。后人有诗赞陆逊曰：

持矛举火破连营，玄德穷奔白帝城。一旦威名惊蜀魏，吴王宁不敬书生。

却说傅彤断后，被吴军八面围住。丁奉大叫曰：『川兵死者无数，降者极多，汝主刘备已被擒获。今汝力穷势孤，何不早降？』傅彤叱曰：『吾乃汉将，安肯降吴狗乎！』挺枪纵马，率蜀军奋力死战，不下百余合，往来冲突，不能得脱。彤长叹曰：『吾今休矣！』言讫，口中吐血，死于吴军之中。后人赞傅彤诗曰：

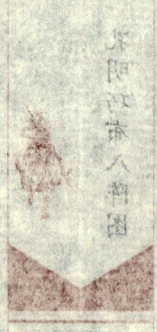

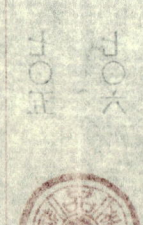

彝陵吴蜀大交兵，陆逊施谋用火焚。至死犹然骂「吴狗」，傅彤不愧汉将军。

蜀祭酒程畿，匹马奔至江边，招呼水军赴敌。吴兵随后追来，水军四散奔逃。畿部将叫曰：『吴兵至矣！程祭酒快走罢！』畿怒曰：『吾自从主上出军，未尝赴敌而逃！』言未毕，吴兵骤至，四下无路，畿拔剑自刎。后人有诗赞曰：

慷慨蜀中程祭酒，身留一剑答君王。临危不改平生志，博得声名万古香。

时吴班、张南久围彝陵城，忽冯习到，言蜀兵败，遂引军来救先主，孙桓方才得脱。张、冯二将正行之间，前面吴兵杀来，背后孙桓从彝陵城杀出，两下夹攻。张南、冯习奋力冲突，不能得脱，死于乱军之中。后人有诗赞曰：

冯习忠无二，张南义少双。沙场甘战死，史册共流芳。

吴班杀出重围，又遇吴兵追赶；幸得赵云接着，救回白帝城去了。时有蛮王沙摩柯，匹马奔走，正逢周泰，战二十余合，被泰所杀。蜀将杜路、刘宁尽皆降吴。蜀营一应粮草器仗，尺寸不存。蜀将川兵，降者无数。时孙夫人在吴，闻猇亭兵败，讹传先主死于军中，遂驱车至江边，望西遥哭，投江而死。后人立庙江滨，号曰枭姬祠。尚论者作诗叹之曰：

先主兵归白帝城，夫人闻难独捐生。至今江畔遗碑在，犹著千秋烈女名。

却说陆逊大获全功，引得胜之兵，往西追袭。前离夔关不远，逊在马上看见前面临山傍江，一阵杀气，

冲天而起；遂勒马回顾众将曰：『前面必有埋伏，三军不可轻进。』即倒退十余里，于地势空阔处，排成阵势，以御敌军；即差哨马前去探视。回报并无军屯在此，逊不信，下马登高望之，杀气复起。逊再令人仔细探视，哨马回报，前面并无一人一骑。逊见日将西沉，杀气越加，心中犹豫，令心腹人再往探看。回报江边止有乱石八九十堆，并无人马。逊大疑，令寻土人问之。须臾，有数人到。逊问曰：『何人将乱石作堆？如何乱石堆中有杀气冲起？』土人曰：『此处地名鱼腹浦。诸葛亮入川之时，驱兵到此，取石排成阵势于沙滩之上。自此常常有气如云，从内而起。』

陆逊听罢，上马引数十骑来看石阵，立马于山坡之上，但见四面八方，皆有门有户。逊笑曰：『此乃惑人之术耳，有何益焉！』遂引数骑下山坡来，直入石阵观看。部将曰：『日暮矣，请都督早回。』逊方欲出阵，忽然狂风大作，一霎时，飞沙走石，遮天盖地。但见怪石嵯峨，槎枒似剑；横沙立土，重叠如山；江声浪涌，有如剑鼓之声。逊大惊曰：『吾中诸葛之计也！』急欲回时，无路可出。正惊疑间，忽见一老人立于马前，笑曰：『将军欲出此阵乎？』逊曰：『愿长者引出。』老人策杖徐徐而行，径出石阵，并无所碍，送至山坡之上。逊问曰：『长者何人？』老人答曰：『老夫乃诸葛孔明之岳父黄承彦也。昔小婿入川之时，于此布下石阵，名「八阵图」。反复八门，按遁甲休、生、伤、杜、景、死、惊、开。每日每时，变化无端，可比十万精兵。临去之时，曾分付老夫道：「后有东吴大将迷于阵中，莫要引他出来。」老夫适于山岩之上，见将军从「死门」而入，料想不识此阵，必为所迷。老夫平生好善，不忍将军陷没于此，

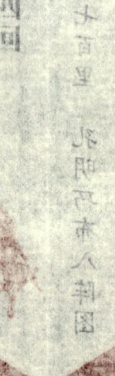

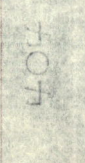

故特自「生门」引出也。』逊曰：『公曾学此阵法否？』黄承彦曰：『变化无穷，不能学也。』逊慌忙下马拜谢而回。后杜工部有诗曰：

功盖三分国，名成八阵图。江流石不转，遗恨失吞吴。

陆逊回寨，叹曰：『孔明真「卧龙」也！吾不能及！』于是下令班师。左右曰：『刘备兵败势穷，困守一城，正好乘势击之，今见石阵而退，何也？』逊曰：『吾非惧石阵而退；吾料魏主曹丕，其奸诈与父无异，今知吾追赶蜀兵，必乘虚来袭。吾若深入西川，急难退矣。』遂令一将断后，逊率大军而回。退兵未及二日，三处人来飞报：『魏兵曹仁出濡须，曹休出洞口，曹真出南郡：三路兵马数十万，星夜至境，未知何意。』逊笑曰：『不出吾之所料。吾已令兵拒之矣。』正是：雄心方欲吞西蜀，胜算还须御北朝。未知如何退兵，且看下文分解。

第八十五回 刘先主遗诏托孤儿 诸葛亮安居平五路

却说章武二年夏六月，东吴陆逊大破蜀兵于猇亭彝陵之地；先主奔回白帝城，赵云引兵据守。忽马良至，见大军已败，懊悔不及，将孔明之言，奏知先主。先主叹曰：『朕早听丞相之言，不致今日之败！今有何面目复回成都见群臣乎！』遂传旨就白帝城住扎，将馆驿改为永安宫。人报冯习、张南、傅彤、程畿、沙摩柯等皆殁于王事，先主伤感不已。又近臣奏称：『黄权引江北之兵，降魏去了。陛下可将彼家属送有司问罪。』先主曰：『黄权被吴兵隔断在江北岸，欲归无路，不得已而降魏：是朕负权，非权负朕也。何必罪其家属？』仍给禄米以养之。

却说黄权降魏，诸将引见曹丕。丕曰：『卿今降朕，欲追慕于陈、韩耶？』权泣而奏曰：『臣受蜀帝之恩，殊遇甚厚，令臣督诸军于江北，被陆逊绝断。臣归蜀无路，降吴不可，故来投陛下。败军之将，免死为幸，安敢追慕于古人耶！』丕大喜，遂拜黄权为镇南将军。权坚辞不受。忽近臣奏曰：『有细作人自蜀中来，说蜀主将黄权家属尽皆诛戮。』权曰：『臣与蜀主，推诚相信，知臣本心，必不肯杀臣之家小也。』丕然之。后人有诗责黄权曰：

降吴不可却降曹，忠义安能事两朝？堪叹黄权惜一死，紫阳书法不轻饶。

曹丕问贾诩曰：『朕欲一统天下，先取蜀乎？先取吴乎？』诩曰：『刘备雄才，更兼诸葛亮善能治国；

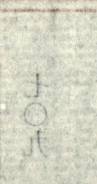

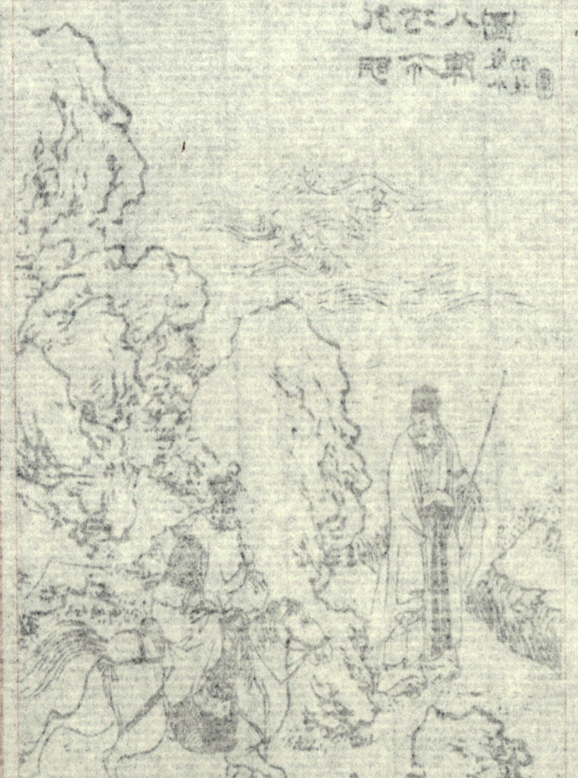

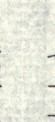

东吴孙权，能识虚实，陆逊现屯兵于险要，隔江泛湖，皆难卒谋。以臣观之，诸将之中，皆无孙权、刘备敌手。虽以陛下天威临之，亦未见万全之势也。只可持守，以待二国之变。」丕曰：「朕已遣三路大兵伐吴，安有不胜之理？」尚书刘晔曰：「近东吴陆逊，新破蜀兵七十万，上下齐心，更有江湖之阻，不可卒制；陆逊多谋，必有准备。」丕曰：「卿前劝朕伐吴，今又谏阻，何也？」晔曰：「时有不同也。昔东吴累败于蜀，其势顿挫，故可击耳；今既获全胜，锐气百倍，未可攻也。」丕曰：「朕意已决，卿勿复言。」遂引御林军亲往接应三路兵马。早有哨马报说东吴已有准备：令吕范引兵拒住曹休，诸葛瑾引兵在南郡拒住曹真，朱桓引兵当住濡须以拒曹仁。刘晔曰：「既有准备，去恐无益。」丕不从，引兵而去。

却说吴将朱桓，年方二十七岁，极有胆略，孙权甚爱之；时督军于濡须，闻曹仁引大军去取羡溪，桓遂尽拨军守把羡溪去了，止留五千骑守城。忽报曹仁令大将常雕同诸葛虔、王双，引五万精兵飞奔濡须城来。众军皆有惧色。桓按剑而言曰：「胜负在将，不在兵之多寡。兵法云：『客兵倍而主兵半者，主兵尚能胜于客兵。』今曹仁千里跋涉，人马疲困。吾与汝等，共据高城，南临大江，北背山险，以逸待劳，以主制客：此乃百战百胜之势。虽曹丕自来，尚不足忧，况仁等耶！」于是传令，教众军偃旗息鼓，只作无人守把之状。

且说魏将先锋常雕，领精兵来取濡须城，遥望城上并无军马。雕催军急进，离城不远，一声炮响，旌旗齐竖。朱桓横刀飞马而出，直取常雕。战不三合，被桓一刀斩常雕于马下。吴兵乘势冲杀一阵，魏兵大败，死者无数。朱桓大胜，得了无数旌旗军器战马。曹仁领兵随后到来，却被吴兵从羡溪杀出。曹仁大败而退，

第八十五回 刘先主遗诏托孤儿 诸葛亮安居平五路

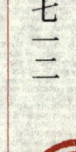

回见魏主，细奏大败之事。丕大惊。正议之间，忽探马报：「曹真、夏侯尚围了南郡，被陆逊伏兵于内，诸葛瑾伏兵于外，内外夹攻，因此大败。」言未毕，忽探马又报：「曹休亦被吕范杀败。」丕听知三路失败，乃喟然叹曰：「朕不听贾诩、刘晔之言，果有此败！」时值夏天，大疫流行，马步军十死六七，遂引军回洛阳。吴、魏自此不和。

却说先主在永安宫，染病不起，渐渐沉重。至章武三年夏四月，先主自知病入四肢，又哭关、张二弟，其病愈深；两目昏花，厌见侍从之人，乃叱退左右，独卧于龙榻之上。忽然阴风骤起，将灯吹摇，灭而复明。只见灯影之下，二人侍立。先主怒曰：「朕心绪不宁，教汝等且退，何故又来！」叱之不退。先主起而视之，上首乃云长，下首乃翼德也。先主大惊曰：「二弟原来尚在？」云长曰：「臣等非人，乃鬼也。上帝以臣二人平生不失信义，皆敕命为神。哥哥与兄弟聚会不远矣。」先主扯定大哭。忽然惊觉，二弟不见。即唤从人问之，时正三更。先主叹曰：「朕不久于人世矣！」遂遣使往成都，请丞相诸葛亮、尚书令李严等，星夜来永安宫，听受遗命。孔明等与先主次子鲁王刘永、梁王刘理，来永安宫见帝，留太子刘禅守成都。

且说孔明到永安宫，见先主病危，慌忙拜伏于龙榻之下。先主传旨，请孔明坐于龙榻之侧，抚其背曰：「朕自得丞相，幸成帝业；何期智识浅陋，不纳丞相之言，自取其败。悔恨成疾，死在旦夕。嗣子孱弱，不得不以大事相托。」言讫，泪流满面。孔明亦涕泣曰：「愿陛下善保龙体，以副天下之望！」先主以目遍视，只见马良之弟马谡在傍，先主令且退。谡退出，先主谓孔明曰：「丞相观马谡之才何如？」孔明曰：

『此人亦当世之英才也。』先主曰：『不然。朕观此人，言过其实，不可大用。丞相宜深察之。』分付毕，传旨召诸臣入殿，取纸笔写了遗诏，递与孔明而叹曰：『朕不读书，粗知大略。圣人云：「鸟之将死，其鸣也哀；人之将死，其言也善。」朕本待与卿等同灭曹贼，共扶汉室；不幸中道而别。烦丞相将诏付与太子禅，令勿以为常言。凡事更望丞相教之！』孔明等泣拜于地曰：『愿陛下将息龙体！臣等尽施犬马之劳，以报陛下知遇之恩也。』先主命内侍扶起孔明，一手掩泪，一手执其手，曰：『朕今死矣，有心腹之言相告！』孔明曰：『有何圣谕？』先主泣曰：『君才十倍曹丕，必能安邦定国，终定大事。若嗣子可辅，则辅之；如其不才，君可自为成都之主。』孔明听毕，汗流遍体，手足失措，泣拜于地曰：『臣安敢不竭股肱之力，尽忠贞之节，继之以死乎！』言讫，叩头流血。先主又请孔明坐于榻上，唤鲁王刘永、梁王刘理近前，分付曰：『尔等皆记朕言：朕亡之后，尔兄弟三人，皆以父事丞相，不可怠慢。』言罢，遂命二王同拜孔明。二王拜毕，孔明曰：『臣虽肝脑涂地，安能报知遇之恩也！』

先主谓众官曰：『朕已托孤于丞相，令嗣子以父事之。卿等俱不可怠慢，以负朕望。』又嘱赵云曰：『朕与卿于患难之中，相从到今，不想于此地分别。卿可想朕故交，早晚看觑吾子，勿负朕言。』云泣拜曰：『臣敢不效犬马之劳！』先主又谓众官曰：『卿等众官，朕不能一一分嘱，愿皆自爱。』言毕，驾崩，寿六十三岁。时章武三年夏四月二十四日也。后杜工部有诗叹曰：

蜀主窥吴向三峡，崩年亦在永安宫。翠华想像空山外，玉殿虚无野寺中。
古庙杉松巢水鹤，岁时伏腊走村翁。武侯祠屋长邻近，一体君臣祭祀同。

先主驾崩，文武官僚，无不哀痛。孔明率众官奉梓宫还成都。太子刘禅出城迎接灵柩，安于正殿之内。举哀行礼毕，开读遗诏。诏曰：

朕初得疾，但下痢耳，后转生杂病，殆不自济。朕闻『人年五十，不称夭寿』。今朕年六十有余，死复何恨？但以卿兄弟为念耳。勉之！勉之！勿以恶小而为之，勿以善小而不为。惟贤惟德，可以服人。卿父德薄，不足效也。卿与丞相从事，事之如父，勿怠！勿忘！卿兄弟更求闻达。至嘱！至嘱！

群臣读诏已毕。孔明曰：『国不可一日无君，请立嗣君，以承汉统。』乃立太子禅即皇帝位，改元建兴。加诸葛亮为武乡侯，领益州牧。葬先主于惠陵，谥曰昭烈皇帝。尊皇后吴氏为皇太后；谥甘夫人为昭烈皇后，糜夫人亦追谥为皇后。升赏群臣，大赦天下。

早有魏军探知此事，报入中原。近臣奏知魏主。曹丕大喜曰：『刘备已亡，朕无忧矣。何不乘其国中无主，起兵伐之？』贾诩谏曰：『刘备虽亡，必托孤于诸葛亮。亮感备知遇之恩，必倾心竭力，扶持嗣主。陛下不可仓卒伐之。』正言间，忽一人从班部中奋然而出曰：『不乘此时进兵，更待何时？』众视之，乃司马懿也。丕大喜，遂问计于懿。懿曰：『若只起中国之兵，急难取胜。须用五路大兵，四面夹攻，令诸葛亮首尾不能救应，然后可图。』

丕问何五路，懿曰：『可修书一封，差使往辽东鲜卑国，见国王轲比能，赂以金帛，令起辽西羌兵

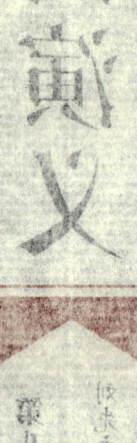

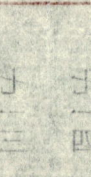

十万，先从旱路取西平关：此一路也。再修书遣使赍官诰赏赐，直入南蛮，见蛮王孟获，令起兵十万，攻打益州、永昌、牂(zāng)牁(kē)、越嶲(xī)四郡，以击西川之南：此二路也。再遣使入吴修好，许以割地，令孙权起兵十万，攻两川峡口，径取涪城：此三路也。又可差使至降将孟达处，起上庸兵十万，西攻汉中：此四路也。然后命大将军曹真为大都督，提兵十万，由京兆径出阳平关取西川：此五路也。共大兵五十万，五路并进，诸葛亮便有吕望之才，安能当此乎？』丕大喜，随即密遣能言官四员为使前去；又命曹真为大都督，领兵十万，径取阳平关。此时张辽等一班旧将，皆封列侯，俱在冀、徐、青及合淝等处，据守关津隘口，故不复调用。

却说蜀汉后主刘禅，自即位以来，旧臣多有病亡者，不能细说。凡一应朝廷选法，钱粮、词讼等事，皆听诸葛丞相裁处。时后主未立皇后，孔明与群臣上言曰：『故车骑将军张飞之女甚贤，年十七岁，可纳为正宫皇后。』后主即纳之。

建兴元年秋八月，忽有边报说：『魏调五路大兵，来取西川：第一路，曹真为大都督，起兵十万，取阳平关；第二路，乃反将孟达，起上庸兵十万，犯汉中；第三路，乃东吴孙权，起精兵十万，取峡口入川；第四路，乃蛮王孟获，起蛮兵十万，犯益州四郡；第五路，乃番王轲比能，起羌兵十万，犯西平关。此五路军马，甚是利害。已先报知丞相，丞相不知为何，数日不出视事。』后主听罢大惊，即差近侍赍旨，宣召孔明入朝。使命去了半日，回报：『丞相府下人言，丞相染病不出。』后主转慌；次日，又命黄门侍郎

董允、谏议大夫杜琼，去丞相卧榻前，告此大事。董、杜二人到丞相府前，皆不得入。杜琼曰：『先帝托孤于丞相，今主上初登宝位，被曹丕五路兵犯境，军情至急，丞相何故推病不出？』良久，门吏传丞相令，言：『病体稍可，明早出都堂议事。』董、杜二人叹息而回。次日，多官又来丞相府前伺候。从早至晚，又不见出。多官惶惶，只得散去。杜琼入奏后主曰：『请陛下圣驾，亲往丞相府问计。』后主即引多官入宫，启奏皇太后。太后大惊，曰：『丞相何故如此？有负先帝委托之意也！我当自往。』董允奏曰：『娘娘未可轻往。臣料丞相必有高明之见。且待主上先往。如果怠慢，请娘娘于太庙中，召丞相问之未迟。』太后依奏。

次日，后主车驾亲至相府。门吏见驾到，慌忙拜伏于地而迎。后主问曰：『丞相在何处？』门吏曰：『不知在何处。只有丞相钧旨，教挡住百官，勿得辄入。』后主乃下车步行，独进第三重门，见孔明独倚竹杖，在小池边观鱼。后主在后立久，乃徐徐而言曰：『丞相安乐否？』孔明回顾，见是后主，慌忙弃杖，拜伏于地曰：『臣该万死！』后主扶起，问曰：『今曹丕分兵五路，犯境甚急，相父缘何不肯出府视事？』

孔明大笑，扶后主入内室坐定，奏曰：『五路兵至，臣安得不知？臣非观鱼，有所思也。』后主曰：『如之奈何？』孔明曰：『羌王轲比能，蛮王孟获，反将孟达，魏将曹真：此四路兵，臣已皆退去了也。止有孙权这一路兵，臣已有退之之计，但须一能言之人为使。因未得其人，故熟思之。陛下何必忧乎？』

后主听罢，又惊又喜，曰：『相父果有鬼神不测之机也！愿闻退兵之策。』孔明曰：『先帝以陛下付托与臣，臣安敢旦夕怠慢。成都众官，皆不晓兵法之妙——贵在使人不测，岂可泄漏于人？老臣先知西番国王轲比能，引兵犯西平关；臣料马超积祖西川人氏，素得羌人之心，羌人以超为神威天将军，臣已先遣一人，星夜驰檄，令马超紧守西平关，伏四路奇兵，每日交换，以兵拒之：此一路不必忧矣。又南蛮孟获，兵犯四郡，臣亦飞檄遣魏延领一军左出右入，右出左入，为疑兵之计：蛮兵惟凭勇力，其心多疑，若见疑兵，必不敢进：此一路又不足忧矣。又知孟达引兵出汉中；达与李严曾结生死之交；臣回成都时，留李严守永安宫；臣已作一书，只做李严亲笔，令人送与孟达；达必然推病不出，以慢军心：此一路又不足忧矣。又知曹真引兵犯阳平关；此地险峻，可以保守，臣已调赵云引一军守把关隘，并不出战；曹真若见我军不出，不久自退矣。此四路兵俱不足忧。臣尚恐不能全保，又密调关兴、张苞二将，各引兵三万，屯于紧要之处，为各路救应。此数处调遣之事，皆不曾经由成都，故无人知觉。只有东吴这一路兵，未必便动：如见四路兵胜，川中危急，必来相攻；若四路不济，安肯动乎？臣料孙权想曹丕三路侵吴之怨，必不肯从其言。虽然如此，须用一舌辩之士，径往东吴，以利害说之，则先退东吴；其四路之兵，何足忧乎？但未得说吴之人，臣故踌躇。何劳陛下圣驾来临？』后主曰：『太后亦欲来见相父。今朕闻相父之言，如梦初觉，复何忧哉！』

孔明与后主共饮数杯，送后主出府。众官皆环立于门外，见后主面有喜色。后主别了孔明，上御车回朝。众皆疑惑不定。孔明见众官中，一人仰天而笑，面亦有喜色。孔明视之，乃义阳新野人，姓邓，名芝，字伯苗，现为户部尚书；汉司马邓禹之后。孔明暗令人留住邓芝。多官皆散，孔明请芝到书院中，问芝曰：『今蜀、魏、吴鼎分三国，欲讨二国，一统中兴，当先伐何国？』芝曰：『以愚意论之：魏虽汉贼，其势甚大，急难摇动，当徐缓图；今主上初登宝位，民心未安，当与东吴连合，结为唇齿，一洗先帝旧怨，此乃长久之计也。未审丞相钧意若何？』孔明大笑曰：『吾思之久矣，奈未得其人。今日方得也！』芝曰：『丞相欲其人何为？』孔明曰：『吾欲使人往结东吴。公既能明此意，必能不辱君命。使吴之任，非公不可。』芝曰：『愚才疏智浅，恐不堪当此任。』孔明曰：『吾来日奏知天子，便请伯苗一行，切勿推辞。』芝应允而退。至次日，孔明奏准后主，差邓芝往说东吴。芝拜辞，望东吴而来。正是：吴人方见干戈息，蜀使还将玉帛通。未知邓芝此去若何，且看下文分解。

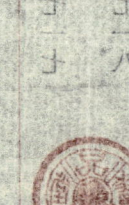

第八十六回　难张温秦宓逞天辩　破曹丕徐盛用火攻

却说东吴陆逊，自退魏兵之后，吴王拜逊为辅国将军、江陵侯，领荆州牧，自此军权皆归于逊。张昭、顾雍启奏吴王，请自改元。权从之，遂改为黄武元年。忽报魏主遣使至，权召入。使命陈说：『蜀前使人求救于魏，魏一时不明，故发兵应之；今已大悔，欲起四路兵取川，东吴可来接应。若得蜀土，各分一半。』

权闻言，不能决，乃问于张昭、顾雍等。昭曰：『陆伯言极有高见，可问之。』权即召陆逊至。逊奏曰：『曹丕坐镇中原，急不可图；今若不从，必为仇矣。臣料魏与吴皆无诸葛亮之敌手。今且勉强应允，整军预备，只探听四路如何。若四路兵胜，川中危急，诸葛亮首尾不能救，主上则发兵以应之，先取成都，深为上策；如四路兵败，别作商议。』权从之，乃谓魏使曰：『军需未办，择日便当起程。』使者拜辞而去。权令人探得西番兵出西平关，见了马超，不战自退；南蛮孟获起兵攻四郡，皆被魏延用疑兵计杀退回洞去了；上庸孟达兵至半路，忽然染病不能行；曹真兵出阳平关，赵子龙拒住各处险道，果然『一将守关，万夫莫开』。曹真屯兵于斜谷道，不能取胜而回。

孙权知了此信，乃谓文武曰：『陆伯言真神算也。孤若妄动，又结怨于西蜀矣。』忽报西蜀遣邓芝到。张昭曰：『此又是诸葛亮退兵之计，遣邓芝为说客也。』权曰：『当何以答之？』昭曰：『先于殿前立一大鼎，贮油数百斤，下用炭烧。待其油沸，可选身长面大武士一千人，各执刀在手，从宫门前直摆至殿上，却唤芝入见。休等此人开言下说词，责以郦食其说齐故事，效此例烹之，看其人如何对答。』

权从其言，遂立油鼎，命武士立于左右，各执军器，召邓芝入。芝整衣冠而入。行至宫门前，只见两行武士，威风凛凛，各持钢刀、大斧、长戟、短剑，直列至殿上。芝晓其意，并无惧色，昂然而行。至殿前，又见鼎镬内热油正沸。左右武士以目视之，芝但微微而笑。近臣引至帘前，邓芝长揖不拜。权令卷起珠帘，大喝曰：『何不拜！』芝昂然而答曰：『上国天使，不拜小邦之主。』权大怒曰：『汝不自料，欲掉三寸之舌，效郦生说齐乎！可速入油鼎！』芝大笑曰：『人皆言东吴多贤，谁想惧一儒生！』权转怒曰：『孤何惧尔一匹夫耶？』芝曰：『既不惧邓伯苗，何愁来说汝等也？』权曰：『尔欲为诸葛亮作说客，来说孤绝魏向蜀，是否？』芝曰：『吾乃蜀中一儒生，特为吴国利害而来。乃设兵陈鼎，以拒一使，何其局量之不能容物耶！』

权闻言惶愧，即叱退武士，命芝上殿，赐坐而问曰：『吴、魏之利害若何？愿先生教我。』芝曰：『大王欲与蜀和，还是欲与魏和？』权曰：『孤正欲与蜀主讲和；但恐蜀主年轻识浅，不能全始全终耳。』芝曰：『大王乃命世之英豪，诸葛亮亦一时之俊杰；蜀有山川之险，吴有三江之固：若二国连和，共为唇齿，进则可以兼吞天下，退则可以鼎足而立。今大王若委贽称臣于魏，魏必望大王朝觐，求太子以为内侍；如其不从，则兴兵来攻，蜀亦顺流而进取：如此则江南之地，不复为大王有矣。若大王以愚言为不然，愚将就死于大王之前，以绝说客之名也。』言讫，撩衣下殿，望油鼎中便跳。权急命止之，请入后殿，以上宾

之礼相待。权曰：『先生之言，正合孤意。孤今欲与蜀主连和，先生肯为我介绍乎？』芝曰：『适欲烹小臣者，乃大王也；今欲使小臣者，亦大王也。大王犹自狐疑未定，安能取信于人？』权曰：『孤意已决，先生勿疑。』

于是吴王留住邓芝，集多官问曰：『孤掌江南八十一州，更有荆楚之地，反不如西蜀偏僻之处也：蜀有邓芝，不辱其主；吴并无一人入蜀，以达孤意。』忽一人出班奏曰：『臣愿为使。』众视之，乃吴郡吴人，姓张，名温，字惠恕，现为中郎将。权曰：『恐卿到蜀见诸葛亮，不能达孤之情。』温曰：『孔明亦人耳，臣何畏彼哉？』权大喜，重赏张温，使同邓芝入川通好。

却说孔明自劝芝去后，奏后主曰：『邓芝此去，其事必成。吴地多贤，定有人来答礼，陛下当礼貌之，令彼回吴，以通盟好。吴若通和，魏必不敢加兵于蜀矣。吴、魏宁靖，臣当征南，平定蛮方，然后图魏。魏削则东吴亦不能久存，可以复一统之基业也。』后主然之。

忽报东吴遣张温与邓芝入川答礼。后主聚文武于丹墀，令邓芝、张温入。温自以为得志，昂然上殿，见后主施礼。后主赐锦墩，坐于殿左，设御宴待之。后主但敬礼而已。宴罢，百官送张温到馆舍。次日，孔明设宴相待。孔明谓张温曰：『先帝在日，与吴不睦，今已晏驾。当今主上，深慕吴王，欲捐旧忿，永结盟好，并力破魏。望大夫善言回奏。』张温领诺。酒至半酣，张温喜笑自若，颇有傲慢之意。

次日，后主将金帛赐与张温，设宴于城南邮亭之上，命众官相送。孔明殷勤劝酒。正饮酒间，忽一人

乘醉而入，昂然长揖，入席就坐。温怪之，乃问孔明曰：『此何人也？』孔明答曰：『姓秦，名宓，字子勑，现为益州学士。』温笑曰：『名称学士，未知胸中曾「学事」否？』宓正色而言曰：『蜀中三尺小童，尚皆就学，何况于我？』温曰：『且说公何所学？』宓对曰：『上至天文，下至地理，三教九流，诸子百家，无所不通；古今兴废，圣贤经传，无所不览。』温笑曰：『公既出大言，请即以天为问：天有头乎？』宓曰：『有头。』温曰：『头在何方？』宓曰：『在西方。《诗》云：「乃眷西顾。」以此推之，头在西方也。』温又问：『天有耳乎？』宓答曰：『天处高而听卑。《诗》云：「鹤鸣九皋，声闻于天。」无耳何能听？』温又问：『天有足乎？』宓曰：『有足。《诗》云：「天步艰难。」无足何能步？』温又问：『天有姓乎？』宓曰：『岂得无姓！』温曰：『何姓？』宓答曰：『姓刘。』温曰：『何以知之？』宓曰：『天子姓刘，以故知之。』温又问曰：『日生于东乎？』宓对曰：『虽生于东，而没于西。』

此时秦宓语言清朗，答问如流，满座皆惊。张温无语。宓乃问曰：『先生东吴名士，既以天事下问，

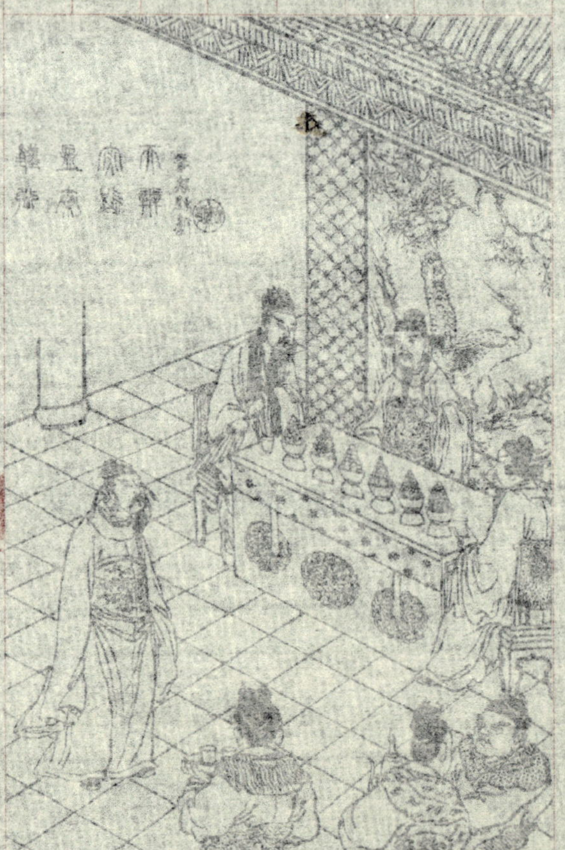

必能深明天之理。昔混沌既分，阴阳剖判；轻清者上浮而为天，重浊者下凝而为地；至共工氏战败，头触不周山，天柱折，地维缺：天倾西北，地陷东南。天既轻清而上浮，何以倾其西北乎？又未知轻清之外，还是何物？愿先生教我。』张温无言可对，乃避席而谢曰：『不意蜀中多出俊杰！恰闻讲论，使仆顿开茅塞。』孔明恐温羞愧，故以善言解之曰：『席间问难，皆戏谈耳。足下深知安邦定国之道，何在唇齿之戏哉！』温拜谢。孔明又令邓芝入吴答礼，就与张温同行。张、邓二人拜辞孔明，望东吴而来。

却说吴王见张温入蜀未还，乃聚文武商议。忽近臣奏曰：『蜀遣邓芝同张温入国答礼。』权召入。张温拜于殿前，备称后主、孔明之德，愿求永结盟好，特遣邓尚书又来答礼。权大喜，乃设宴待之。权问邓芝曰：『若吴、蜀二国同心灭魏，得天下太平，二主分治，岂不乐乎？』芝答曰：『「天无二日，民无二主」。如灭魏之后，未识天命所归何人。但为君者，各修其德；为臣者，各尽其忠：则战争方息耳。』权大笑曰：『君之诚款，乃如是耶！』遂厚赠邓芝还蜀。自此吴、蜀通好。

却说魏国细作人探知此事，火速报入中原。魏主曹丕听知，大怒曰：『吴、蜀连和，必有图中原之意也。不若朕先伐之。』于是大集文武，商议起兵伐吴。此时大司马曹仁、太尉贾诩已亡。侍中辛毗出班奏曰：『中原之地，土阔民稀，而欲用兵，未见其利。今日之计，莫若养兵屯田十年，足食足兵，然后用之，则吴、蜀方可破也。』丕怒曰：『此迂儒之论也！今吴、蜀连和，早晚必来侵境，何暇等待十年！』即传旨起兵伐吴。司马懿奏曰：『吴有长江之险，非船莫渡。陛下必御驾亲征，可选大小战船，从蔡、颍而入淮，取寿春，至广陵，渡江口，径取南徐：此为上策。』丕从之。于是日夜并工，造龙舟十只，长二十余丈，可容二千余人；收拾战船三千余只。魏黄初五年秋八月，会聚大小将士，令曹真为前部，张辽、张郃、文聘、徐晃等为大将先行，许褚、吕虔为中军护卫，曹休为合后，刘晔、蒋济为参谋官。前后水陆军马三十余万，克日起兵。封司马懿为尚书仆射，留在许昌，凡国政大事，并皆听懿决断。

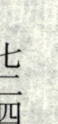

不说魏兵起程。却说东吴细作探知此事，报入吴国。近臣慌奏吴王曰：『今魏王曹丕，亲自乘驾龙舟，提水陆大军三十余万，从蔡、颍出淮，必取广陵渡江，来下江南。甚为利害。』孙权大惊，即聚文武商议。顾雍曰：『今主上既与西蜀连和，可修书与诸葛孔明，令起兵出汉中，以分其势；一面遣一大将，屯兵南徐以拒之。』权曰：『非陆伯言不可当此大任。』雍曰：『陆伯言镇守荆州，不可轻动。』权曰：『孤非不知，奈眼前无替力之人。』言未尽，一人从班部内应声而出曰：『臣虽不才，愿统一军以当魏兵。若曹丕亲渡大江，臣必生擒，以献殿下；若不渡江，亦杀魏兵大半，令魏兵不敢正视东吴。』权视之，乃徐盛也。权大喜曰：『如得卿守江南一带，孤何忧哉！』遂封徐盛为安东将军，总镇都督建业、南徐军马。盛谢恩，领命而退；即传令教众官军多置器械，多设旌旗，以为守护江岸之计。

忽一人挺身出曰：『今日大王以重任委托将军，欲破魏兵以擒曹丕，将军何不早发军马渡江，于淮南之地迎敌？直待曹丕兵至，恐无及矣。』盛视之，乃吴王侄孙韶也。韶字公礼，官授扬威将军，曾在广陵守御；年幼负气，极有胆勇。盛曰：『曹丕势大，更有名将为先锋，不可渡江迎敌。待彼船皆集于北岸，吾自有

计破之。』韶曰：『吾手下自有三千军马，更兼深知广陵路势，吾愿自去江北，与曹丕决一死战。如不胜，甘当军令。』盛不从。韶坚执要去。盛只是不肯，韶再三要行。盛怒曰：『汝如此不听号令，吾安能制诸将乎？』叱武士推出斩之。刀斧手拥孙韶出辕门之外，立起皂旗。韶部将飞报孙权。权听知，急上马来救。武士恰待行刑，孙权早到，喝散刀斧手，救了孙韶。韶哭奏曰：『臣往年在广陵，深知地利；不就那里与曹丕厮杀，直待他下了长江，东吴指日休矣！』权径入营来。徐盛迎接入帐，奏曰：『大王命臣为都督，提兵拒魏；今扬威将军孙韶，不遵军法，违令当斩，大王何故赦之？』权曰：『韶倚血气之壮，误犯军法，万希宽恕。』盛曰：『法非臣所立，亦非大王所立，乃国家之典刑也。若以亲而免之，何以令众乎？』权曰：

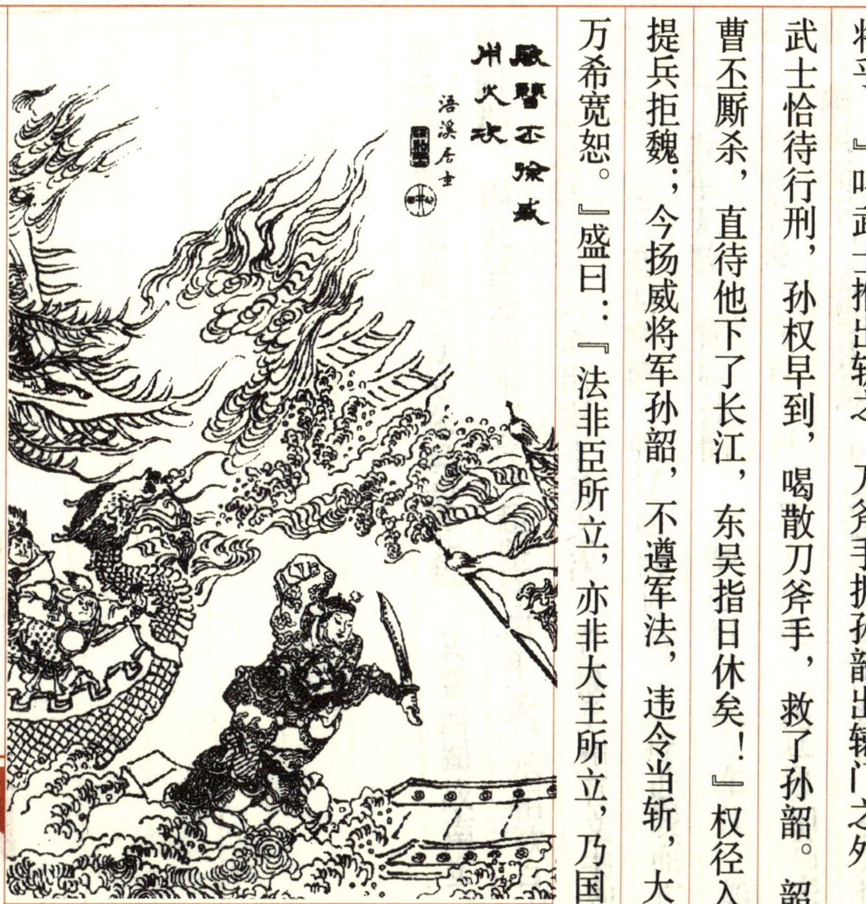

『韶犯法，本应任将军处治；奈此子虽本姓俞氏，然孤兄甚爱之，赐姓孙，于孤颇有劳绩。今若杀之，负兄义矣。』盛曰：『且看大王之面，寄下死罪。』权令孙韶拜谢。韶不肯拜，厉声而言曰：『据吾之见，只是引军去破曹丕！便死也不服你的见识！』徐盛变色。权叱退孙韶，谓徐盛曰：『便无此子，何损于兵？今后勿再用之。』言讫自回。是夜，人报徐盛说：『孙韶引本部三千精兵，潜

地过江去了。』盛恐有失，于吴王面上不好看，乃唤丁奉授以密计，引三千兵渡江接应。

却说魏主驾龙舟至广陵，前部曹真已领兵列于大江之岸。曹丕问曰：『江岸有多少兵？』真曰：『隔岸远望，并不见一人，亦无旌旗营寨。』丕曰：『此必诡计也。朕自往观其虚实。』于是大开江道，放龙舟直至大江，泊于江岸。船上建龙凤日月五色旌旗，仪銮簇拥，光耀射目。曹丕端坐舟中，遥望江南，不见一人，回顾刘晔、蒋济曰：『可渡江否？』晔曰：『兵法「实实虚虚」。彼见大军至，如何不作整备？陛下未可造次。且待三五日，看其动静，然后发先锋渡江以探之。』丕曰：『卿言正合朕意。』

是日天晚，宿于江中。当夜月黑，军士皆执灯火，明耀天地，恰如白昼。遥望江南，并不见半点儿火光。丕问左右曰：『此何故也？』近臣奏曰：『想闻陛下天兵来到，故望风逃窜耳。』丕暗笑。及至天晚，大雾迷漫，对面不见。须臾风起，雾散云收，望见江南一带皆是连城：城楼上枪刀耀日，遍城尽插旌旗号带。顷刻数次人来报：『南徐沿江一带，直至石头城，一连数百里，城郭舟车，连绵不绝，一夜成就。』曹丕大惊。原来徐盛束缚芦苇为人，尽穿青衣，执旌旗，立于假城疑楼之上。魏兵见城上许多人马，如何不胆寒？丕叹曰：『魏虽有武士千群，无所用之。江南人物如此，未可图也！』

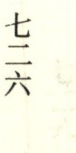

正惊讶间，忽然狂风大作，白浪滔天，江水溅湿龙袍，大船将覆。曹真慌令文聘撑小舟急来救驾。龙舟上人立站不住。文聘跳上龙舟，负丕下得小舟，奔入河港。忽流星马报道：『赵云引兵出阳平关，径取长安。』丕听得，大惊失色，便教回军。众军各自奔走。背后吴兵追至。丕传旨教尽弃御用之物而走。龙

舟将次入淮，忽然鼓角齐鸣，喊声大震，刺斜里一彪军杀到，为首大将，乃孙韶也。魏兵不能抵当，折其大半，淹死者无数。诸将奋力救出魏主。魏主渡淮河，行不三十里，淮河中一带芦苇，预灌鱼油，尽皆火着，顺风而下，风势甚急，火焰漫空，绝住龙舟。丕大惊，急下小船傍岸时，龙舟上早已火着。丕慌忙上马。岸上一彪军杀来：为首一将，乃丁奉也。张辽急拍马来迎，被奉一箭射中其腰，却得徐晃救了，同保魏主而走，折军无数。背后孙韶、丁奉夺得马匹、车仗、船只、器械，不计其数。魏兵大败而回。吴将徐盛全获大功，吴王重加赏赐。张辽回到许昌，箭疮迸裂而亡，曹丕厚葬之，不在话下。

却说赵云引兵杀出阳平关之次，忽报丞相有文书到，说益州耆帅雍闿结连蛮王孟获，起十万蛮兵，侵掠四郡：因此宣云回军，令马超坚守阳平关，丞相欲自南征。赵云乃急收兵而回。此时孔明在成都整饬军马，亲自南征。正是：方见东吴敌北魏，又看西蜀战南蛮。未知胜负如何，且看下文分解。

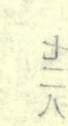

第八十七回　征南寇丞相大兴师　抗天兵蛮王初受执

却说诸葛丞相在于成都，事无大小，皆亲自从公决断。两川之民，忻乐太平，夜不闭户，路不拾遗。又幸连年大熟，老幼鼓腹讴歌，凡遇差徭，争先早办：因此军需器械应用之物，无不完备；米满仓廒，财盈府库。

建兴三年，益州飞报：「蛮王孟获，大起蛮兵十万，犯境侵掠。建宁太守雍闿，乃汉朝什方侯雍齿之后，今结连孟获造反。郡太守朱褒、越嶲郡太守高定，二人献了城。止有永昌太守王伉不肯反。现今雍闿、朱褒、高定三人部下人马，皆与孟获为向导官，攻打永昌。今王伉与功曹吕凯，会集百姓，死守此城，其势甚急。」孔明乃入朝奏后主曰：「臣观南蛮不服，实国家之大患也。臣当自领大军，前去征讨。」后主曰：「东有孙权，北有曹丕，今相父弃朕而去，倘吴、魏来攻，如之奈何？」孔明曰：「东吴方与我国讲和，料无异心；若有异心，李严在白帝城，此人可当陆逊也。曹丕新败，锐气已丧，未能远图；且有马超守把汉中诸处关口，不必忧也。臣又留关兴、张苞等分两军为救应，保陛下万无一失。今臣先去扫荡蛮方，然后北伐，以图中原，报先帝三顾之恩，托孤之重。」后主曰：「朕年幼无知，惟相父斟酌行之。」言未毕，班部内一人出曰：「不可！不可！」众视之，乃南阳人也，姓王，名连，字文仪，现为谏议大夫。连谏曰：「南方不毛之地，瘴疫之乡；丞相秉钧衡之重任，而自远征，非所宜也。且雍闿等乃疥癣之疾，丞相只须遣一大将讨之，必然成功。』孔明曰：『南蛮之地，离国甚远，人多不习王化，收伏甚难，吾当亲去征之。可刚可柔，别有斟酌，非可容易托人。』

王连再三苦劝，孔明不从。是日，孔明辞了后主，令蒋琬为参军，费祎为长史，董厥、樊建二人为掾史；赵云、魏延为大将，总督军马；王平、张翼为副将；并川将数十员：共起川兵五十万，前望益州进发。忽有关公第三子关索，入军来见孔明曰：『自荆州失陷，逃难在鲍家庄养病。每要赴川见先帝报仇，疮痕未合，不能起行。近已安痊，打探得东吴仇人已皆诛戮，径来西川见帝，恰在途中遇见征南之兵，特来投见。』孔明闻之，嗟讶不已；一面遣人申报朝廷，就令关索为前部先锋，一同征南。大队人马，各依队伍而行。饥餐渴饮，夜住晓行；所经之处，秋毫无犯。

却说雍闿听知孔明自统大军而来，即与高定、朱褒商议，分兵三路：高定取中路，雍闿在左，朱褒在右；三路各引兵五六万迎敌。于是高定令鄂焕为前部先锋。焕身长九尺，面貌丑恶，使一枝方天戟，有万夫不当之勇；领本部兵，离了大寨，来迎蜀兵。

却说孔明统大军已到益州界分。前部先锋魏延，副将张翼、王平，才入界口，正遇鄂焕军马。两阵对圆，魏延出马大骂曰：『反贼早早受降！』鄂焕拍马与魏延交锋。战不数合，延诈败走，焕随后赶来。走不数里，喊声大震。张翼、王平两路军杀来，绝其后路。延复回，三员将并力拒战，生擒鄂焕。解到大寨，入见孔明。孔明令去其缚，以酒食待之。问曰：『汝是何人部将？』焕曰：『某是高定部将。』孔明曰：『吾知高定乃忠义之士，今为雍闿所惑，以致如此。吾今放汝回去，令高太守早早归降，免遭大祸。』鄂焕拜谢而去，回见高定，说孔明之德。定亦感激不已。次日，雍闿至寨。礼毕，闿曰：『如何得鄂焕回也？』定曰：『诸葛亮以义放之。』闿曰：『此乃诸葛亮反间之计：欲令我两人不和，故施此谋也。』定半信不信，心中犹豫。忽报蜀将搦战，闿自引三万兵出迎。战不数合，闿拨马便走。延率兵大进，追杀二十余里。次日，雍闿又起兵来迎。孔明一连三日不出。至第四日，雍闿、高定分兵两路，来取蜀寨。

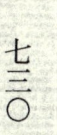

却说孔明令魏延两路伺候；果然雍闿、高定两路兵来，被伏兵杀伤大半，生擒者无数，都解到大寨来。雍闿的人，因在一边；高定的人，因在一边。却令军士谣说：『但是高定的人免死，雍闿的人尽杀。』众军皆闻此言。少时，孔明令取雍闿的人到帐前，问曰：『汝等皆是何人部从？』众伪曰：『高定部下人也。』孔明教皆免其死，与酒食赏劳，令人送出界首，纵放回寨。孔明又唤高定的人问之。众皆告曰『吾等实是高定部下军士。』孔明亦皆免其死，赐以酒食；却扬言曰：『雍闿今日使人投降，要献汝主并朱褒首级以为功劳，吾甚不忍。汝等既是高定部下军，吾放汝等回去，再不可背反。若再擒来，决不轻恕。』

众皆拜谢而去；回到本寨，入见高定，说知此事。定乃密遣人去雍闿寨中探听，却有一般放回的人，言说孔明之德；因此雍闿部军，多有归顺高定之心。虽然如此，高定心中不稳，又令一人来孔明寨中探听虚实。被伏路军捉来见孔明。孔明故意认做雍闿的人，唤入帐中问曰：『汝元帅既约下献高定、朱褒二人首级，因何误了日期？汝这厮不精细，如何做得细作！』军士含糊答应。孔明以酒食赐之，修密书一封，

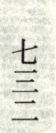

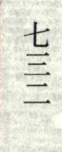

付军士曰：『汝持此书付雍闿，教他早早下手，休得误事。』细作拜谢而去，回见高定，呈上孔明之书，说雍闿如此如此。定看书毕，大怒曰：『吾以真心待之，彼反欲害吾，情理难容！』便唤鄂焕商议。焕曰：『孔明乃仁人，背之不祥。我等谋反作恶，皆雍闿之故；不如杀闿以投孔明。』定曰：『如何下手？』焕曰：『可设一席，令人去请雍闿。彼若无异心，必坦然而来；若其不来，必有异心。我主可攻其前，某伏于寨后小路候之：闿可擒矣。』高定从其言，设席请雍闿。闿果疑前日放回军士之言，惧而不来。是夜高定引兵杀投雍闿寨中。原来有孔明放回免死的人，皆想高定之德，乘时助战。雍闿军不战自乱。闿上马望山路而走。行不二里，鼓声响处，一彪军出，乃鄂焕也：挺方天戟，骤马当先。雍闿措手不及，被焕一戟刺于马下，就枭其首级。闿部下军士皆降高定。定引两部军来降孔明，献雍闿首级于帐下。孔明高坐于帐上，喝令左右推转高定，斩首报来。定曰：『某感丞相大恩，今将雍闿首级来降，何故斩也？』孔明大笑曰：『汝来诈降。敢瞒吾耶！』定曰：『丞相何以知吾诈降？』孔明于匣中取出一缄，与高定曰：『朱褒已使人密献降书，说你与雍闿结生死之交，岂肯一旦便杀此人？吾故知汝诈也。』定叫屈曰：『朱褒乃反间之计也。丞相切不可信！』孔明曰：『吾亦难凭一面之词。汝若捉得朱褒，方表真心。』定曰：『丞相休疑。某去擒朱褒来见丞相，若何？』孔明曰：『若如此，吾疑心方息也。』

高定即引部将鄂焕并本部兵，杀奔朱褒营来。比及离寨约有十里，山后一彪军到，乃朱褒也。褒见高定军来，慌忙与高定答话。定大骂曰：『汝如何写书与诸葛丞相处，使反间计害吾耶？』褒目瞪口呆，不能回答。忽然鄂焕于马后转过，一戟刺朱褒于马下。定厉声而言曰：『如不顺者皆戮之！』于是众军一齐拜降。定引两部军来见孔明，献朱褒首级于帐下。孔明大笑曰：『吾故使汝杀此二贼，以表忠心。』遂命高定为益州太守，总摄三郡；令鄂焕为牙将。三路军马已平。

于是永昌太守王伉出城迎接孔明。孔明入城已毕，问曰：『谁与公守此城，以保无虞？』伉曰：『某今日得此郡无危者，皆赖永昌不韦人，姓吕，名凯，字季平。皆此人之力。』孔明遂请吕凯至。凯入见，礼毕。孔明曰：『久闻公乃永昌高士，多亏公保守此城。今欲平蛮方，公有何高见？』吕凯遂取一图，呈与孔明曰：『某自历仕以来，知南人欲反久矣，故密遣人入其境，察看可屯兵交战之处，画成一图，名曰「平蛮指掌图」。今敢献与明公。明公试观之，可为征蛮之一助也。』孔明大喜，就用吕凯为行军教授，兼向导官。于是孔明提兵大进，深入南蛮之境。

正行军之次，忽报天子差使命至。孔明请入中军，但见一人素袍白衣而进，乃马谡也。——为兄马良新亡，因此挂孝。——谡曰：『奉主上敕命，赐众军酒帛。』孔明接诏已毕，依命一一给散，遂留马谡在帐叙话。孔明问曰：『吾奉天子诏，削平蛮方；久闻幼常高见，望乞赐教。』谡曰：『愚有片言，望丞相察之：南蛮恃其地远山险，不服久矣；虽今日破之，明日复叛。丞相大军到彼，必然平服；但班师之日，必用北伐曹丕；蛮兵若知内虚，其反必速。夫用兵之道：「攻心为上，攻城为下；心战为上，兵战为下。」愿丞相但服其心足矣。』孔明叹曰：『幼常足知吾肺腑也！』于是孔明遂令马谡为参军，即统大兵前进。

却说蛮王孟获，听知孔明智破雍闿等，遂聚三洞元帅商议：第一洞乃金环三结元帅，第二洞乃董荼那元帅，第三洞乃阿会喃元帅。三洞元帅入见孟获，获曰：『今诸葛丞相领大军来侵我境界，不得不并力敌之。汝三人可分兵三路而进。如得胜者，便为洞主。』于是分金环三结取中路，董荼那取左路，阿会喃取右路：各引五万蛮兵，依令而行。

却说孔明正在寨中议事，忽哨马飞报，说三洞元帅分兵三路到来。孔明听毕，即唤赵云、魏延至，却都不分付；更唤王平、马忠至，嘱之曰：『今蛮兵三路而来，吾欲令子龙、文长去；此二人不识地理，未敢用之。王平可往左路迎敌，马忠可往右路迎敌。吾却使子龙、文长随后接应。今日整顿军马，来日平明进发。』二人听令而去。又唤张嶷、张翼分付曰：『汝二人同领一军，往中路迎敌。今日整点军马，来日与王平、马忠约会而进。——吾欲令子龙、文长去取，奈二人不识地理，故未敢用之。』张嶷、张翼听令去了。

赵云、魏延见孔明不用，各有愠色。孔明曰：『吾非不用汝二人，但恐以中年涉险，为蛮人所算，失其锐气耳。』赵云曰：『倘我等识地理，若何？』

孔明曰：『汝二人只宜小心，休得妄动。』二人怏怏而退。赵云请魏延到自己寨内商议曰：『吾二人为先锋，却说不识地理而不肯用。今用此后辈，吾等岂不羞乎？』延曰：『吾二人只今就上马，亲去探之，捉住土人，便教引进，以敌蛮兵，大事可成。』云从之，遂上马径取中路而来。方行不数里，远远望见尘头大起。二人上山坡看时，果见数十骑蛮兵，纵马而来。二人两路冲出。蛮兵见了，大惊而走。赵云、魏延各生擒几人，回到本寨，以酒食待之，却细问其故。蛮兵告曰：『前面是金环三结元帅大寨，正在山口。寨边东西两路，却通五溪洞并董荼那、阿会喃各寨之后。』

赵云、魏延听知此话，遂点精兵五千，教擒来蛮兵引路。比及起军时，已是二更天气，月明星朗，趁着月色而行。刚到金环三结大寨之时，约有四更，蛮兵方起造饭，准备天明厮杀。忽然赵云、魏延两路杀入，蛮兵大乱。赵云直杀入中军，正逢金环三结元帅，交马只一合，被云一枪刺落马下，就枭其首级。余军溃散。魏延便分兵一半，望东路抄董荼那寨来。赵云分兵一半，望西路抄阿会喃寨来。比及杀到蛮兵大寨之时，天已平明。

先说魏延杀奔董荼那寨来：董荼那听知寨后有军杀至，便引兵出寨拒敌。忽然寨前门一声喊起，蛮兵大乱。原来王平军马早已到了。两下夹攻，蛮兵大败。董荼那夺路走脱，魏延追赶不上。

却说赵云引兵杀到阿会喃寨后之时，马忠已杀至寨前。两下夹攻，蛮兵大败，阿会喃乘乱走脱。各自收军，回见孔明。孔明问曰：『三洞蛮兵，走了两洞之主；金环三结元帅首级安在？』赵云将首级献功。众皆言曰：『董荼那、阿会喃皆弃马越岭而去，因此赶他不上。』孔明大笑曰：『二人吾已擒下了。』赵、

魏二人并诸将皆不信。少顷，张嶷解董荼那到，张翼解阿会喃到。众皆惊讶。孔明曰：『吾观吕凯图本，已知他各人下的寨子，故以言激子龙、文长之锐气，故教深入重地，先破金环三结，随即分兵左右寨后抄出，以王平、马忠应之。非子龙、文长不可当此任也。吾料董荼那、阿会喃必从便径往山路而走，故遣张嶷、张翼以伏兵待之，令关索以兵接应，擒此二人。』诸将皆拜伏曰：『丞相机算，神鬼莫测！』

孔明令押过董荼那、阿会喃至帐下，尽去其缚，以酒食衣服赐之，令各自归洞，勿得助恶。二人泣拜，各投小路而去。孔明谓诸将曰：『来日孟获必然亲自引兵厮杀，便可就此擒之。』乃唤赵云、魏延至，付与计策，各引五千兵去了。又唤王平、关索同引一军，授计而去。孔明分拨已毕，坐于帐上待之。

却说蛮王孟获在帐中正坐，忽哨马报来，说三洞元帅，俱被孔明捉将去了；部下之兵，各自溃散。获大怒，遂起蛮兵迤逦进发，正遇王平军马。两阵对圆，王平出马横刀望之：只见门旗开处，数百南蛮骑将两势摆开。中间孟获出马：头顶嵌宝紫金冠，身披缨络红锦袍，腰系碾玉狮子带，脚穿鹰嘴抹绿靴，骑一匹卷毛赤兔马，悬两口松纹镶宝剑，昂然观望，回顾左右蛮将曰：『人每说诸葛亮善能用兵，今观此阵，旌旗杂乱，队伍交错；刀枪器械，无一可能胜吾者：始知前日之言谬也。早知如此，吾反多时矣。谁敢去擒蜀将，以振军威？』言未尽，一将应声而出，名唤忙牙长；使一口截头大刀，骑一匹黄骠马，来取王平。二将交锋，战不数合，王平便走。孟获驱兵大进，迤逦追赶。关索略战又走，约退二十余里。孟获正追杀之间，忽然喊声大起，左有张嶷，右有张翼，两路兵杀出，截断归路。王平、关索复兵杀回。前后夹攻，蛮兵大败。孟获引部将死战得脱，望锦带山而逃。背后三路兵追杀将来。获正奔走之间，前面喊声大起，一彪军拦住：为首大将乃常山赵子龙也。获见了大惊，慌忙奔锦带山小路而走。子龙冲杀一阵，蛮兵大败，生擒者无数。孟获止与数十骑奔入山谷之中，背后追兵至近，前面路狭，马不能行，乃弃了马匹，爬山越岭而逃。忽然山谷中一声鼓响，乃是魏延受了孔明计策，引五百步军，伏于此处。孟获抵敌不住，被魏延生擒活捉了。从骑皆降。

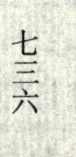

魏延解孟获到大寨来见孔明。孔明早已杀牛宰羊，设宴在寨；却教帐中排开七重围子手，刀枪剑戟，灿若霜雪；又执御赐黄金钺斧，曲柄伞盖，前后羽葆鼓吹，左右排开御林军，布列得十分严整。孔明端坐于帐上，只见蛮兵纷纷穰穰，解到无数。孔明唤到帐中，尽去其缚，抚谕曰：『汝等皆是好百姓，不幸被孟获所拘，今受惊唬。吾想汝等父母、兄弟、妻子必倚门而望；若听知阵败，定然割肚牵肠，眼中流血。吾今尽放汝等回去，以安各人父母、兄弟、妻子之心。』言讫，各赐酒食米粮而遣之。蛮兵深感其恩，泣拜而去。孔明教唤武士押过孟获来。不移时，前推后拥，缚至帐前。获跪于帐下。孔明曰：『先帝待汝不薄，汝何敢背反？』获曰：『两川之地，皆是他人所占土地，汝主倚强夺之，自称为帝。吾世居此处，汝等无礼，侵我土地：何为反耶？』孔明曰：『吾今擒汝，汝心服否？』获曰：『山僻路狭，误遭汝手，如何肯服！』孔明曰：『汝既不服，吾放汝去，若何？』获曰：『汝放我回去，再整军马，共决雌雄；若能再擒吾，吾方服也。』孔明即令去其缚，与衣服穿了，赐以酒食，给与鞍马，差人送出路，径望本寨而去。正是：寇入掌中还放去，人居化外未能降。未知再来交战若何，且看下文分解。

第八十八回　渡泸水再缚番王　识诈降三擒孟获

却说孔明放了孟获，众将上帐问曰：『孟获乃南蛮渠魁，今幸被擒，南方便定；丞相何故放之？』孔明笑曰：『吾擒此人，如囊中取物耳。直须降伏其心，自然平矣。』诸将闻言，皆未肯信。当日孟获行至泸水，正遇手下败残的蛮兵，皆来寻探。众兵见了孟获，且惊且喜，拜问曰：『大王如何能勾回来？』获曰：『蜀人监我在帐中，被我杀死十余人，乘夜黑而走；正行间，逢着一哨马军，亦被我杀之，夺了此马：因此得脱。』众皆大喜，拥孟获渡了泸水，下住寨栅，会集各洞酋长，陆续招聚原放回的蛮兵，约有十余万骑。此时董荼那、阿会喃已在洞中。孟获使人去请，二人惧怕，只得也引洞兵来。获传令曰：『吾已知诸葛亮之计矣，不可与战，战则中他诡计。彼川兵远来劳苦，况即日天炎，彼兵岂能久住？吾等有此泸水之险，将船筏尽拘在南岸，一带皆筑土城，深沟高垒，看诸葛亮如何施谋！』众酋长从其计，尽拘船筏于南岸，一带筑起土城；有依山傍崖之地，高竖敌楼；楼上多设弓弩炮石，准备久处之计。粮草皆是各洞供运。孟获以为万全之策，坦然不忧。

却说孔明提兵大进，前军已至泸水，哨马飞报说：『泸水之内，并无船筏；又兼水势甚急，隔岸一带筑起土城，皆有蛮兵守把。』时值五月，天气炎热，南方之地，分外炎酷，军马衣甲，皆穿不得。孔明自至泸水边观毕，回到本寨，聚诸将至帐中，传令曰：『今孟获兵屯泸水之南，深沟高垒，以拒我兵；吾既

提兵至此，如何空回？汝等各各引兵，依山傍树，拣林木茂盛之处，与我将息人马。』乃遣吕凯离泸水百里，拣阴凉之地，分作四个寨子；使王平、张嶷、张翼、关索各守一寨，内外皆搭草棚，遮盖马匹，将士乘凉，以避暑气。参军蒋琬看了，入问孔明曰：『某看吕凯所造之寨甚不好：正犯昔日先帝败于东吴时之地势矣。倘蛮兵偷渡泸水，前来劫寨，若用火攻，如何解救？』孔明笑曰：『公勿多疑，吾自有妙算。』蒋琬等皆不晓其意。

忽报蜀中差马岱解暑药并粮米到。孔明令入。岱参拜毕，一面将米药分派四寨。孔明问曰：『汝将带多少军来？』马岱曰：『有三千军。』孔明曰：『吾军累战疲困，欲用汝军，未知肯向前否？』岱曰：『皆是朝廷军马，何分彼我？丞相要用，虽死不辞。』孔明曰：『今孟获拒住泸水，无路可渡。吾欲先断其粮道，令彼军自乱。』岱曰：『如何断得？』孔明曰：『离此一百五十里，泸水下流沙口，此处水慢，可以扎筏而渡。汝提本部三千军渡水，直入蛮洞，先断其粮，然后会合董荼那、阿会喃两个洞主，便为内应。不可有误。』

马岱欣然去了，领兵前到沙口，驱兵渡水；因见水浅，大半不下筏，只裸衣而过，半渡皆倒；急救傍岸，口鼻出血而死。马岱大惊，连夜回告孔明。孔明随唤向导土人问之。土人曰：『目今炎天，毒聚泸水，日间甚热，毒气正发；有人渡水，必中其毒；或饮此水，其人必死。若要渡时，须待夜静水冷，毒气不起，饱食渡之，方可无事。』孔明遂令土人引路，又选精壮军五六百，随着马岱，来到泸水沙口，扎起木筏，半夜渡水，果然无事。岱领着二千壮军，令土人引路，径取蛮洞运粮总路口夹山峪而来。那夹山峪，两下

是山，中间一条路，止容一人一马而过。马岱占了夹山峪，分拨士卒，立起寨栅。洞蛮不知，正解粮到，被岱前后截住，夺粮百余车。蛮人报入孟获大寨中。

此时孟获在寨中，终日饮酒取乐，不理军务，谓众酋长曰：“吾若与诸葛亮对敌，必中奸计。今靠此泸水之险，深沟高垒以待之；蜀人受不过酷热，必然退走。那时吾与汝等随后击之，便可擒诸葛亮也。”言讫，呵呵大笑。忽然班内一酋长曰：“沙口水浅，倘蜀兵透漏过来，深为利害；当分军守把。”获笑曰：“汝是本处土人，如何不知？吾正要蜀兵来渡此水，渡则必死于水中矣。”酋长又曰：“倘有土人说与夜渡之法，当复何如？”获曰：“不必多疑。吾境内之人，安肯助敌人耶？”正言之间，忽报蜀兵不知多少，暗渡泸水，绝断了夹山粮道，打着“平北将军马岱”旗号。获笑曰：“量此小辈，何足道哉！”即遣副将忙牙长，引三千兵投夹山峪来。

却说马岱望见蛮兵已到，遂将二千军摆在山前。两阵对圆，忙牙长出马，与马岱交锋；只一合，被岱一刀斩于马下。蛮兵大败走回，来见孟获，细言其事。获唤诸将问曰：“谁敢去敌马岱？”言未毕，董荼那出曰：“某愿往。”孟获大喜，遂与三千兵而去。获又恐有人再渡泸水，即遣阿会喃引三千兵，去守把沙口。

却说董荼那引蛮兵到了夹山峪下寨，马岱引兵来迎。部内军有认得是董荼那，说与马岱如此如此。岱纵马向前大骂曰：“无义背恩之徒！吾丞相饶汝性命，今又背反，岂不自羞！”董荼那满面惭愧，无言可答，不战而退。马岱掩杀一阵而回。董荼那回见孟获曰：“马岱英雄，抵敌不住。”获大怒曰：“吾知汝

原受诸葛亮之恩，今故不战而退——正是卖阵之计！”喝教推出斩了。众酋长再三哀告，方才免死，叱武士将董荼那打了一百大棍，放归本寨。诸多酋长皆来告董荼那曰：“我等虽居蛮方，未尝敢犯中国；中国亦不曾侵我。今因孟获势力相逼，不得已而造反。想孔明神机莫测，曹操、孙权尚自惧之，何况我等蛮方乎？况我等皆受其活命之恩，无可为报。今欲舍一死命，杀孟获去投孔明，以免洞中百姓涂炭之苦。”董荼那曰：“未知汝等心下若何？”内有原蒙孔明放回的人，一齐同声应曰：“愿往！”于是董荼那手执钢刀，引百余人，直奔大寨而来。时孟获大醉于帐中。董荼那引众人持刀而入，帐下有两将侍立。董荼那以刀指曰：“汝等亦受诸葛丞相活命之恩，宜当报效。”二将曰：“不须将军下手，某当生擒孟获，去献丞相。”于是一齐入帐，将孟获执缚已定，押到泸水边，驾船直过北岸，先使人报知孔明。

却说孔明已有细作探知此事，于是密传号令，教各寨将士，整顿军器，方教为首酋长解孟获入来，其余皆回本寨听候。董荼那先入中军见孔明，细说其事。孔明重加赏劳，用好言抚慰，遣董荼那引众酋长去了。然后令刀斧手推孟获入。孔明笑曰：“汝前者有言：但再擒得，便肯降服。今日如何？”获曰：“此非汝之能也；乃吾手下之人自相残害，以致如此。如何肯服！”孔明曰：“吾今再放汝去，若何？”孟获曰：“吾虽蛮人，颇知兵法；若丞相端的肯放吾回洞中，吾当率兵再决胜负。若丞相这番再擒得我，那时倾心吐胆归降，并不敢改移也。”孔明曰：“这番生擒，如又不服，必无轻恕。”令左右去其绳索，仍赐以酒食，列坐于帐上。孔明曰：“吾自出茅庐，战无不胜，攻无不取。汝蛮邦之人，何为不服？”获默然不答。

孔明酒后，唤孟获同上马出寨，观看诸营寨栅所屯粮草，所积军器。孔明指谓孟获曰：『汝不降吾，真愚人也。吾有如此之精兵猛将，粮草兵器，汝安能胜吾哉？汝若早降，吾当奏闻天子，令汝不失王位，子子孙孙，永镇蛮邦。意下若何？』获曰：『某虽肯降，怎奈洞中之人未肯心服。若丞相肯放回去，就当招安本部人马，同心合胆，方可归顺。』孔明忻然，又与孟获回到大寨。饮酒至晚，获辞去；孔明亲自送至泸水边，以船送获归寨。

孟获来到本寨，先伏刀斧手于帐下，差心腹人到董荼那、阿会喃寨中，只推孔明有使命至，将二人赚到大寨帐下，尽皆杀之，弃尸于涧。孟获随即遣亲信之人，守把隘口，自引军出了夹山峪，要与马岱交战，却并不见一人；及问土人，皆言昨夜尽搬粮草复渡泸水，归大寨去了。获再回洞中，与亲弟孟优商议曰：『如今诸葛亮之虚实，吾已尽知，汝可去如此如此。』孟优领了兄计，引百余蛮兵，搬载金珠、宝贝、象牙、犀角之类，渡了泸水，径投孔明大寨而来；方才过了河时，前面鼓角齐鸣，一彪军摆开：为首大将乃马岱也。孟优大惊。岱问了来情，令在外厢，差人来报孔明。

孔明正在帐中与马谡、吕凯、蒋琬、费祎等共议平蛮之事，忽帐下一人，报称孟获差弟孟优来进宝贝。孔明回顾马谡曰：『汝知其来意否？』谡曰：『不敢明言。容某暗写于纸上，呈与丞相，看合钧意否？』孔明从之。马谡写讫，呈与孔明。孔明看毕，抚掌大笑曰：『擒孟获之计，吾已差派下也。汝之所见，正与吾同。』遂唤赵云入，向耳畔分付如此如此；又唤魏延入，亦低言分付；又唤王平、马忠、关索入，亦密密地分付。各人受了计策，皆依令而去，方召孟优入帐。优再拜于帐下曰：『家兄孟获，感丞相活命之恩，无可奉献，辄具金珠宝贝若干，权为赏军之资。续后别有进贡天子礼物。』孔明曰：『汝兄今在何处？』优曰：『为感丞相天恩，径往银坑山中收拾宝物去了，少时便回来也。』孔明曰：『汝带多少人来？』优曰：『不敢多带。只是随行百余人，皆运货物者。』孔明尽教入帐看时，皆是青眼黑面，黄发紫须，耳带金环，髽头跣足，身长力大之士。孔明就令随席而坐，教诸将劝酒，殷勤相待。

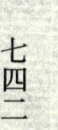

却说孟获在帐中专望回音，忽报有二人回了；唤入问之，具说：『诸葛亮受了礼物大喜，将随行之人，皆唤入帐中，杀牛宰羊，设宴相待。二大王令某密报大王：今夜二更，里应外合，以成大事。』孟获听知甚喜，即点起三万蛮兵，分为三队。获唤各洞酋长分付曰：『各军尽带火具。今晚到了蜀寨时，放火为号。吾当自取中军，以擒诸葛亮。』诸多蛮将，受了计策，黄昏左侧，各渡泸水而来。孟获带领心腹蛮将百余人，径投孔明大寨，于路并无一军阻当。前至寨门，获率众将骤马而入，——乃是空寨，并不见一人。获撞入中军，只见帐中灯烛荧煌，孟优并番兵尽皆醉倒。原来孟优被孔明教马谡、吕凯二人管待，令乐人搬做杂剧，殷勤劝酒，酒内下药，尽皆昏倒，浑如醉死之人。孟获入帐问之，内有醒者，但指口而已。获知中计，急救了孟优等一干人；却待奔回中队，前面喊声大震，火光骤起，蛮兵各自逃窜。一彪军杀到，乃是蜀将王平。获大惊，急奔左队时，火光冲天，一彪军杀到，为首蜀将乃是魏延。获慌忙望右队而来，只见火光又起，又一彪军杀到，为首蜀将乃是赵云。三路军夹攻将来，四下无路。孟获弃了军士，匹马望泸水而逃。

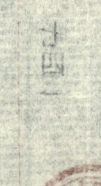

正见泸水上数十个蛮兵，驾一小舟，获慌令近岸。人马方才下船，一声号起，将孟获缚住。原来马岱受了计策，引本部兵扮作蛮兵，撑船在此，诱擒孟获。

于是孔明招安蛮兵，降者无数。孔明一一抚慰，并不加害。就教救灭了余火。须臾，马岱擒孟获至；赵云擒孟优至；魏延、马忠、王平、关索擒诸洞酋长至。孔明指孟获而笑曰：『汝先令汝弟以礼诈降，如何瞒得过吾！今番又被我擒，汝可服否？』获曰：『此乃吾弟贪口腹之故，误中汝毒，因此失了大事。吾若自来，弟以兵应之，必然成功。此乃天败，非吾之不能也：如何肯服！』孔明曰：『今已三次，如何不服？』孟获低头无语。孔明笑曰：『吾再放汝回去。』孟获曰：『丞相若肯放吾兄弟回去，收拾家下亲丁，和丞相大战一场：那时擒得，方才死心塌地而降。』孔明曰：『再若擒住，必不轻恕。汝可小心在意，勤攻韬略之书，再整亲信之士，早用良谋，勿生后悔。』遂令武士，去其绳索，放起孟获，并孟优及各洞酋长，一齐都放。孟获等拜谢去了。此时蜀兵已渡泸水。孟获等过了泸水，只见岸口陈兵列将，旗帜纷纷。获到营前，马岱高坐，以剑指之曰：『这番拿住，必无轻放！』孟获到了自己寨时，赵云早已袭了此寨，布列兵马。云坐于大旗下，按剑而言曰：『丞相如此相待，休忘大恩！』获喏喏连声而去。将出界口山坡，魏延引一千精兵，摆在坡上，勒马厉声而言曰：『吾今已深入巢穴，夺汝险要；汝尚自愚迷，抗拒大军！这回拿住，碎尸万段，决不轻饶！』孟获等抱头鼠窜，望本洞而去。后人有诗赞曰：

五月驱兵入不毛，月明泸水瘴烟高。誓将雄略酬三顾，岂惮征蛮七纵劳。

却说孔明渡了泸水，下寨已毕，大赏三军，聚众将于帐下曰：『孟获第二番擒来，吾令遍观各营虚实，正欲令其来劫营也。吾知孟获颇晓兵法，吾以兵马粮草炫耀，实令孟获看吾破绽，必用火攻。彼令其弟诈降，欲为内应耳。吾三番擒之而不杀，诚欲服其心，不欲灭其类也。吾今明告汝等，勿得辞劳，可用心报国。』众将拜伏曰：『丞相智、仁、勇三者足备，虽子牙、张良不能及也。』孔明曰：『吾今安敢望古人耶？皆赖汝等之力，共成功业耳。』帐下诸将听得孔明之言，尽皆喜悦。

却说孟获受了三擒之气，忿忿归到银坑洞中，即差心腹人赍金珠宝贝，往八番九十三甸等处，并蛮方部落，借使牌刀獠丁军健数十万，克日齐备，各队人马，云堆雾拥，俱听孟获调用。伏路军探知其事，来报孔明。孔明笑曰：『吾正欲令蛮兵皆至，见吾之能也。』遂上小车而行。正是：若非洞主威风猛，怎显军师手段高！未知胜负如何，且看下文分解。

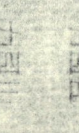

第八十九回　武乡侯四番用计　南蛮王五次遭擒

却说孔明自驾小车，引数百骑前来探路。前有一河，名曰西洱河：水势虽慢，并无一只船筏。孔明令伐木为筏而渡，其木到水皆沉。孔明遂问吕凯，凯曰：『闻西洱河上流有一山，其山多竹，大者数围。可令人伐之，于河上搭起竹桥，以渡军马。』孔明即调三万人入山，伐竹数十万根，顺水放下，于河面狭处，搭起竹桥，阔十余丈。乃调大军于河北岸一字儿下寨，便以河为壕堑，以浮桥为门，垒土为城；过桥南岸，一字下三个大营，以待蛮兵。

却说孟获引数十万蛮兵，恨怒而来。将近西洱河，孟获引前部一万刀牌獠丁，直扣前寨搦战。孔明头戴纶巾，身披鹤氅，手执羽扇，乘驷马车，左右众将簇拥而出。孔明见孟获身穿犀皮甲，头顶朱红盔，左手挽牌，右手执刀，骑赤毛牛，口中辱骂；手下万余洞丁，各舞刀牌，往来冲突。孔明急令退回本寨，四面紧闭，不许出战。蛮兵皆裸衣赤身，直到寨门前叫骂。诸将大怒，皆来禀孔明曰：『某等情愿出寨决一死战！』孔明不许。诸将再三欲战，孔明止曰：『蛮方之人，不遵王化，今此一来，狂恶正盛，不可迎也；且宜坚守数日，待其猖獗少懈，吾自有妙计破之。』

于是蜀兵坚守数日。孔明在高阜处探之，窥见蛮兵已多懈怠，乃聚诸将曰：『汝等敢出战否？』众将欣然要出。孔明先唤赵云、魏延入帐，向耳畔低言，分付如此如此。二人受了计策先进。却唤王平、马忠入帐，

受计去了。又唤马岱分付曰：『吾今弃此三寨，退过河北；吾军一退，汝可便拆浮桥，移于下流，却渡赵云、魏延军马过河来接应。』岱受计而去。又唤张翼曰：『吾军退去，寨中多设灯火。孟获知之，必来追赶，汝却断其后。』张翼受计而退。孔明只教关索护车。众军退去，寨中多设灯火。蛮兵望见，不敢冲突。

次日平明，孟获引大队蛮兵径到蜀寨之时，只见三个大寨，皆无人马，于内弃下粮草车仗数百余辆。孟优曰：『诸葛弃寨而走，莫非有计否？』孟获曰：『吾料诸葛亮弃辎重而去，必因国中有紧急之事：若非吴侵，定是魏伐。故虚张灯火以为疑兵，弃车仗而去也。可速追之，不可错过。』于是孟获自驱前部，直到西洱河边。望见河北岸上，寨中旗帜整齐如故，灿若云锦；沿河一带，又设锦城。蛮兵哨见，皆不敢进。获谓优曰：『此是诸葛亮惧吾追赶，故就河北岸少住，不二日必走矣。』遂将蛮兵屯于河岸；又使人去山上砍竹为筏，以备渡河；却将敢战之兵，皆移于寨前面。却不知蜀兵早已入自己之境。

是日，狂风大起。四壁厢火明鼓响，蜀兵杀到。蛮兵獠丁，自相冲突。孟获大惊，急引宗族洞丁杀开条路，径奔旧寨。忽一彪军从寨中杀出，乃是赵云。获慌忙回西洱河，望山僻处而走。又一彪军杀出，乃是马岱。孟获只剩得数十个败残兵，望山谷中而逃。见南、北、西三处尘头火光，因此不敢前进，只得望东奔走。方才转过山口，见一大林之前，数十从人，引一辆小车；车上端坐孔明，呵呵大笑曰：『蛮王孟获！天败至此，吾已等候多时也！』获大怒，回顾左右曰：『吾遭此人诡计，受辱三次；今幸得这里相遇。汝等奋力前去，连人带车砍为粉碎！』数骑蛮兵，猛力向前。孟获当先呐喊，抢到大林之前，跄踏一声，踏

了陷坑，一齐塌倒。大林之内，转出魏延，引数百军来，一个个拖出，用索缚定。孔明先到寨中，招安蛮兵，并诸甸酋长洞丁——此时大半皆归本乡去了——除死伤外，其余尽皆归降。孔明以酒肉相待，以好言抚慰，尽令放回。蛮兵皆感叹而去。少顷，张翼解孟优至。孔明诲之曰：『汝兄愚迷，汝当谏之。今被吾擒了四番，有何面目再见人耶！』孟优羞惭满面，伏地告求免死。孔明曰：『吾杀汝不在今日。吾且饶汝性命，劝谕汝兄。』令武士解其绳索，放起孟优。优泣拜而去。

不一时，魏延解孟获至。孔明大怒曰：『你今番又被吾擒了，有何理说！』获曰：『吾今误中诡计，死不瞑目！』孔明叱武士推出斩之。获全无惧色，回顾孔明曰：『若敢再放吾回去，必然报四番之恨！』孔明大笑，令左右去其缚，赐酒压惊，就坐于帐中。孔明问曰：『吾今四次以礼相待，汝尚然不服，何也？』获曰：『吾虽是化外之人，不似丞相专施诡计，吾如何肯服？』孔明曰：『吾再放汝回去，复能战乎？』获曰：『丞相若再拿住吾，吾那时倾心降服，尽献本洞之物犒军，誓不反乱。』

孔明即笑而遣之。获忻然拜谢而去。于是聚得诸洞壮丁数千人，望南迤逦而行。早望见尘头起处，一队兵到：乃是兄弟孟优，重整残兵，来与兄报仇。兄弟二人，抱头相哭，诉说前事。优曰：『我兵屡败，蜀兵屡胜，难以抵当。只可就山阴洞中，退避不出。蜀兵受不过暑气，自然退矣。』获问曰：『何处可避？』优曰：『此去西南有一洞，名曰秃龙洞。洞主朵思大王，与弟甚厚，可投之。』于是孟获先教孟优到秃龙洞，见了朵思大王。朵思慌引洞兵出迎。孟获入洞，礼毕，诉说前事。朵思曰：『大王宽心。若蜀兵到来，

第八十九回 武乡侯四番用计 南蛮王五次遭擒

令他一人一骑不得还乡，与诸葛亮皆死于此处！』获大喜，问计于朵思。朵思曰：『此洞中止有两条路：东北上一路，就是大王所来之路，地势平坦，土厚水甜，人马可行；若以木石垒断洞口，虽有百万之众，不能进也。西北上有一条路，山险岭恶，道路窄狭；其中虽有小路，多藏毒蛇恶蝎；黄昏时分，烟瘴大起，直至巳、午时方收，惟未、申、酉三时，可以往来；水不可饮，人马难行。此处更有四个毒泉：一名哑泉，其水颇甜，人若饮之，则不能言，不过旬日必死；二曰灭泉，此水与汤无异，人若沐浴，则皮肉皆烂，见骨必死；三曰黑泉，其水微清，人若溅之在身，则手足皆黑而死；四曰柔泉，其水如冰，人若饮之，咽喉无暖气，身躯软弱如绵而死。此处虫鸟皆无，惟有汉伏波将军曾到；自此以后，更无一人到此。今垒断东北大路，令大王稳居敝洞，若蜀兵见东北路截断，必从西路而入；于路无水，若见此四泉，定然饮水，虽百万之众，皆无归矣。何用刀兵耶！』孟获大喜，以手加额曰：『今日方有容身之地！』又望北指曰：『任诸葛神机妙算，难以施设！四泉之水，足以报败兵之恨也！』自此，孟获、孟优终日与朵思大王筵宴。

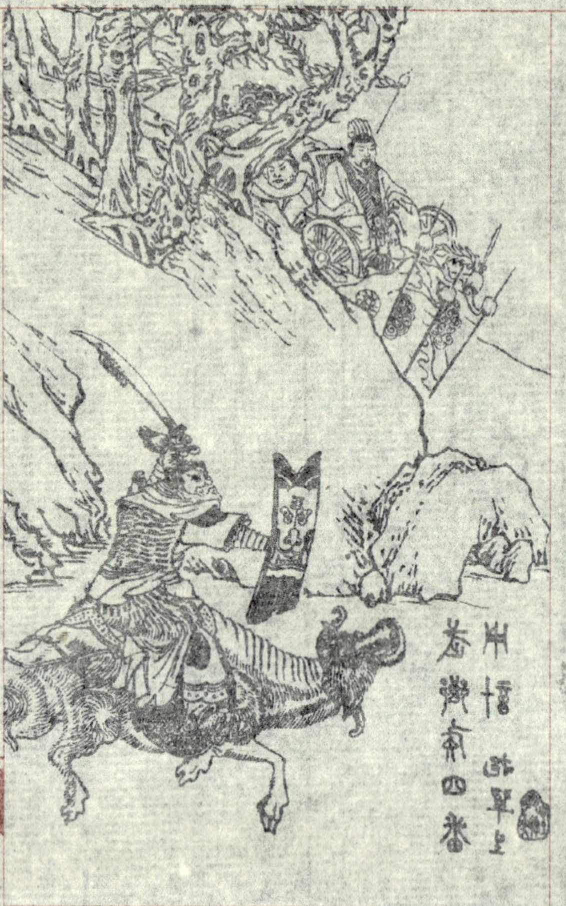

却说孔明连日不见孟获兵出，遂传号令教大军离西洱河，望南进发。此时正当六月炎天，其热如火。有后人咏南方苦热诗曰：

山泽欲焦枯，火光覆太虚。不知天地外，暑气更何如！

又有诗曰：

赤帝施权柄，阴云不敢生。云蒸孤鹤喘，海热巨鳌惊。忍舍溪边坐？慵抛竹里行。如何沙塞客，擐甲复长征！

孔明统领大军，正行之际，忽哨马飞报：『孟获退往秃龙洞中不出，将洞口要路垒断，内有兵把守；山恶岭峻，不能前进。』孔明请吕凯问之，凯曰：『某曾闻此洞有条路，实不知详细。』蒋琬曰：『孟获四次遭擒，既已丧胆，安敢再出？况今天气炎热，军马疲乏，征之无益；不如班师回国。』孔明曰：『若如此，正中孟获之计也。吾军一退，彼必乘势追之。今已到此，安有复回之理！』遂令王平领数百军为前部；却教新降蛮兵引路，寻西北小径而入。前到一泉，人马皆渴，争饮此水。王平探有此路，回报孔明。比及到大寨之时，皆不能言，但指口而已。

孔明大惊，知是中毒，遂自驾小车，引数十人前来看时，见一潭清水，深不见底，水气凛凛，军不敢试。孔明下车，登高望之，四壁峰岭，鸟雀不闻，心中大疑。忽望见远远山冈之上，有一古庙。孔明攀藤附葛而到，见一石屋之中，塑一将军端坐，旁有石碑，乃汉伏波将军马援之庙：因平蛮到此，土人立庙祀之。孔明再拜曰：『亮受先帝托孤之重，今承圣旨，到此平蛮，欲待蛮方既平，然后伐魏吞吴，重安汉室。今军士不识地理，误饮毒水，不能出声。万望尊神，念本朝恩义，通灵显圣，护佑三军！』祈祷已毕，出庙寻土人问之。隐隐望见对山一老叟扶杖而来，形容甚异。孔明请老叟入庙，礼毕，对坐于石上。孔明问曰：『丈者高姓？』老叟曰：『老夫久闻大国丞相隆名，幸得拜见。蛮方之人，多蒙丞相活命，皆感恩不浅。』孔明问泉水之故，老叟答曰：『军所饮水，乃哑泉之水也；饮之难言，数日而死。此泉之外，又有三泉：东南有一泉，其水至冷，人若饮之，咽喉无暖气，身躯软弱而死，名曰柔泉；正南有一泉，人若溅之在身，手足皆黑而死，名曰黑泉；西南有一泉，沸如热汤，人若浴之，皮肉尽脱而死，名曰灭泉。敝处有此四泉，毒气所聚，无药可治。又烟瘴甚起，惟未、申、酉三个时辰可往来；余者时辰，皆瘴气密布，触之即死。』

孔明曰：『如此则蛮方不可平矣。蛮方不平，安能并吞吴、魏，再兴汉室？有负先帝托孤之重，生不如死也！』老叟曰：『丞相勿忧。老夫指引一处，可以解之。』孔明曰：『老丈有何高见，望乞指教。』老叟曰：『此去正西数里，有一山谷，入内行二十里，有一溪名曰万安溪。上有一高士，号为「万安隐者」；此人不出溪有数十余年矣。其草庵后有一泉，名安乐泉。人若中毒，汲其水饮之即愈。有人或生疥癞，或感瘴气，于万安溪内浴之，自然无事。更兼庵前有一等草，名曰「薤(xiè)叶芸香」。人若口含一叶，则瘴气不染。丞相可速往求之。』孔明拜谢，问曰：『承丈者如此活命之德，感刻不胜。愿闻高姓？』老叟入庙曰：『吾乃本处山神，奉伏波将军之命，特来指引。』言讫，喝开庙后石壁而入。孔明惊讶不已，再拜庙神，寻旧

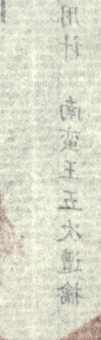

路上车，回到大寨。

次日，孔明备信香、礼物，引王平及众哑军，连夜望山神所言去处，迤逦而进。入山谷小径，约行二十余里，但见长松大柏，茂竹奇花，环绕一庄；篱落之中，有数间茅屋，闻得馨香喷鼻。孔明大喜，到庄前扣户，有一小童出。孔明方欲通姓名，早有一人，竹冠草履，白袍皂绦，碧眼黄发，忻然出曰：『来者莫非汉丞相否？』孔明笑曰：『高士何以知之？』隐者曰：『久闻丞相大纛(dùo)南征，安得不知！』遂邀孔明入草堂。礼毕，分宾主坐定。孔明告曰：『亮受昭烈皇帝托孤之重，今承嗣君圣旨，领大军至此，欲服蛮邦，使归王化。不期孟获潜入洞中，军士误饮哑泉之水。夜来蒙伏波将军显圣，言高士有药泉，可以治之。望乞矜念，赐神水以救众兵残生。』隐者曰：『量老夫山野废人，何劳丞相枉驾。此泉就在庵后。』教取来饮。

于是童子引王平等一起哑军，来到溪边，汲水饮之；随即吐出恶涎，便能言语。童子又引众军到万安溪中沐浴。隐者于庵中进柏子茶、松花菜，以待孔明。隐者告曰：『此间蛮洞多毒蛇恶蝎，柳花飘入溪泉之间，水不可饮；但掘地为泉，汲水饮之方可。』孔明求『薤叶芸香』，隐者令众军尽意采取：『各人口含一叶，自然瘴气不侵。』孔明拜求隐者姓名。隐者笑曰：『某乃孟获之兄孟节是也。』孔明愕然。隐者又曰：『丞相休疑，容伸片言：某一父母所生三人：长即老夫孟节，次孟获，又次孟优。父母皆亡。二弟强恶，不归王化。某屡谏不从，故更名改姓，隐居于此。今辱弟造反，又劳丞相深入不毛之地，如此生受，孟节合该万死，故先于丞相之前请罪。』孔明叹曰：『方信盗跖、下惠之事，今亦有之。』遂与孟节曰：『吾申奏天子，立公为王，可乎？』节曰：『为嫌功名而逃于此，岂复有贪富贵之意！』孔明乃具金帛赠之。孟节坚辞不受。孔明嗟叹不已，拜别而回。后人有诗曰：

高士幽栖独闭关，武侯曾此破诸蛮。至今古木无人境，犹有寒烟锁旧山。

孔明回到大寨之中，令军士掘地取水。掘下二十余丈，并无滴水；凡掘十余处，皆是如此。军心惊慌。孔明夜半焚香告天曰：『臣亮不才，仰承大汉之福，受命平蛮。今途中乏水，军马枯渴。倘上天不绝大汉，即赐甘泉！若气运已终，臣亮等愿死于此处！』是夜祝罢，平明视之，皆得满井甘泉。后人有诗曰：

为国平蛮统大兵，心存正道合神明。耿恭拜井甘泉出，诸葛虔诚水夜生。

孔明军马既得甘泉，遂安然由小径直入秃龙洞前下寨。

蛮兵探知，来报孟获曰：『蜀兵不染瘴疫之气，又无枯渴之患，诸泉皆不应。』朵思大王闻知不信，自与孟获来高山望之。只见蜀兵安然无事，大桶小担，搬运水浆，饮马造饭。朵思见之，毛发耸然，回顾孟获曰：『此乃神兵也！』获曰：『吾兄弟二人与蜀兵决一死战，就殒于军前，安肯束手受缚！』朵思曰：『若大王兵败，吾妻子亦休矣。当杀牛宰马，大赏洞丁，不避水火，直冲蜀寨，方可得胜。』

于是大赏蛮兵。正欲起程，忽报洞后迤西银冶洞二十一洞主杨锋引三万兵来助战。孟获大喜曰：『邻兵助我，我必胜矣！』即与朵思大王出洞迎接。杨锋引兵入曰：『吾有精兵三万，皆披铁甲，能飞山越岭，足以敌蜀兵百万；我有五子，皆武艺足备：愿助大王。』锋令五子入拜，皆彪躯虎体，威风抖擞。孟获大喜，遂设席相待，饮酒至半酣，锋曰：「军中少乐，吾随军有蛮姑，善舞刀牌，以助一笑。」获忻然从之。须臾，数十蛮姑，皆披发跣足，从外舞跳而入，群蛮拍手以歌和之。杨锋令二子把盏。二子举杯诣孟获、孟优前。二人接杯，方欲饮酒，锋大喝一声，二子早将孟获、孟优执下座来。朵思大王却待要走，已被杨锋擒了。蛮姑横截于帐上，谁敢近前。获曰：「兔死狐悲，物伤其类。吾与汝皆是各洞之主，往日无冤，何故害我？」锋曰：「吾兄弟子侄皆感诸葛丞相活命之恩，无可以报。今汝反叛，何不擒献！」

于是各洞蛮兵，皆走回本乡。杨锋将孟获、孟优、朵思等解赴孔明寨来。孔明令人，杨锋等拜于帐下曰：「某等子侄皆感丞相恩德，故擒孟获、孟优等呈献。」孔明重赏之，令驱孟获入。孔明笑曰：「汝今番心服乎？」获曰：「非汝之能，乃吾洞中之人，自相残害，以致如此。要杀便杀，只是不服！」孔明曰：「汝赚吾人无水之地，更以哑泉、灭泉、黑泉、柔泉如此之毒，吾军无恙，岂非天意乎？汝何如此执迷？」获又曰：「吾祖居银坑山中，有三江之险，重关之固。汝若就彼擒之，吾当子子孙孙，倾心服事。」孔明曰：「吾再放汝回去，重整兵马，与吾共决胜负；如那时擒住，汝再不服，当灭九族。」叱左右去其缚，放起孟获。获再拜而去。孔明又将孟优并朵思大王皆释其缚，赐酒食压惊。二人悚惧，不敢正视。孔明令鞍马送回。正是：

深临险地非容易，更展奇谋岂偶然！

未知孟获整兵再来，胜负如何，且看下文分解。

第九十回　驱巨兽六破蛮兵　烧藤甲七擒孟获

却说孔明放了孟获等一干人，杨锋父子皆封官爵，重赏洞兵。杨锋等拜谢而去。孟获等连夜奔回银坑洞。那洞外有三江：乃是泸水、甘南水、西城水。三路水会合，故为三江。其洞北近平坦三百余里，多产万物。洞西二百里，有盐井。西南二百里，直抵泸、甘。正南三百里，乃是梁都洞，洞中有山，环抱其洞；山上出银矿，故名为银坑山。山中置宫殿楼阁，以为蛮王巢穴。其中建一祖庙，名曰「家鬼」。四时杀牛宰马享祭，名为「卜鬼」。每年常以蜀人并外乡之人祭之。若人患病，不肯服药，只祷师巫，名为「药鬼」。其处无刑法，但犯罪即斩。有女长成，却于溪中沐浴，男女自相混淆，任其自配，父母不禁，名为「学艺」。年岁雨水均调，则种稻谷；倘若不熟，杀蛇为羹，煮象为饭。每方隅之中，上户号曰「洞主」，次曰「酋长」。每月初一、十五两日，皆在三江城中买卖，转易货物。其风俗如此。

却说孟获在洞中，聚集宗党千余人，谓之曰：「吾屡受辱于蜀兵，立誓欲报之。汝等有何高见？」言未毕，一人应曰：「吾举一人，可破诸葛亮。」众视之，乃孟获妻弟，现为八番部长，名曰带来洞主。获大喜，急问何人。带来洞主曰：「此去西南八纳洞，洞主木鹿大王，深通法术：出则骑象，能呼风唤雨，常有虎豹豺狼、毒蛇恶蝎跟随。手下更有三万神兵，甚是英勇。大王可修书具礼，某亲往求之。此人若允，何惧蜀兵哉！」获忻然，令国舅赍书而去。却说朵思大王守把三江城，以为前面屏障。

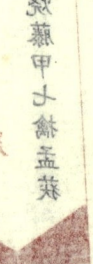

却说孔明提兵直至三江城，遥望见此城三面傍江，一面通旱；即遣魏延、赵云同领一军，于旱路打城。军到城下时，城上弓弩齐发：原来洞中之人，多习弓弩，一弩齐发十矢，箭头上皆用毒药；但有中箭者，皮肉皆烂，见五脏而死。赵云、魏延不能取胜，回见孔明，言药箭之事。孔明自乘小车，到军前看了虚实，回到寨中，令军退数里下寨。蛮兵望见蜀兵远退，皆大笑作贺，只疑蜀兵惧怯而退，因此夜间安心稳睡，不去哨探。

却说孔明约军退后，即闭寨不出。一连五日，并无号令。黄昏左侧，忽起微风。孔明传令曰：『每军要衣襟一幅，限一更时分应点。无者立斩。』诸将皆不知其意，众军依令预备。初更时分，又传令曰：『每军衣襟一幅，包土一包。无者立斩。』众军亦不知其意，只得依令预备。孔明又传令曰：『诸军包土，俱在三江城下交割。先到者有赏。』众军闻令，皆包净土，飞奔城下。孔明令积土为蹬道，先上城者为头功。于是蜀兵十余万，并降兵万余，将所包之土，一齐弃于城下。一霎时，积土成山，接连城上。一声暗号，蜀兵皆上城。蛮兵急放弩时，大半早被执下，余者弃城而走。朵思大王死于乱军之中。蜀将督军分路剿杀。孔明取了三江城，所得珍宝，皆赏三军。败残蛮兵逃回见孟获说：『朵思大王身死，失了三江城。』获大惊。

正虑之间，人报蜀兵已渡江，现在本洞前下寨。孟获甚是慌张。忽然屏风后一人大笑而出曰：『既为男子，何无智也？我虽是一妇人，愿与你出战。』获视之，乃妻祝融夫人也。夫人世居南蛮，乃祝融氏之后；善使飞刀，百发百中。孟获起身称谢。夫人忻然上马，引宗党猛将数百员、生力洞兵五万，出银坑宫阙，

来与蜀兵对战。方才转过洞口，一彪军拦住：为首蜀将，乃是张嶷。蛮兵见之，却早两路摆开。祝融夫人背插五口飞刀，手挺丈八长标，坐下卷毛赤兔马。张嶷见之，暗暗称奇。二人骤马交锋。战不数合，夫人拨马便走。张嶷赶去，空中一把飞刀落下。嶷急用手隔，正中左臂，翻身落马。蛮兵发一声喊，将张嶷执缚去了。马忠听得张嶷被执，急出救时，早被蛮兵捆住。望见祝融夫人挺标勒马而立，忠忿怒向前去战，坐下马绊倒，亦被擒了。都解入洞中来见孟获。获设席庆贺。夫人叱刀斧手推出张嶷、马忠要斩。获止曰：『诸葛亮放吾五次，今番若杀彼将，是不义也。且囚在洞中，待擒住诸葛亮，杀之未迟。』夫人从其言，笑饮作乐。

却说败残兵来见孔明，告知其事。孔明即唤马岱、赵云、魏延三人受计，各自领军前去。次日，蛮兵报入洞中，说赵云搦战。祝融夫人即上马出迎。二人战不数合，云拨马便走。夫人恐有埋伏，勒兵而回。魏延又引军来搦战，夫人纵马相迎。正交锋紧急，延诈败而逃，夫人只不赶。次日，赵云又引军来搦战，夫人领洞兵出迎。二人战不数合，云诈败而走，夫人按标不赶。欲收兵回洞时，魏延引军齐声辱骂，夫人急挺标来取魏延。延拨马便走。夫人忿怒赶来，延骤马奔入山僻小路。

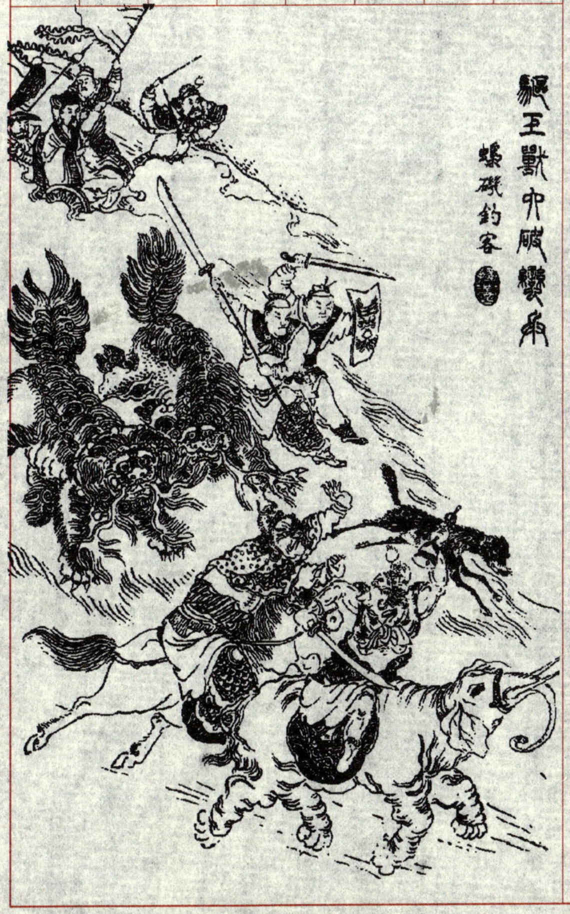

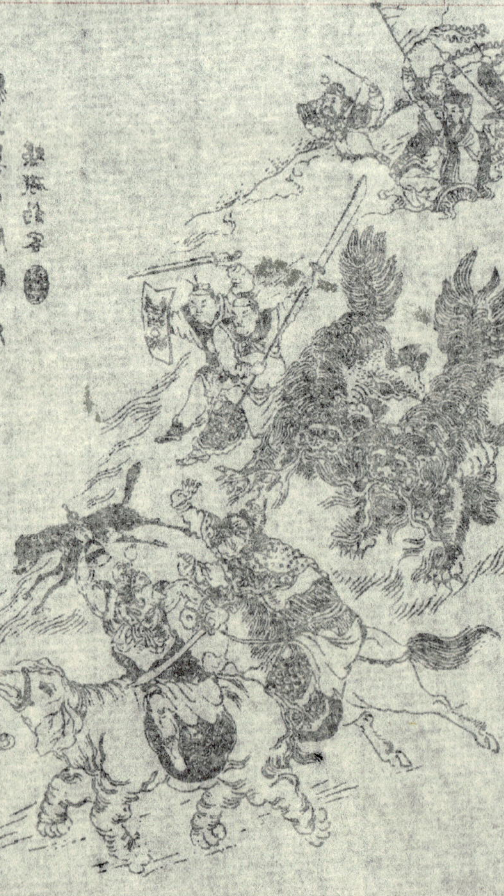

忽然背后一声响亮，延回头视之，夫人仰鞍落马：原来马岱埋伏在此，用绊马索绊倒。就里擒缚，解投大寨而来。蛮将洞兵皆来救时，赵云一阵杀散。孔明端坐于帐上，马岱解祝融夫人到，孔明急令武士去其缚，请在别帐赐酒压惊，遣使往告孟获，欲送夫人换张嶷、马忠二将。

孟获允诺，即放出张嶷、马忠，还了孔明。孔明遂送夫人入洞。孟获接入，又喜又恼。忽报八纳洞主到。孟获出洞迎接，见其人骑着白象，身穿金珠缨络，腰悬两口大刀，领着一班喂养虎豹豺狼之士，簇拥而入。获再拜哀告，诉说前事。木鹿大王许以报仇。获大喜，设宴相待。次日，木鹿大王引本洞兵带猛兽而出。赵云、魏延听知蛮兵出，遂将军马布成阵势。二将并辔立于阵前视之，只见蛮兵旗帜器械皆别：人多不穿衣甲，尽裸身赤体，面目丑陋；身带四把尖刀；军中不鸣鼓角，但筛金为号；木鹿大王腰挂两把宝刀，手执蒂钟，身骑白象，从大旗中而出。赵云见了，谓魏延曰：『我等上阵一生，未尝见如此人物。』二人正沉吟之际，只见木鹿大王口中不知念甚咒语，手摇蒂钟。忽然狂风大作，飞砂走石，如同骤雨；一声画角响，虎豹豺狼，毒蛇猛兽，乘风而出，张牙舞爪，冲将过来。蜀兵如何抵当，往后便退。蛮兵随后追杀，直赶到三江界路方回。赵云、魏延收聚败兵，来孔明帐前请罪，细说此事。

孔明笑曰：『非汝二人之罪。吾未出茅庐之时，先知南蛮有驱虎豹之法。吾在蜀中已办下破此阵之物也：随军有二十辆车，俱封记在此。今日且用一半，留下一半，后有别用。』遂令左右取了十辆红油柜车到帐下，留十辆黑油柜车在后。众皆不知其意。孔明将柜打开，皆是木刻彩画巨兽，俱用五色绒线为毛衣，

四大名著
绣像珍藏版
三国演义
第九十回
驱巨兽六破蛮兵　烧藤甲七擒孟获

钢铁为牙爪，一个可骑坐十人。孔明选了精壮军士一千余人，领了一百，口内装烟火之物，藏在军中。次日，孔明驱兵大进，布于洞口。蛮兵探知，入洞报与蛮王。木鹿大王自谓无敌，即与孟获引洞兵而出。孔明纶巾羽扇，身衣道袍，端坐于车上。孟获指曰：『车上坐的便是诸葛亮！若擒住此人，大事定矣！』木角大王口中念咒，手摇蒂钟。顷刻之间，狂风大作，猛兽突出。孔明将羽扇一摇，其风便回吹彼阵中去了，蜀阵中假兽拥出。蛮洞真兽见蜀阵巨兽口吐火焰，鼻出黑烟，身摇铜铃，张牙舞爪而来，诸恶兽不敢前进，皆奔回蛮洞，反将蛮兵冲倒无数。孔明驱兵大进，鼓角齐鸣，望前追杀。木角大王死于乱军之中。洞内孟获宗党，皆弃宫阙，扒山越岭而走。孔明大军占了银坑洞。

次日，孔明正要分兵缉擒孟获，忽报：『蛮王孟获妻弟带来洞主，因劝孟获归降，获不从，今将孟获并祝融夫人及宗党数百余人尽皆擒来，献与丞相。』孔明听知，即唤张嶷、马忠，分付如此如此。二将受了计，引二千精壮兵，伏于两廊。孔明即令守门将，俱放进来。带来洞主引刀斧手解孟获等数百人，拜于殿下。孔明大喝曰：『与吾擒下！』两廊壮兵齐出，二人捉一人，尽被执缚。孔明大笑曰：『量汝些小诡计，如何瞒得过我！汝见二次俱是本洞人擒汝来降，吾不加害；汝只道吾深信，故来诈降，欲就洞中杀吾！』喝令武士搜其身畔，果然各带利刀。孔明问孟获曰：『汝原说在汝家擒住，方始心服；今日如何？』获曰：『此是我等自来送死，非汝之能也。吾心未服。』孔明曰：『吾擒住六番，尚然不服，欲待何时耶？』获曰：『汝第七次擒住，吾方倾心归服，誓不反矣。』孔明曰：『巢穴已破，吾何虑哉！』令武士尽去其缚，

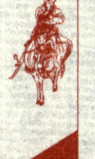

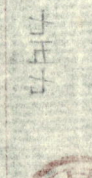

叱之曰：『这番擒住，再若支吾，必不轻恕！』孟获等抱头鼠窜而去。

却说败残蛮兵有千余人，大半中伤而逃，正遇蛮王孟获。获收了败兵，心中稍喜，却与带来洞主商议曰：『吾今洞府已被蜀兵所占，今投何地安身？』带来洞主曰：『止有一国可以破蜀。』获喜曰：『何处可去？』带来洞主曰：『此去东南七百里，有一国，名乌戈国。国主兀突骨，身长丈二，不食五谷，以生蛇恶兽为饭；身有鳞甲，刀箭不能侵。其手下军士，俱穿藤甲；其藤生于山涧之中，盘于石壁之上；国人采取，浸于油中，半年方取出晒之；晒干复浸，凡十余遍，却才造成铠甲；穿在身上，渡江不沉，经水不湿，刀箭皆不能入：因此号为「藤甲军」。今大王可往求之。若得彼相助，擒诸葛亮如利刀破竹也。』孟获大喜，遂投乌戈国，来见兀突骨。其洞无宇舍，皆居土穴之内。孟获入洞，再拜哀告前事。兀突骨曰：『吾起本洞之兵，与汝报仇。』获欣然拜谢。于是兀突骨唤两个领兵俘长：一名土安，一名奚泥，起三万兵，皆穿藤甲，离乌戈国望东北而来。行至一江，名桃花水，两岸有桃树，历年落叶于水中，若别国人饮之尽死，惟乌戈国人饮之，倍添精神。兀突骨兵至桃花渡口下寨，以待蜀兵。

却说孔明令蛮人哨探孟获消息，回报曰：『孟获请乌戈国主，引三万藤甲军，现屯于桃花渡口。孟获又在各番聚集蛮兵，并力拒战。』孔明听说，提兵大进，直至桃花渡口。隔岸望见蛮兵，不类人形，甚是丑恶；又问土人，言说即日桃叶正落，水不可饮。孔明退五里下寨，留魏延守寨。

次日，乌戈国主引一彪藤甲军过河来，金鼓大震。魏延引兵出迎。蛮兵卷地而至。蜀兵以弩箭射到藤甲之上，皆不能透，俱落于地；刀砍枪刺，亦不能入。蛮兵皆使利刀钢叉，蜀兵如何抵当，尽皆败走。蛮兵不赶而回。魏延复回，赶到桃花渡口，只见蛮兵带甲渡水而去；内有困乏者，将甲脱下，放在水面，以身坐其上而渡。魏延急回大寨，来禀孔明，细言其事。孔明请吕凯并土人问之。凯曰：『某素闻南蛮中有一乌戈国，无人伦者也。更有藤甲护身，急切难伤。又有桃叶恶水，本国人饮之，反添精神；别国人饮之即死：如此蛮方，纵使全胜，有何益焉？不如班师早回。』孔明笑曰：『吾非容易到此，岂可便去！吾明日自有平蛮之策。』于是令赵云助魏延守寨，且休轻出。

次日，孔明令土人引路，自乘小车到桃花港口北岸山僻去处，遍观地理。山险岭峻之处，车不能行，孔明弃车步行。忽到一山，望见一谷，形如长蛇，皆光峭石壁，并无树木，中间一条大路。孔明问土人曰：『此谷何名？』土人答曰：『此处名为盘蛇谷。出谷则三江城大路，谷前名塔郎甸。』孔明大喜曰：『此乃天赐吾成功于此也！』遂回旧路，上车归寨，唤马岱分付曰：『与汝黑油柜车十辆，须用竹竿千条，柜内之物，如此如此。可将本部兵去把住盘蛇谷两头，依法而行。与汝半月限，一切完备。至期如此施设。倘有走漏，定按军法。』马岱受计而去。又唤赵云分付曰：『汝去盘蛇谷后，三江大路口如此守把。所用之物，克日完备。』赵云受计而去。又唤魏延分付曰：『汝可引本部兵去桃花渡口下寨。如蛮兵渡水来敌，汝便弃了寨，望白旗处而走。限半个月内，须要连输十五阵，弃七个寨栅。若输十四阵，也休来见我。』魏延领命，心中不乐，怏怏而去。孔明又唤张翼另引一军，依所指之处，筑立寨栅去了；却令张嶷、马忠

引本洞所降千人，如此行之。各人都依计而行。

却说孟获与乌戈国主兀突骨曰：『诸葛亮多有巧计，只是埋伏。今后交战，分付三军：但见山谷之中，林木多处，不可轻进。』兀突骨曰：『大王说的有理。吾已知道中国人多行诡计。今后依此言行之。吾在前面厮杀，汝在背后教道。』两人商议已定。忽报蜀兵在桃花渡口北岸立起营寨。兀突骨即差二俘长引藤甲军渡了河，来与蜀兵交战。不数合，魏延败走。蛮兵恐有埋伏，不赶自回。次日，魏延又去立了营寨。蛮兵哨得，又引众军渡过河来战。延出迎之。不数合，延败走。蛮兵追杀十余里，见四下并无动静，便在蜀寨中屯住。次日，二俘长请兀突骨到寨，说知此事。兀突骨即引兵大进，将魏延追一阵。蜀兵皆弃甲抛戈而走，只见前有白旗。延引败兵，急奔到白旗处，早有一寨，就寨中屯住。兀突骨驱兵追至，魏延引兵弃寨而走。蛮兵得了蜀寨。次日，又望前追杀。魏延回兵交战，不三合又败，只看白旗处而走，又有一寨，延就寨屯住。次日，蛮兵又至。延略战又走。蛮兵占了蜀寨。

话休絮烦，魏延且战且走，已败十五阵，连弃七个营寨。蛮兵大进追杀。兀突骨自在军前破敌，于路但见林木茂盛之处，便不敢进；却使人远望，果见树阴之中，旌旗招飐。兀突骨谓孟获曰：『果不出大王所料。』孟获大笑曰：『诸葛亮今番被吾识破！大王连日胜了他十五阵，夺了七个营寨，蜀兵望风而走。诸葛亮已是计穷，只此一进，大事定矣！』兀突骨大喜，遂不以蜀兵为念。至第十六日，魏延引败残兵，来与藤甲军对敌。兀突骨骑象当先，头戴日月狼须帽，身披金珠缨络，两肋下露出生鳞甲，眼目中微有光芒，手指魏延大骂。延拨马便走。后面蛮兵大进。魏延引兵转过了盘蛇谷，望白旗而走。兀突骨统引兵众，随后追杀。兀突骨望见山上并无草木，料无埋伏，放心追杀。赶到谷中，见数十辆黑油柜车在当路。蛮兵报曰：『此是蜀兵运粮道路，因大王兵至，撇下粮车而走。』兀突骨大喜，催兵追赶。将出谷口，不见蜀兵，只见横木乱石滚下，垒断谷口。兀突骨令兵开路而进，忽见前面大小车辆，装载干柴，尽皆火起。兀突骨忙教退兵，只闻后军发喊，报说谷口已被干柴垒断，车中原来皆是火药，一齐烧着。兀突骨见无草木，心尚不慌，令寻路而走。只见山上两边乱丢火把，火把到处，地中药线皆着，就地飞起铁炮。满谷中火光乱舞，但逢藤甲，无有不着。将兀突骨并三万藤甲军，烧得互相拥抱，死于盘蛇谷中。孔明在山上往下看时，只见蛮兵被火烧的伸拳舒腿，大半被铁炮打的头脸粉碎，皆死于谷中，臭不可闻。孔明垂泪而叹曰：『吾虽有功于社稷，必损寿矣！』左右将士，无不感叹。

却说孟获在寨中，正望蛮兵回报。忽然千余人笑拜于寨前，言说：『乌戈国兵与蜀兵大战，将诸葛亮围在盘蛇谷中了。特请大王前去接应。我等皆是本洞之人，不得已而降蜀；今知大王前到，特来助战。』

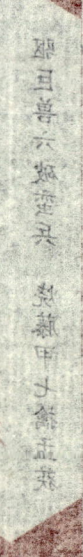

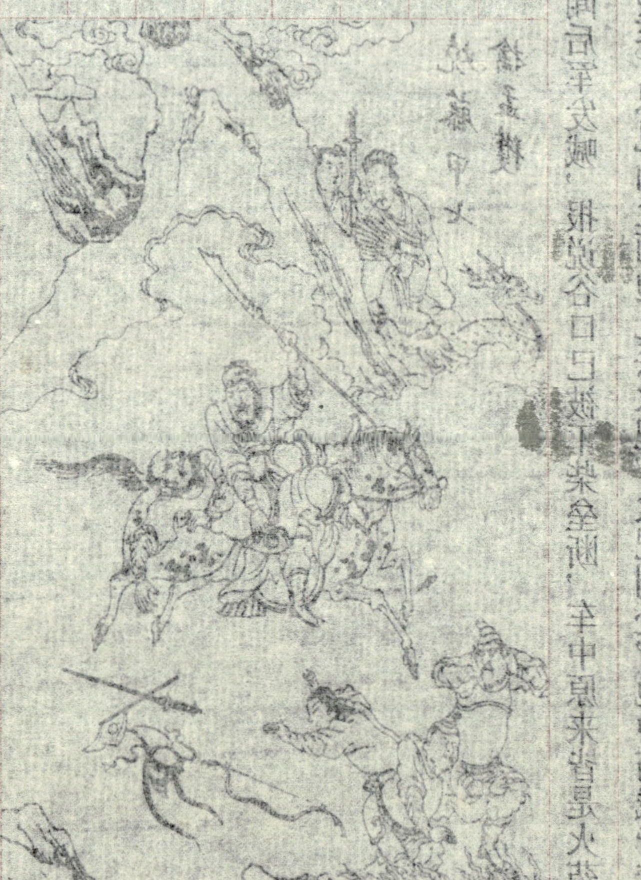

孟获大喜，即引宗党并所聚番人，连夜上马；就令蛮兵引路。方到盘蛇谷时，只见火光甚起，臭气难闻。获知中计，急退兵时，左边张嶷，右边马忠，两路军杀出。获方欲抵敌，一声喊起，蛮兵中大半皆是蜀兵，将蛮王宗党并聚集的番人，尽皆擒了。孟获匹马杀出重围，望山径而走。

正走之间，见山凹里一簇人马，拥出一辆小车；车中端坐一人，纶巾羽扇，身衣道袍，乃孔明也。孔明大喝曰：『反贼孟获！今番如何？』获急回马走。旁边闪过一将，拦住去路，乃是马岱。孟获措手不及，被马岱生擒活捉了。此时王平、张翼已引一军赶到蛮寨中，将祝融夫人并一应老小皆活捉而来。

孔明归到寨中，升帐而坐，谓众将曰：『吾今此计，不得已而用之，大损阴德。我料敌人必算吾于林木多处埋伏，吾却空设旌旗，实无兵马，疑其心也。吾令魏文长连输十五阵者，坚其心也。吾见盘蛇谷止一条路，两壁厢皆是光石，并无树木，下面都是沙土，因令马岱将黑油柜安排于谷中，车中油柜内，皆是预先造下的火炮，名曰「地雷」，一炮中藏九炮，三十步埋之，中用竹竿通节，以引药线；才一发动，山损石裂。吾又令赵子龙预备草车，安排于谷口。又于山上准备大木乱石。却令魏延赚兀突骨并藤甲军入谷，放出魏延，即断其路，随后焚之。吾闻：「利于水者必不利于火。」藤甲虽刀箭不能入，乃油浸之物，见火必着。蛮兵如此顽皮，非火攻安能取胜？使乌戈国之人不留种类者，是吾之大罪也！』众将拜伏曰：『丞相天机，鬼神莫测也！』孔明令押过孟获来。孟获跪于帐下。孔明令去其缚，教且在别帐与酒食压惊。孔明唤管酒食官至坐榻前，如此如此，分付而去。

却说孟获与祝融夫人并孟优、带来洞主、一切宗党在别帐饮酒。忽一人入帐谓孟获曰：『丞相面羞，不欲与公相见。特令我来放公回去，再招人马来决胜负。公今可速去。』孟获垂泪言曰：『七擒七纵，自古未尝有也。吾虽化外之人，颇知礼义，直如此无羞耻乎？』遂同兄弟妻子宗党人等，皆匍匐跪于帐下，肉袒谢罪曰：『丞相天威，南人不复反矣！』孔明曰：『公今服乎？』获泣谢曰：『某子子孙孙皆感覆载生成之恩，安得不服！』孔明乃请孟获上帐，设宴庆贺，就令永为洞主。所夺之地，尽皆退还。孟获宗党及诸蛮兵，无不感戴，皆欣然跳跃而去。后人有诗赞孔明曰：

羽扇纶巾拥碧幢，七擒妙策制蛮王。至今溪洞传威德，为选高原立庙堂。

长史费祎入谏曰：『今丞相亲提士卒，深入不毛，收服蛮方；目今蛮王既已归服，何不置官吏，与孟获一同守之？』孔明曰：『如此有三不易：留外人则当留兵，兵无所食，一不易也；蛮人伤破，父兄死亡，留外人而不留兵，必成祸患，二不易也；蛮人累有废杀之罪，自有嫌疑，留外人终不相信，三不易也。今吾不留人，不运粮，与相安于无事而已。』众人尽服。于是蛮方皆感孔明恩德，乃为孔明立生祠，四时享祭，皆呼之为『慈父』；各送珍珠金宝、丹漆药材、耕牛战马，以资军用，誓不再反。南方已定。

却说孔明犒军已毕，班师回蜀，令魏延引本部兵为前锋。延引兵方至泸水，忽然阴云四合，水面上一阵狂风骤起，飞沙走石，军不能进。延退兵回报孔明。孔明遂请孟获问之。正是：塞外蛮人方帖服，水边鬼卒又猖狂。未知孟获所言若何，且看下文分解。

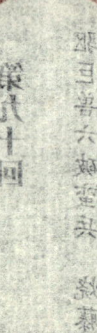